성조이 대봉집

꼬봉이

INSPECTOR KOO

PART.1

차례

작가의 말

안녕하세요, 대본집을 읽고 계신 여러분. 작가 성초이입니다.
〈구경이〉가 만들어진 것은 솔직히 기적 같은 일이라고 자주
이야기합니다.
존경하는 대배우분들과 훌륭한 제작진들을 만나 방영까지 된
것은 비단 운이 좋아서만은 아니겠지요.
그런고로 이 드라마를 함께 만들고 애써 주신 모든 분들께
박수를 드립니다. 정말 감사합니다.
어떤 이야기는 간절한 필요에 의해서 태어난다고 믿습니다.
이 이야기가 필요한 분들께 닿고자 하는 마음으로 부끄러운
글이나마 내어놓습니다.
게임도 손에 안 잡히고, 나가서 친구 만나기도 싫은 심심한
날에 맥주 한 캔 까놓고 홀짝홀짝 읽으면서 잠시 재밌으시길
바랍니다.

일러두기

· 이 책은 성초이 작가의 드라마 대본 집필 형식을 존중하여
최대한 원본에 따라 편집하였습니다.

· 드라마 대사는 구어체인 점을 감안하여, 어감을 살리기
위해 한글 맞춤법과 다른 부분이라 해도 그 표현을 최대한
살렸습니다. 지문은 한글 맞춤법에 따랐습니다.

· 말줄임표의 수, 띄어쓰기는 다양하게 표현되어 있습니다.
이는 대사 시 호흡의 양을 다양하게 하고자 한 작가의
의도를 반영한 것입니다. 마침표가 없는 것 역시 작가의
집필 방식입니다.

· 쉼표, 마침표 등과 같은 구두점과 이모티콘 등의 인터넷
언어, 영화와 연극, 게임, 만화의 용어, 사투리, 대사의
행갈이 방식 또한 작가의 의도를 따랐습니다.

· 드라마에서 장면을 나타내는 'Scene'의 경우,
표준국어대사전에는 '신'으로 등록되어 있지만 이 책에서는
작가의 집필 형식과 현장에서 쓰이는 방식에 따라 '씬'으로
사용했습니다.

· 이 책에는 작가의 최종 대본을 담았습니다. 따라서
방송되지 않은 부분이 포함되어 있거나 방영된 장면과 다를
수 있습니다.

전지전능한 신이 세계를 절멸시키려 하기 전에 당신에게 물었다.

"아 진짜 궁금한데 생명이 소중한 이유가 뭘까요?"

옆집에서 키우는 잉글리쉬 쉽독을 때려죽여 끓여 먹고 이빨 사이에 낀 살점을 빼내고 있는 이웃과 핸드폰 어플로 15살짜리 여자아이를 불러내서는 운전석에서 이미 바지를 적신 중년 남자를 본 당신은 "뭔가가 살아 숨 쉬면 소중함이 느껴지지 않느냐" 고 쉽게 대답할 수 없어졌다. 당신이 대답하지 못하고 머뭇거린다.

그러자 신이 한 걸음 더 다가온다. 천진한 소녀의 얼굴을 하고서. "그럼 이제 죽여도 되는 거죠?"

모든 생명이 소중하다는 건 위선이다. 그 명제들에 제대로 반박하고 싶은데, 아니라고 말해야 하는데, 입이 떨어지지 않는다. 피로와 의심이 이미 나를 잠식하고 있기 때문에. 그런 절망적인 피로감 속에서 나는 대신 대답해줄 사람을 간절하게 찾아왔다.

거짓 없이, 위선 없이, 의심 없이. 도덕책에서 배워서가 아니라 당연히 그렇다고 믿어왔기 때문이 아니라 자신이 기꺼이 겪어낸 고통들 속에서 진실을 길러 내는 사람.

그리하여 이 모든 절망적인 풍경들 속에서도 '그럼에도 불구하고' 인간은 살아가야 한다고 말해줄 사람.

신은 다시 물을 것이다. "왜? 왜 살아야 되는데? 생명이 태어나는 건 기적 같은 일이라서? 사람이 꽃보다 아름다워서? 야 너 진짜로 그렇게 믿는 건 아니지?" 킥킥거리며 데굴데굴 구를지도 모른다.

거기에 흔들리지 않고 꼿꼿이 서 대답할 한 명의 사람이 있다. 그가 바로 우리의 주인공이다. 그가 입을 연다. 떨리는 목소리가 들린다. "왜냐하면…"

이 드라마는 그 '왜냐하면'의 뒤에 길게 이어질 이야기이다.

1. 이 이야기는 (사람이 죽어 나가긴 하지만) 코미디다.

예상치 못한 말과 행동을 연발하는 캐릭터들이 긴장된 상황에서도 시종일관 유머를 자아낸다.

잔인하지만 심각하지 않은,

스릴 있지만 암청색은 아닌!

본격 하드보일드 블랙 코미디!

2. 구경이는 (전대미문의 탐정이지만) 현실 부적응 게임 중독자다.

겉으로는 딱딱거리지만 속은 푸근한 동네 아줌마, 병에 걸려 죽어가면서도 자식 걱정 남편 걱정만 하는 우리네 어머니, 브런치 카페에서 낮 시간을 죽이며 불륜남 퇴근하기만을 기다리는 청담동 사모님, 립스틱 짙게 바른 입술로 문어체의 대사를 읊어대는 – 현실에는 없는 – 보스…

그동안 대중문화에서 보여진 캐릭터로서의 40대 여성의 모습들 가운데 그 어느 것도 구경이는 아니다.

프로페셔널한 탐정이지만 누구보다 집에 들어가고 싶어 하는 내추럴 본 히키코모리, 아내 잃은 남편의 눈물 앞에서 미동도 없건만 온라인 게임에서 아이템을 잃으면 분해서 울고 마는 반전 매력의 소유자. 트렌치코트를 좋아하지만 사건 해결을 위해서라면 몸뺴 바지를 입는 사람. 마음속 깊은 곳에서 누구보다 사람들을 혐오하면서도 묵묵히 옆을 지키던 사람이 잠시 보이지 않으면 밤새 불을 켜 놓고 기다리는 사람.

챈들러의 표현을 따르자면 '평균적이지만 평범하지는 않은' 사람이 바로 구경이다!

3. 여대생 살인마 케이는 (피도 눈물도 없는 살인마지만) 모두가 사랑한다.

여대생 살인마라고 했더니 여대생만 골라 죽이는 살인마를 생각했다면 그것은 오산.

여대생인데 사이코패스 살인마라고 했더니, 냉랭한 표정으로 띄엄띄엄 대사를 치는 뭐 그런 살인자를 생각했다면 그것도 오산.

이 드라마의 주인공 케이는 겉으로는 순진한 사회복지학과 대학생이지만, 뒤로는 죽일 만한 놈들을 완벽한 방법으로 처치하는 시리얼 킬러.

겉모습은? 아이돌 하면 딱 좋겠다 싶은 해사하고 밝은

미소의 소유자. 은근 따라 하고 싶은 패셔니스타, 은근 챙겨주고 싶은 여동생 타입. 그러나 살인을 할 때는 철두철미 완벽 마무리.

도무지 종잡을 수 없어서 너무 궁금하고 너무 무서운 사람이 바로 케이다!

등장인물

의심 하는 사람, 구경이 (여, 40대)

"의심스러운데?"

의심하는 자.

구부정한 어깨에 푹 꺼져 퀭한 눈. 푸석한 피부에 유령처럼 걸으며 늘 발목까지 오는 긴 코트를 입는 이 사람. 뼈다귀 같은 손가락은 마우스를 클릭할 때만 누구보다 열정적이다.

밥물은 못 맞춰도 범인은 잘 맞추는 새로운 형태의 탐정. 비상한 두뇌의 소유자. 하지만 사건만 끝나면 집으로 곧장 돌아가 위스키에 땅콩 먹고 싶은 내추럴 본 집순이. 곧 죽을 것처럼 늘어져 있다가도 맥주 한 모금이면, 시금치 먹은 뽀빠이 마냥 이성과 체력을 되찾고 멋들어진 추리를 해내는 사람.

조사를 할 때는 수단과 방법을 가리지 않는다. 같은 사람인지 의심이 들 정도로 간이고 쓸개고 다 내놓겠다는 각오로 맹렬하게 사건을 향해 돌진하는 구경이! 아마 조사에 필요하다면 개똥도 먹을 것이다. 어쩌면 이미 먹었을 수도 있다. 아무튼…

정의를 실현하겠다는 의지보다는 복잡한 문제를 풀어내는 희열을 느끼고 싶은 것. 그렇다, 구경이에게 사건이란 또 다른 게임이다. 이런 배경 때문일까, 주변 사람들에게 보이는 구경이의 태도는 오만하고 직선적이라 트러블이 안 생길 수가 없다. 세상과 더 두껍게 벽을 치기 위해 그러는 듯 보이기도 한다.

과거에는 이 모든 장기를 활용해 범인을 잡는 강력팀 형사였으나, 현재는 게임만 하며 은둔 생활을 하는 히키코모리일 뿐.

구경이가 이런 만성 무기력에, 게임 중독이 된 것은 남편 장성우가 자살한 이후부터다. 어린 시절부터 부모로부터 받은 상처로 마음을 닫고 일에만 몰두했던 구경이에게 남편 장성우는 햇살이 향기롭고 꽃이 따뜻하다는 걸 알려준 사람이었다.

언제나 다정하고 자상했던 남편이 달라진 것은 장성우가 근무하던 학교의 학생 한결이 사망한 사건 이후다. 해당 사건을 맡은 뒤로 구경이의 의심은 자꾸만 그 학생과 친하게 지냈다던 남편 장성우에게로 향했다.

주변 사람들도 그런 장성우를 의심하기 시작해, 마땅한
증거도 발견되지도 않았는데 대놓고 범인 취급을 했다.
그런 장성우에게 힘이 되어줄 사람은 구경이 뿐이지만,
마찬가지로 남편을 의심하고 있는 구경이는 그의 편이 되어줄
수가 없었다. 그러던 어느 날 유서 한 장 없이 자살한 채로
발견된 남편 장성우. 사람들은 역시 장성우가 범인이어서
죄책감 때문에 죽은 거라는 쪽과, 의심을 받다가 괴로워서
자살했다고 보는 쪽으로 갈렸다.

　　구경이에게는 모두가 괴롭다. 남편이 제자를 죽일
사람이었다는 것도, 남편이 억울함에 자살했을 거라는 것도,
구경이 마저 힘이 되어주지 않아 절망해서 자살했을 거라는
것도…

　　도무지 답을 내릴 수 없는 문제 앞에 서서히 세상과
단절되어 온 구경이. 답을 알려줄 유일한 사람은 이미 세상에
없고, 구경이는 혼자만의 세계로 들어갔다. 경찰 일을
그만두고, 장성우의 보험금으로 연명해가며 방 안에 스스로를
고립시켰다. 그렇게 살아온 햇수가 벌써 셀 수도 없다.

　　경찰 후배이자 구경이를 언제나 존경했던 나제희가 그런
구경이를 찾아내 보험조사관 직을 맡긴다.

　　이번에는 통영에서 실종된 한 남자에 대한 사건이다.
어린 딸과 다정한 부인, 완벽해 보이는 가정의 가장이었던
젊은 남자 김민규는 어느 날 산책 이후에 사라져 1년째
감감무소식이다. 사망 인정을 받게 되면 보험회사에서 민규의
아내에게 사망 보험금을 지급해야만 하고, 나제희는 그것만은
막고 싶다. 구경이를 어르고 달래 해당 사건을 해결해 달라
말하는 나제희. 구경이가 그 의뢰를 받아들이는 이유는,
나제희와의 옛정을 생각해서…는 아니고 나제희가 미리
셋팅 해놓은 최신식 컴퓨터 때문이다. 버퍼링 없는 게임은
중요하니까, 일단은 제안을 받아들이는 구경이.

　　하지만 어디서 굴러먹다 왔는지도 모를 나제희의 팀원,
경수와 같이 가기는 죽어도 싫다는 구경이. 그의 성격을 아는

나제희는, 그럼 선배가 믿는 사람은 누구냐고 되묻는다. 구경이는 오직 자기의 게임 멤버들만 믿는단다. 결국 구경이의 게임 멤버들 가운데, 운전면허증이 있는 산타가 구경이의 이번 의뢰에 동행하게 된다.

산타와 함께 통영으로 내려가 김민규 사건을 조사하던 구경이는 이것이 단순한 실종 사건이 아님을 감지한다. 김민규와 같은 회사에 다니던 사람들이 간격을 두고 차례로 자살, 사고사, 급사한 것.

사람들은 '저주'라며 쉬쉬하는 사건들 속에 모종의 힘이 작동하고 있다고 생각하는 구경이. 결국 '저주'를 피해 죽은 듯 컨테이너에 숨어 있던 김민규를 발견하지만! 구경이의 눈앞에서 도망치던 김민규가 죽어버리고, 구경이는 이 김민규 사고사의 목격자가 된다.

'예전처럼 의심병이 도진 것이 아니냐'는 나제희의 말에도 불구, 구경이는 김민규의 죽음을 포함한 사건들이 '살인'일 거라는 의심을 품는다.

살인마의 정체를 알아내기 위해 김민규의 아내 윤재영을 들쑤시는 구경이. 윤재영이 그 살인마에게 협력했고, 사고사를 일으켰던 도피처를 안내하기까지 했다는 사실을 밝혀낸다. 남편을 보낸 윤재영의 죄책감에는 관심이 없는 구경이. 윤재영이 구경이의 뺨을 때린다. "세상에서 제일 잘 안다고 생각했던 사람이 한순간에 모르는 사람이 되는 그 기분을 알아?" 잠시 수사의 기운에 취해 있던 구경이가 바닥으로 내려온다. 끝내 속을 알 수 없었던 남편 장성우가 떠오른다.

비척비척, 집으로 돌아와 또다시 게임 속에 빠지는 구경이. 우울감이 온몸을 감싸 오로지 마우스 클릭하는 것 밖에 할 수 없는 구경이에게, 게임 팀원이었던 멜론 머스크가 삶을 비관하며 '자살 예고'를 한다.

구경이는 곧 죽어도 이상하지 않은 그 몸과 마음을 하고 굳이 멜론 머스크에게 간다. 그리고 멜론 머스크 대신 제 몸을 날려 그를 구해낸다.

어쩌면 진정으로 구경이가 풀고 싶은 문제는 하나다. '왜 살아야 하나?' 유일하게 사랑하는 사람을 잃고, 그 사람이 왜 죽었는지를 풀기 위해 매달렸던 지난 세월도 역설적으로 그에 대한 답을 찾기 위해서였다. 당신이 왜 죽었지에서 당신이 죽었는데 나는 왜 살아야 하지? 로 이어진 질문들. 그리고, 저 뻔히 보이는 죽어도 싼 놈들은 왜 살아야 하지? 로 이어질 질문들.

전지전능해 보이는 살인마 '케이'의 존재는 이런 식으로 구경이의 삶에 '어렵고 재미있는 문제'를 던짐으로써 새로운 생기를 불어 넣는다.

김민규 사건이 단순한 사고사가 아니라고 의심한 또 다른 사람 – 용 국장 – 의 의뢰로 구경이의 수사에 불이 붙기 시작한다. "그 미친 살인마 잡읍시다!"

나제희의 조사B팀을 케이전담반의 위장으로 쓰기 위해 밀려 있던 보험 사기 사건들도 해결하고 전의를 불태우는 구경이.

구경이가 알지 못하는 사실은 '미친 살인마' 케이를 구경이가 이미 만난 적이 있다는 것. 그리고 케이는 자신의 남편 장성우와 아는 사이였다는 것. 마지막으로, 이미 케이는 구경이를 알아보고 그를 주목하고 있다는 것…!

케이의 칼날 끝이 구경이의 목을 겨누고 있는 상황. 구경이는 이 신출귀몰 살인마 케이를 잡고 그의 살인을 막을 수 있을까!

송이경 (여, 20대 초반)

얼굴이 말간 어린 여자. 열정적인 아마추어 연극배우,
주머니 넉넉한 힙스터, 이모에게는 살가운 조카, 취미는
한강에서 웨이크보드 타기. 이보다 더 무해할 수 없는
미소의 소유자. 하지만 사실 송이경의 정체는…

송아경 ☜ 케이 (여, 20대 초반)

"…정말 그 새끼들이 요만큼이라도 살 가치가 있다고 생각해요?"

확신하는 자.

동글동글한 얼굴에 새하얀 피부, 작은 체구에 무해한 인상을 주는 이 사람이 바로 이 드라마의 안타고니스트, 케이다.

언뜻 보면 전혀 위협이 될 것 같지 않다. 아마추어 연극배우지만 무대 위 연기를 너무 못 해 '나무 1' 역할에 머물러 있는 애. 그럼에도 지갑이 두둑하여 회식 때 맨날 골든벨 울리는 애.

하지만 "쟤 죽이고 싶다"는 말을 "딸기 케이크 먹고 싶다"처럼 쉽게 말하는 케이는 자신이 내뱉은 말을 고민도 없이 실행으로 옮겨 버린다.

미국에서 태어난 케이가 5살 때, 케이에게 비극이 찾아온다. 정확하게는, 캠핑장에서 아빠가 엄마를 쏘아 죽이고 자기 자신 역시 쏘아버린 것. 케이 역시 아버지에게 희생되었으리라 추측되었으나 며칠 만에 숲속에서 발견된다. 생존보다 놀라웠던 것은, 털끝 하나 다치거나 더러워진 곳이 없었다는 사실. 마치 누군가 돌봐주었던 것처럼…

어린 시절 엄마와 함께 보던 아동 인형극. 거기에 나왔던 '그것'. 어린 케이는 숲속에서 '그것'과 재회했다. 그때부터 케이의 눈에만 보이게 된 '그것'.

비극 이후 한국으로 돌아오게 된 케이는 이모 정연의 손에 키워진다. 엘리트 언니와는 달리 다소 헐렁한 면이 있는 정연은 케이를 넘치는 사랑으로 오냐오냐 키웠다. 그렇게 케이는 모자란 것 없이 자라왔다.

하지만 자라면서 케이는 자신이 어딘가 남들과 다르다는 걸 어렴풋이 느꼈다. 분노가 느껴지면, '그것'이 다시 나타났다. 가족사진에서 아빠를 도려내 버린 5살 때부터, 강아지를 잡아먹은 옆집 할아버지의 집에 불을 질렀던 7살 이후 트라우마 치료를 받으며 '그것'을 외면하는 법을 길렀다. 이모를 슬프게 할 순 없었으니까.

하지만 고등학생 시절 어느 날, 학교에서 사랑받던 고양이 가족이 한꺼번에 죽은 이후, 케이는 친한 친구 '영주'에게 이런 말을 듣는다. "고양이 해친 놈 잡으면 콱 죽여버릴 거야. 고양이들은 다 죽었는데 지는 왜 살아야 돼?" 그 때 깨닫는다. 죽어도 싼 인간들은 그냥 죽여도 되는구나. 애착을 가진 대상 – 영주 – 의 말을 거역할 필요는 없다. 영주의 한마디를 '살인 허락'으로 받아들인 케이는 그때부터 살인을 시작한다. 그게 '그것'을 다스리는 방법이기도 했다.

케이의 대상은 주로 약자를 대상으로 권력을 휘두르는 자들이다. 여자를 때리거나 죽이거나 강간해 놓고 그럴 만했다고 하는 자, 고양이를 죽여 놓고 화가 나서 그랬다는 자, 파지 줍는 힘없는 노인을 때릴 수 있으니까 때리는 자, 그런 사람들을 볼 때마다 '그것'이 나타났다.

그러나 나는 괴물의 말에 휘둘리는 사이코패스도 살인마도 아니라고 스스로 믿는 케이. 나에게는 나의 기준이 있다. 내가 애착을 가진 사람들이 내어주는 '허락'들이 그것이다.

"어휴! 저런 놈은 죽여야지!"

"그 새끼는 없어져도 돼!"

주변 사람들의 흘려 하는 한 마디 한 마디가 케이의 살인 면허가 되어 주었다.

사람을 죽이는데 죄책감은 전혀 없다. 그렇다고 큰 분노도 없다. 정의감에 불타는 것도 아니다. 엄청나게 증오한다거나, 악에 받쳐서 복수한다거나 하는 감정적인 이유가 아니라 어린아이가 사탕 찾듯이 그렇게 자신이 할 수 있는 일을 해 나가는 것뿐.

죽일 만한 놈이 나오고, 죽여야 한다는 허락이 떨어지면 연극 대본에서 영감을 얻는다. 그리고 오랜 시간 완벽한 계획을 세워… 자기는 손끝 하나 대지 않고 해치우는 거다. 다른 사람들의 사소한 행위를 결합시켜 거대한 톱니바퀴를 굴러가게 해 일종의 교환살인의 판을 짜는 것이 케이가 즐겨하는 방식. 깔끔한 살인 뒤에는 의식처럼, 영감을 줬던 대본을 예쁘게 제본하여 아지트의 책장에 꽂아두는 것으로 마무리한다.

고로 케이가 벌이는 살인의 특징은 '완벽하다'는 것이다. 모든 죽음을 사고사, 자살로 위장하는 케이. 일종의 이과형 살인자랄까? 케이는 완전 범죄에 대한 이론과 실행법을 학습하며 점점 더 완벽한 범죄를 저지른다. 때문에 경찰들은 일련의 사건들이 케이와 연결되어 있다는 것조차 알아채지 못한다.

하지만 이런 케이에게도 약점은 있다. 애착 대상에게 집착한다는 것. 그 대상은 처음에는 영주였다가, 건욱이었다가, 이모였다가… 그리고… 자신을 유일하게 알아봐 주는 보험조사관 구경이에 이른다.

구경이는 흩어져 있던 사건들의 유사성을 발견하고 점점 더 수사망을 좁혀간다.

자신의 정체가 드러나는 게 시간 문제라고 생각한 케이는 마지막 살인을 한 후 한국을 뜨려 하는데…

케이가 계획한 마지막 살인 현장에서 이모 정연이 죽음을 맞는다. 유일하게 케이에게 사랑이라는 걸 알려준 존재, 정연이. 케이는 자신만의 방식으로 이모 정연의 죽음을 받아들이고 떠나는 것 대신, 가장 뛰어난 적이자, 자신과 가장 닮은 사람인 구경이와 얽히며 '죽일 만한 놈들'을 위한 마지막 살인을 준비한다.

나제희 (여, 30대)

"존경하는 사람은 슬램덩크의 안 선생님, 알렉스 퍼거슨,
그리고 나 '나제희'다."

NT생명의 조사B팀 팀장이자, 구경이를 먹여 살리는 보험 조사 의뢰인. 회사에서는 항상 각 맞춘 정장을 차려입는 철두철미 스타일. 혹자는 그를 발톱을 감춘 고양이라고 칭하지만, 그런 소리를 들을 때마다 속으로는 '웃기시네'의 마음. 오히려 본인은 스스로를 천하를 호령하는 호랑이로 여기고 있다.

전체 판을 읽고 '큰 그림을 봐야 한다'고 입버릇처럼 말하며 강한 리더에 대한 동경을 품는 야망가. 그런데 이 여자, 어딘가 허술하다?

융통성 없는 성격. '좋은 게 좋은 거'가 없는 원칙주의자. 긱(geek)스러움이 도리어 허점을 만든다. 완벽해서 도리어 허당이랄까? 안 선생님도 퍼거슨도 모두 정치를 잘 한 사람이거늘⋯ 사람 정치 쪽으로는 젬병인 나제희. 우직하게 본인의 신념만 믿고 간다.

뛰어난 운동 신경으로 경찰 학교를 수석 졸업, 구경이의 팀에 배치받아 함께 활동했다. 신입 시절 나제희의 눈에 보이는 형사 구경이는 동경의 대상이었다. 여자 형사가 거의 없을 때부터 형사 생활을 시작해 뛰어난 직관과 수사력으로, 오직 실력으로 팍팍한 조직에서 살아남은 구경이는 나제희가 꼭 뛰어넘어야 하는 산 같은 존재였다.

그런 구경이에게 배운 대로 했을 뿐이다. 그러니까 의심하는 것 말이다. 장성우의 학생 한결이 시체로 발견되고, 그 전에 한결이 장성우와 친하게 지낸 사실, 함께 있는 게 목격된 사실 등을 들었을 때 장성우가 한결을 죽였을지도 모른다고 의심한 것도 그 때문이었다. 아무리 믿고 있었던 사람이라도 의심하고 또 의심해라. 장성우를 조사해야 한다고 강력하게 드라이브 건 것도 나제희였다. 그것이 구경이에게 받은 가르침이었으니까. 하지만 장성우는 사건의 진실을 홀로 안은 채 자살했다. 그리고 늘 존경했던 선배는 경찰을 그만둔 채 세상과 등을 진다. 그런 구경이에게 부채감을 느끼는 나제희.

때문에 보험회사인 NT생명에 입사하여 팀장까지
꿰어차며 인생 2막의 문을 연 후에도, 방구석에 틀어박힌
구경이를 내버려 둘 수가 없다.

조사팀의 사원부터 시작했으나, 경찰 생활로 다져진
실력과, 구경이라는 히든카드, 어린 나이에 팀장을 달았지만
딱 거기까지. 젊은 여성이라는 이유로, 백이 없다는 이유로
성과는 가로채기 당하고 노력은 무시당한다. 무엇보다,
나제희 발목을 잡는 '미혼모' 딱지.

어린 딸 나나는 아버지 종준이 주로 맡아 키우고 자신의
회사생활에 바쁘다. 딸이 있는지 모르는 사람들도 많지만,
나제희에게 딸이 있다는 사실을 아는 사람들은 또 나름의
소문을 만들고 있다.

그도 그럴 것이 나제희는 사람들에게 한 번도 아이의
아빠가 누구인지 말한 적이 없다. 때문에 회사 사람들은
그것이 보험회사 간부 아이가 아닌지 쑥덕거리고, 갖가지
추측이 넘친다.

회사에서 줄어드는 입지에 아끼던 팀원까지 조사A팀에
빼앗기게 되어 당장 내일 잘려도 이상할 게 없는 상황까지
몰리고 만다. 더러운 회사 그냥 사표 쓰고 나오면 되지만,
그러기에는 나제희의 자존심이 그걸 허락하지 않는다.
(사실은 나제희의 생활 수준이 그걸 허락하지 않는 거다.)

죽이 되든 밥이 되든 발 담근 이곳에서 최고가 된 뒤에
무엇이든 할 수 있다. 나제희가 생각하는 진실과 정의란 그런
것. 결국 진실이라는 것은 사실 없는 것. 기록되는 것은 최후의
말일 뿐. 그리고 진실로 받아들여지는 최후의 말은 결국
권력의 다른 이름일 뿐이다.

어떤 높으신 분으로부터, 구경이를 통해 제안이 들어왔을
때, 나제희는 이것이 자신을 더 높은 곳으로 데려다 줄
동아줄임을 깨달았다. 구경이와 함께 케이를 조사하게 된
나제희.

보험 조사B팀이라는 명함은 그대로 두고, 몇 명인지조차 파악이 불가한 희대의 살인마 '케이'를 잡기 위한 팀이 꾸려진다. 구경이가 의심에 의심을 더하다가 자기가 제 의심에 빠져서 허우적거리지 않도록, 나제희는 구경이를 옆에서 제어하고 조율하는 역할을 담당한다.

괴팍하고 성질 나빠진 구경이를 그래도 다룰 수 있는 사람은 자신밖에 없다는 걸 잘 알고 있기에 구경이가 때로는 너무 심한 말을 던져도 옆을 꿋꿋하게 지켜 왔다.

하지만 점점 케이에 대한 구경이의 태도가 집착 수준이 아닌가 의심하던 차에⋯

케이에게 납치되고 만다.

케이의 손아귀에서 살아남기 위해 혈투를 벌이는 나제희. 기어이 살아난 나제희는 용 국장의 이번 의뢰에 숨겨진 배면이 있으리라 직감한다.

케이는 확실히 이상한 살인자다. 그런데 용 국장 같은 거물이, 살인자 하나 잡겠다고 나설 일인가? 용 국장에게 다른 목적이 있고, 그것이 자신의 야망을 실현시켜줄 방아쇠임을 알아차린 나제희.

구경이가 가장 확실한 방법으로 케이를 잡기 위해 애쓸 때, 나제희는 한발 앞서 구경이 몰래 용 국장과 거래에 나선다. 그때까지는 몰랐다. 이 거래가, 누구도 예상치 못한 결과를 가져올 줄.

돌이킬 수 없는 상처를 남긴 나제희의 선택.어느 것도 전과 같지 않다. 복구는 늦었다. 나아갈 수밖에.

나제희는 고민한다. 다시금 선택지가 주어진다면, 누구의 손을 잡아야 하지?

용숙 (여, 60대 초반)

국내 1위 봉사 기부 재단의 이사장. 자애롭고 푸근하다. 물려받은 재력을 허투루 쓰지 않고 재단을 꾸려 사회에 환원해왔다.

'용 국장님'으로 불리며 봉사에 매진해 온 지 어언 30여 년. 이제는 자리에서 쉴 법도 한데 여전히 아이들 똥 기저귀 갈아주는 일을 꺼리지 않는다.

매사 호기심이 넘친다. 눈을 똥그랗게 뜨고 "정말이요?" 하고 반문하는 표정은 십 대의 그것과 다르지 않다. 하나부터 백까지 자신의 손을 거쳐야 하는 꼼꼼한 성격이지만, 극히 일부만 그의 컨트롤 프릭 성향을 알 뿐, 대외로 보여지는 이미지는 해맑은 소녀에 가깝다.

평상시에는 선 캡을 눌러쓰고 하하 호호 북한산 등반을 즐기는 타입. 세상을 더 옳고 좋게 만들려면 단순히 봉사와 기부로는 되지 않는다는 깨달음을 얻은 이후로 두 아들 성태와 현태를 자신만의 방식으로 교육시켰다.

큰아들 성태는 부모 덕 봤다는 소리 듣지 않도록 정치 바닥부터 시작하게 했다. 말단 보좌관으로 정치에 입문한 성태는 이제 차기 당 대표 후보로 이름이 거론되는 정치인이 되었다.

귀염상에 말재주가 좋았던 작은아들 현태는, 어릴 적부터 미디어에 노출시켜 왔다. 모두에게 사랑받는 국민 아들이자 번듯한 사업가, 재단의 홍보 마스코트로 성장한 둘째.

두 아들 모두 장성하여 제 갈 길 찾아가는 이런 상황에서 용 국장은 구경이 앞에 나타나 케이라는 살인자를 잡고 싶다고 의뢰를 하는 것이다.

"너무 무섭지 않아요? 그런 사람이 막 아직도 돌아다닌다고 생각하면, 나는 너무 무서워."

일견 진심처럼 보이는 표정. 구경이는 그 이면에 무언가 다른 목적이 있으리라는 의심을 품지만, 현재로서는 둘의 목표가 같으니 한배를 탈 수밖에.

구경이 팀의 활약으로 케이의 정체가 드러날수록, 선하고

다정한 표정 뒤에 감추어져 있던 용 국장의 다른 얼굴이
서서히 드러난다.

용 국장의 아킬레스건은 바로, 그 귀엽고 사랑받는
작은아들 허현태다. 아빠를 닮아 말수도 적고 듬직하여
일찍이 아버지의 후계자 자리를 낙점 받고 정치 유망주로
떠오르는 안전제일주의자 성태와 달리 둘째 현태는 어릴
때부터 자신을 닮아 거침이 없었다.

현재는 귀여운 외모와 갖은 미담 덕에 '국민 둘째 아들'로
사랑을 받고 있지만… 권력에 취했던 것일까 아니면 통제에
대한 반작용 때문이었을까.

하이 리턴을 바라며 하이 리스크에 투자하다가 몇 번이나
큰 낭패를 보았고, 크고 작은 사고를 치기 시작한다. 마침
큰아들 성태의 선거 출마 여부를 놓고 가늠하던 이때에
현태가 또 사고를 쳤다.

현태와 술자리에 있던 남자애 하나 죽었다는 보고를 받은
용 국장은 수습을 위해 김 부장을 급파하여 남아있는 현태의
모든 흔적을 삭제하라고 명령한다.

사태가 마무리될 즈음, 안 그래도 신경 쓰였던 그때
술자리 동석자들이 하나둘씩 실종되거나 사망했다는 사실이
드러난다. 남자애의 복수라도 해주려는 듯 이어지는 연쇄
사건을 주시하던 용 국장은 서서히 '케이'의 존재에 접근해
간다.

케이가 현태의 존재를 알기 전에, 그리하여 현태와 자신을
공격해오기 전에 케이를 찾아내고 싶은 용 국장은 유일하게
케이의 정체에 접근한 구경이를 발견하고 그에게 케이를
추적하라는 의뢰를 맡긴다.

겉으로는 살인범을 잡고 사회의 안정을 도모하려는
거라고 하지만 현태를 보호하고 자기가 쥔 부드러운 권력을
끝끝내 놓지 않으리라는 목적이 더 크다.

나제희가 케이의 정체와 다음 타깃(고담)에 대해
보고하자마자, 용 국장은 눈엣가시였던 고담을 케이의 짓으로

만들어 죽여버릴 계획을 세운다.

용 국장의 계획대로 케이를 잡지는 못했지만, 너무 틈이 없어서 처리하지 못했던 고담을 없애는 데는 성공한다.

첫 번째 목적을 이룬 용 국장은 자기의 말을 따박따박 반박하고 심지어 뭔가 아는 듯한 눈빛을 보이는 구경이의 팔다리를 꺾어 놓으려 한다. 나제회를 성태의 선거 팀으로 불러들이는 용 국장. 조사B팀은 해산이다.

직접적인 타격 없이 사람을 굴복시키는 법을 너무도 잘 알고 있는 용 국장. 잘 수습되었으니 앞으로 벌어질 일도 잘 수습하면 된다.

작은아들은 잠시 조용히 시키고… 큰아들은 당선시키고…

모든 게 용 국장의 시나리오대로 착착 흘러가던 그때, 전혀 예상 밖의 인물이 용 국장 코앞에 나타난다. 케이다.

케이는 불쑥 용 국장에게, 아줌마랑 같이 일해보고 싶다고 제안한다. 착한 일을 오래 했더니 신이 내 편이구나.

용 국장은 제 손에 들어온 이 칼을 한 번 휘둘러본다. 그것이 어떤 결과를 가져올지도 모르지만, 그게 무엇이 되었건 자신이 통제할 수 있을 거라 믿으며.

산타 (남, 20대 초반)

'…'

구경이의 게임 파티의 일원. 손발이 잘 맞고, 척하면 척인 오랜 팀원이라 서로 생명의 은인(게임 속에서)이 된 것도 여러 번. 구경이가 유일하게 믿는 사람이 있다면 이 '산타'일 것이다.

오로지 운전면허증이 있다는 점과 '내일 시간이 있다'는 점 때문에 구경이의 조수로 발탁. 정작 만나보니 생각보다 훨씬 더 멀끔한 인간이다. 면접 당시 나제희가 들었다는 이야기에 따르면 간병 일을 전문적으로 하다가 보살펴 주던 사람들과 이별하는 일에 너무 큰 스트레스를 받아 게임에 몰두하게 되었다는데…게임 속에서는 변조된 목소리로 잘도 말하는 산타는 정작 구경이 앞에서는 말수가 극-히 적다.

그러나 무슨 상관인가. 결벽증이 있는 이 백수는 웃을 때 보조개가 예쁘고, 눈빛이 상냥하다. 구경이의 추리에 도움이 되는 아이디어도 따박따박 곧잘 제시하는 유능한 조수인 것을.

산타의 놀라운 능력은, 그가 누구건 어떤 사람이건 산타를 편하게 느끼게 한다는 것. 원래 거기 있던 사람처럼 자연스럽게, 물 흐르듯 주변과 융화하여 상대가 아무런 경계심 없이 입을 열게 한다. 다소 사회성이 떨어지는 구경이가 무리 없이 사람들과 어울리며 수사를 진행할 수 있는 것도 사람들을 무장해제 시키는 산타의 능력 덕분이다.

점점 더 호흡이 맞아 들어가는 구경이와 산타. 그러면 그럴수록 이상하게 의심스러운 산타. 세상에 이렇게 무해하고 완벽하게 좋기만 한 캐릭터가 존재한다고? 시커먼 속셈이 있어서 구경이 옆에 붙어 있는 거 아니고?

산타, 너 도대체 뭐니?

경수 (남, 28)

NT생명 조사B팀에 남은 하나뿐인 팀원. 하지만 자기가 원해서 여기에 남은 게 아! 니! 다!

대놓고 나제희를 무시해왔다. 성과를 빼앗기는 나제희가 무능력하다고도 생각해왔다. 침몰하는 배인 B팀에서 어서 빨리 탈출하고 싶었지만 찬물도 위아래가 있다는 말 때문에 먼저 조사A팀으로 옮겨간 원식이 부러울 따름. 아무튼 나제희 밑에서 적당히 일 좀 하다가 A팀으로 들어가고 싶다. 나대는 성격, 하여간 입이 방정.

처음에는 얄밉지만 근데 이 뭐랄까 단순한 측면이 그저 미워할 수는 없게 만드는 게 있다. 장난치는 걸 좋아하고, 산타 (미남자)에 대한 미묘한 동경을 가지고 있다. 지금 가장 스트레스는 나제희가 괴짜 중의 괴짜 구경이를 고용한 것이다. 저 아줌마는 아무리 해도 적응이 안 된다. 빽하면 서로 으르렁. (물론 구경이 입장에서는 경수 혼자 으르렁하는 거지만)

경수는 '케이'라는 존재를 알면 알수록 죽어도 싼 놈들을 대신 죽여주는 그 존재에 경도된다. 왜 케이를 그냥 놔두면 안 되는 건지, 솔직한 심정으로 응원이라도 하고 싶다.

결국 케이, 나제희, 구경이의 엇박자로 인해 결국 팀이 해체되고 믿었던 나제희마저 보험회사를 떠나게 되자… 경수는 그동안 세상 원수라고 믿어왔던 구경이에게 동지애를 느껴 왔음을 깨닫고, 케이를 잡으려는 구경이를 돕고 싶다 말한다.

건욱 (남, 20대 중반)

송이경의 친한 오빠. 케이의 조력자.

다소 불량스러운 인상에, 소년원을 들락거린 전력이 있다. 하지만 케이 앞에서는 순한 양. 우직한 데가 있다.

보안 업체에 입사해서 CCTV 데이터를 담당하고 있다. 많지 않은 월급을 생활을 개선하는 데는 쓰지 않기에 사는 꼴은, 케이가 보기에는 한심하다.

케이와 건욱의 오래된 패턴은, 케이가 실행한 사건의 증거물을 건욱이 처리해주는 것이다.이와 같은 조력 관계는 케이의 첫 번째 사건인 '수위 살해 시도' 때부터 형성되었다.

고양이를 죽인 수위가 완벽하게 죽지 않았다는 걸 안 케이는, 그가 입원한 병원을 찾아가고 거기에서 수위의 아들인 건욱을 처음 맞닥뜨린다. 수위가 쓰러졌다는 사실에 오히려 기뻐하고 있는 듯한 건욱을 보고 호기심이 생긴 케이. 건욱은 수위인 아버지에게 지속적으로 폭력을 당해왔다. 집에서 도망칠 수 있는 나이가 되자 가출을 했지만, 여전히 엄마가 남아 있었기에 집으로 돌아올 수밖에 없었다. 그러나 정작 돌아와서도 답답하게 구는 엄마에게 버럭 화를 내며 소리를 질렀던 건욱. 자신 역시 자신이 혐오했던 아버지와 닮아가면서도 '나는 다르다'고 믿고 있었다. 이 자를 쓰러뜨려야 자신이 다르다는 게 증명이 된다. 나의 폭력성은 나쁜 새끼들을 때릴 때 발휘되는 것이다. 스스로 암시를 하지만, 정작 건욱은 아버지의 손끝 하나 건드릴 수 없었다.

그런 중에 케이가 나타나 준 거다. 마치 '정의의 여신'처럼. 케이의 존재를 알게 된 건욱은 케이의 정체를 알고도 영주처럼 도망치는 게 아니라, 케이를 좋아해 주고 칭찬해주고, 나아가서는 경외해 준다. 그때부터 케이와 건욱은 친남매처럼 지내면서 뒤로는 케이의 작업에 힘을 보태 왔다.

나쁜 놈들 처단하면서 케이의 정의 구현에 일조한다는 뿌듯함도 있었지만, 건욱이 평범한 생활을 바라게 되면서 상황이 조금씩 달라진다.

처음으로 사랑받는다는 느낌을 주는 남자를 만난 이후로,

건욱은 케이와 관련된 모든 게 두려워진다. 점점 제멋대로가 되는 케이를 제어하려고 갖은 수를 내보지만 뜻대로 되지 않고, 케이의 심기만 불편하게 만들어 스스로를 더 큰 위험에 빠뜨리게 된다.

정연 (여, 42세)

케이의 이모. 웃음이 헤프다. 사랑스럽다. 똑똑한 언니와
다르게 공부랑은 멀었다. 클럽에서 놀기 바쁜 20대 후반, 덜컥
5살 난 케이가 자신의 손에 떨어졌다.

어릴 때부터 뛰어났던 엘리트 언니. 그런 언니가 같은
공부하는 남자를 만나 미국으로 유학을 떠날 때만 하더라도,
영화에나 나올 법한 완벽한 커플이라 생각했었다. 지금은
누구보다 그렇게 생각했던 자기 스스로를 원망한다.
비극적인 사고 이후에 케이를 도맡게 된 것은 너무나
자연스러운 일이었다. 사정을 잘 모르는 사람들은 보통
정연은 미혼모이고 케이는 정연이 어렸을 때 낳은 딸이라고
생각한다.

정연은 태생이 선량하여 누구를 원망하는 일은 할 수가
없고 벌레 한 마리도 제대로 죽이지 못한다. 동물농장만
봐도 훌쩍이는 사람이 정연이다. 밝고 또 밝고 긍정적이어서
소란스러운, 이 사람을 가져다 놓으면 분위기가 좋아질
수밖에 없는 종류의 사람이다. 때문에 정연의 그늘진 모습을
보기란 쉽지 않지만, 그렇다고 해서 그늘이 없는 사람은
아니다. 그것을 잘 숨기는 사람일 뿐.

케이가 어렸을 때부터 남다른 아이라는 사실은 알고
있었다. 엄마를 닮아 영특한 머리를 가지고 있는 것부터,
감정을 느끼는 방식이 조금 다르다는 것까지.

정연은 케이가 부족함을 느끼지 않도록, 아낌없이 사랑을
주었다. 케이가 죽은 언니의 생명 보험금을 탈 수 있는 나이인
18세가 되자 스스로 대견하기까지 했다.

케이는 자신만을 바라보고 살았던 이모가 이제는 연애도
하고 제 인생을 살았으면 하는 바람이 있지만, 여전히
정연에게 케이는 처음 품에 왔던 5살짜리 아기일 뿐이다.

그렇게 아기 새를 돌보듯 케이를 돌보던 정연이지만,
케이와 관련된 여러 사건들이 벌어지자 불안감을 숨길 수 없다.

어떻게든 케이를 지켜내고 싶은 마음에 용 국장의 미끼가
되고 마는데…

장성우 (남,
35세에 사망)

구경이의 남편. 중학교 선생님이었다.
어떤 이는 자상한 선생님으로,
어떤 이는 친절한 이웃으로,
어떤 이는 제자를 죽인 살인자로,
어떤 이는 억울함에 자살한 사람으로 그를 기억한다.

누구였을까, 당신은.

김 부장 (남,
50대)

성은 김, 이름은 부장. 해서 김 부장. 다소 후덕한 인상에
성실한 회사원 정도의 인상이라, 이런 그가 정가의 실세인 용
국장을 보위하고 있다는 것이 믿기지 않는다.

골뱅이에 막걸리부터 에스카르고에 피노 누아까지
맛있는 것은 모두 찾아 먹고 블로그에 올려야 직성이 풀리는
맛집 전문 파워 블로거. 이름하야 맛사나이.

그 시절 유학파에 뛰어난 수재인데, 권력에 관심이
없어서인지 큰 자리에 못 앉고 있는 것을 용 국장이 데려다
수족으로 삼았다. 그래서인지 용 국장의 기분 파악이 가상
중요한 업무.

눈치가 빠르고 신중하다. 기러기 아빠.

허성태 (남,
40대 초반)

용 국장의 첫째 아들.

빈틈없는 포마드 머리에 테일러드 슈트만을 입고 다니는
차차기 유력 대권 주자. 현재는 미래희망당의 잠룡 중 하나로
꼽히는 인물.

원래는 미국에서 경영자 과정을 밟았으나 한국으로
돌아와 경제전문가로 미희당의 말단 보좌진으로 시작해 당내
입지를 다져왔다. 깔끔하고 엘리트적인 이미지와 진취적인
정책 제안으로 민심을 얻은 뒤 차기 서울시장을 노리고 있다.

매일 아침 명상 수련을 한다. 어릴 때부터 각이 잡혀 있는

걸 좋아하고 성품이 강직해 그가 직업 군인이 될 거라 생각한 주변 사람도 많았다.

어릴 때부터 귀염상으로 인기가 많았던 동생 현태에게 알게 모르게 자격지심을 느꼈다.

권위적인 엘리트주의자.

허현태 (남, 30대)	용 국장의 둘째 아들.

형의 강직하고 엘리트 이미지와는 달리 친근하고 다정한, 소탈한 이미지. 곱게 생긴 얼굴, 나긋나긋한 말투.

어린 시절에는 짝짓기를 하는 예능 방송에 나가 대중의 사랑을 얻었다. 매력 포인트는 곱게 생긴 얼굴과 나긋나긋한 말투. 대중에게 보호 본능을 자극한다.

현재는 역삼 근처에서 본인의 스타트업을 운영하고 있으며 어머니가 대표로 있는 '푸른어린이재단'의 공식 홍보대사이기도 하다.

하지만 실상은… 본인 뇌 내에서는 '자유로운 영혼'. 남들이 보기엔 '안하무인 도련님'.

용 국장과 김 부장이 필사의 노력으로 뒷말을 잠재우고 있기에 망정이지 리얼 라이프는 개차반 그 자체. 기업 3세들과 어울리며 마약 파티를 즐기고, 도박 중독에 지저분하게 논다고 소문이 났다. 그래 놓고 자기가 이렇게 된 건 부모의 지나친 기대, 편애 때문이라고 자기 위안 중.

종준 (남, 60대 후반)	낭만을 사랑하는 나제희의 아빠, 나나의 할아버지. 경찰 퇴직

이후 손녀인 나나를 봐주며 그걸로 용돈 받으며 살고 있다.

나제희가 부득불 경찰이 되었을 때, 자랑스럽다 생각했지만 한편으로는 여자애가 몸 쓰는 험한 일 하지 않았으면 좋겠다는 바람도 있었다.

나제희 성격이 불같은 건 '다 즈그 엄마 닮아 저런

모양'이라고 여겨왔다.

    정신없이 바쁜 딸에게 서운할 때도 많지만 직접적으로 표출하지 않고, 매번 속으로 조용히 생각하는 다소 소심한 남자. 동물로 태어났으면 초식동물.

    하지만 구경이라는 선배를 다시 만난 이후에 나나를 나 몰라라 하는 나제희를 보니 괘씸한 마음도 든다.

대호 (남, 20대 중반)

건욱의 썸남.

    MEK 보안회사 직원. 푸근한 느낌의 베어 스타일. 운동 중독. 이 사람 때문에 건욱은 평범한 일상에서 주는 행복을 바라게 되고… 대호는 그 행복을 줄 수 있는 사람이다.

에피소드 인물들

김민규 (남, 35)

통영, 작지 않은 마을에서 아내와 딸을 두고, 돌연 실종되었다.

    적당한 벌이에, 화목해 보이는 가정. 딸과 함께하는 시간도 자주 목격되곤 하던 평균적인 그 나이대 가장의 모습이었던 김민규.

    평균적인 건 맞다. 회사에서 잘 어울리기 위해 술자리도 가고, 누군가를 접대도 하고, 그러기 위해 여자도 부르고 해야 했던… 다들 그렇게 살고 있으니까.

    그런데 하필 회식 자리에서 심부름을 하던 이준현이 죽었고, 이를 사고로 묻자 그 자리에 있었던 상사고, 동료고, 여자들이고 다들 죽어나가기 시작했다.

    김민규는 숨을 곳이 필요했다. 아픈 딸아이와 아내를 두고 비명횡사할 수는 없었으니까. 자신만 쥐 죽은 듯 숨어서 보험금을 받으면 딸아이 병원비도 문제없었다. 그것이 아빠로서, 가장으로서 제 몫은 하는 거라고 생각했다.

    해가 가고, 숨어 있는 게 지루해지고, 기어코 자신을 찾는 구경이가 나타나기 전까지는 말이다.

윤재영 (여, 30대 초반)

귀여운 딸과 잘나진 않았어도 크게 모난 구석은 없는 남편. 주변 사람들이 '그 집은 남편도 성격도 걱정 없어 좋겠어~' 할 때까지만 해도 재영은 잘살고 있는 줄 알았다.

남편이 술을 마시면 가끔 감정이 격해지고, 딸아이가 가끔 병원에 실려 가긴 했지만 다른 집도 다 그럴 테니까.

남편이 실종과 인정 사망과 보험금에 대한 아이디어를 냈을 때도 그랬다. 딸 선미의 병원비를 안정적으로 마련할 수 있다면 그렇게 나쁜 일은 아니라고 생각했다.

그런 재영의 환상을 산산조각낸 것은 케이에게서 온 연락이었다. '쥐 죽은 듯 숨어 있던 남편이 들킬 위험을 무릅쓰고 나가서 성매매를 했다.'

재영은 그제야 깨달았다. 몇 년을 의지하고 바라봐 왔던 남편, 실은 자신과 선미에게 그리 필요한 존재가 아니라는 것을. 결국 재영은 케이가 내민 손을 잡고야 만다.

강호 (남, 40대)

통영의 경찰. 고마 동네를 꽈-악 잡고 있는 마당발. 이래 사람이 좋은데, 와 아직 총각일꼬? (라고 말하는 사람들은 모두 동네 남자들이라는 점이 함정)

통영 토박이로 40년 넘게 살아와서 집 안 구석구석 숟가락 개수까지 꿰고 있다. 귀찮은 일 안 생기고 좋게 좋게 모든 일을 두루뭉수리 넘기려고 하는데, 어디선가 나타난 구경이란 여자가 신경을 살살 긁기 시작한다.

영주 (여, 20대 초반)

이경의 고1 시절 단짝친구.

단짝친구라는 건 이경이 혼자 생각일 가능성이 농후. 이경과 같은 연극반에 있었고, 연극에 딱히 관심이

있었다기보다는 '잘 나가 보이는 느낌' 때문에 연극반에
들어갔다. 자신이 4차원이라고 믿는 살짝 오타쿠 기질이 있는
십 대 시절에 이경을 만났고, 그래서 잠시 붙어 다녔을 때도
있지만… '그 일' 이후에 이경과 멀어졌고 마침내 이경이 전학
갔을 땐 오히려 안도의 한숨을 내쉬었다.

감상적이고 감정적인 십 대 시절은 부끄러운 기억이고,
현재는 교직 이수 중인 대학생으로 교생 실습 중.

경비원 (남, 50)

동백고등학교 경비원이자 건욱의 아버지. 알콜 문제가 있다.
케이의 첫 살인의 피해자가 된다.

**멜론 머스크
(남 도현)**

20대 저체중의 무직 게이머.

폭력적인 부모 아래에서 태어난 자라온 도현. 이리저리
어른들의 손에 이끌려 몇 달은 친척 집, 몇 달은 엄마가 살던
여관방, 또 몇 달은 아빠가 구해 놓은 단칸방에 부초처럼
살았다. 때문인지 자기가 무엇을 구체적으로 바라는지 제대로
알지 못한다.

고등학생 때 가출했던 누나가 겨우 옥탑방 하나를 구해
사실상 방치되어있던 도현을 부모로부터 탈출시켰다. 누나를
위해서라도 열심히 살고 싶었으나 각종 피부질환과 신경증을
가지고 있어 꾸준한 직업을 가지는 일이 힘들어 점점 집
안으로만 파고들었다.

부모를 원망하지만 애정을 갈구하는 마음이 한 편에는
남아있다. 점점 방 안에 틀어박혀 게임과 스포츠토토에
빠져들었다.

누나는 직장에서 만난 남자와 살림을 꾸려 나갔고
결혼식은 못 했지만 번듯한 가정을 가진 누나에게 더 이상
걸림돌이 되고 싶지 않아 부러 귀찮아하는 척한다.

온라인 게임에서 만난 산타, 구경이와 어울릴 때만

유일하게 생기가 돈다. 그도 그럴 것이 게임 속 세상에서는 자신이 모든 걸 다 막아내고 돌파해내는 탱커이기 때문.

부모와 완전히 절연하지 못 해 지지부진한 안부 연락(을 빙자한 돈 요구)이 이어지던 가운데, 급기야 누나의 신용을 훔쳐 토토에 투자했다가 몽땅 날리고 만다. 그때까지 자신을 유일하게 지켜준 가족인 누나가 그 충격으로 유산을 하게 되자 더 이상 자신이 살아있을 이유가 없다고 생각하게 되고 자살을 결심하는데…

미애 (여, 20대 초반)

사람들과 잘 어울리고, 잘 노는 씩씩한 대학 새내기, 였다. 그날 전까진.

멀쩡하게 수업 듣고 연애도 하고 취업 준비도 하고 잘살고 있었는데, 어느 날부터인가 자신을 보며 수군거리는 분위기가 느껴졌다. 그 이유가 잠깐 만났던 선배와의 찍힌 줄도 몰랐던 성관계 영상 때문이라는 걸 알게 된 미애의 세상은 무너지기 시작했다.

어디를 가도 사람들의 시선이 느껴졌고, 집에 있어도 댓글들이 보였다. 하지만 동영상을 올린 당사자인 박규일은 신고 후에도 벌금만 물고 금방 풀려났고, 수백 수천을 들여 지운 동영상들은 다시 고개를 내밀었다.

죽은 것과 다름없는 인생에서 그놈만은 죽이고 가야겠다는 일념하에, 미애는 학교 한복판에 술에 취해 졸고 있는 박규일을 찌른다.

고담 (남, 40대)

범죄 피해자 인권에 관심이 많은 변호사이자 잘 나가는 IT 기업 대표. 훈훈한 외모에, 문이과를 두루 섭렵한 통섭형 인재.

흙수저 출신이지만 자수성가했다는 측면에서 장기적 라이벌인 허성태와는 대립되는 이미지. 백도 줄도 없어서 어떻게든 자신이 원하는 위치로 가기 위하여 수면 아래서 온갖 술수를 벌이고 있다.

정의감 있는 변호사로 대중에게 각인되어 있다. 박규일 살인 사건 후, 미애를 비난하는 여론이 들끓고 뒤에서는 불법 동영상이 거래될 때 제일 먼저 미애의 편에서 변호를 맡는다.

TV 토론에 등장할 때면 서민들의 입장에 선 발언을 많이 해서 젊은 층들에게 이미지가 좋다. 아직은 정치 뜻을 밝힌 적이 없음에도 여론 조사를 하면 차기 시장감으로 이름을 올린다.

그러나 회사 직원들에게는 컨트롤 프릭이자 사디스트. 남들 괴롭히면서 즐거움을 얻는 또라이. 온갖 불법 동영상이 올라오는 미로넷의 주인.

정의감이 끓어 넘치는데 그 '정의'의 기준이 너무 자의적인 게 문제다. 사회적인 가면을 잘 쓰고 있다가도 한 번씩 폭력성이 폭발하고, 구경이에게 그 찰나를 들키고 마는데…

용어 정리

S# (Scene Number): 장면 번호. 같은 장소와 시간 내에서 이루어지는 상황이나 행동, 대사, 사건이 한 씬을 구성한다.

Off sound: 화면 밖에서 들리는 대사나 소리를 말한다.

사운드 선행: 이어지는 새로운 쇼트나 씬에서 나와야 할 음향이 앞선 장면의 끝 부분에 미리 나오는 것을 말한다.

클로즈업: 인물의 얼굴 등 피사체의 중요한 부분을 크게 확대시켜 촬영하여 나타낸 화면을 말한다.

익스트림 클로즈업: 인물의 얼굴이 화면을 가득 채우도록 가까이 촬영하여 나타낸 화면을 말한다.

인터컷: 시간과 장소가 관계없는 두 가지 이상의 사건을 왔다갔다하는 편집을 말한다.

디졸브: 영상의 이중 인화로 보통 중앙지점에서 한 쇼트가 서서히 페이드 아웃(Fade Out)되고 다음 쇼트가 서서히 나타나는 것을 말한다.

플래시백: 과거에 나왔던 씬을 불러오는 것, 주로 회상하는 장면이나 인과를 설명하며 넣는다.

크레센도: 음악용어 중 하나로 '점점 세게'를 의미한다.

프레임 아웃: 고정된 화면에서 인물 등의 피사체가 화면 밖으로 나가는 것을 말한다.

소리: 화면 밖에서 들리는 등장인물의 대사를 말한다.

사이: 앞말과 뒷말의 의도적인 빈 공간을 의미한다.

경과: 시간의 경과나 시간의 흐름을 표현한다.

Cut to: 씬 내에서 화면 전환 기법으로 사용한다.

O.S (Off Screen): 출연자가 화면에 나오지 않은 상태. 인물이 대화에 포함되지만 화면에 나오지 않으며, 프레임 밖에서 들리는 대사를 말한다.

V.O (Voice Over): 영상과 일치되지 않는 대사로서 등장 인물의 생각이나 기억 등을 전달할 때 종종 사용된다. 내레이션과 같은 역할을 한다.

INS (Insert): 인서트 컷. 씬 중간에 들어가는 삽입장면. 특정 상황을 강조하거나 집중시키기 위해 삽입한 화면으로 클로즈업을 사용하는 경우가 많다. 이 책에서는 현재 시점을 벗어난 장면의 삽입을 말한다.

O.L (Over Lap): 현재 화면이 흐릿하게 사라지면서 다음 화면이 서서히 등장해 겹치게 하는 기법, 앞 화면에 뒤의 화면이 포개어지는 기법을 뜻한다.

F.O (Fade Out): 페이드 아웃. 화면이 차차 어두워지는 효과를 말한다.

F.I (Fade In): 페이드 인. 화면이 차차 밝아지는 효과를 말한다.

B.O (Black Out): F.O와 같은 의미로 사용되며 화면이 차차 어두워지는 효과를 말한다.

B.I (Black In): F.I와 같은 의미로 사용되며 화면이 차차 밝아지는 효과를 말한다.

E (Effect): 효과음. 주로 등장인물은 보이지 않고 화면 밖에서의 음향이나 대사에 의한 효과를 말한다.

GAME START:
오프닝 콘티

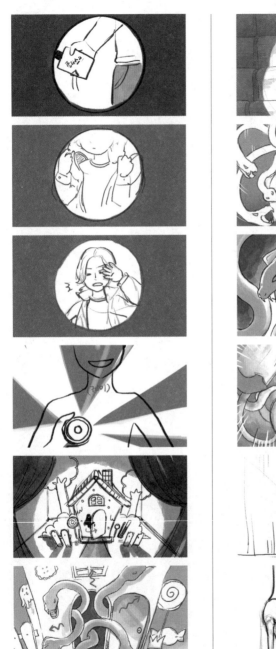

GAME START

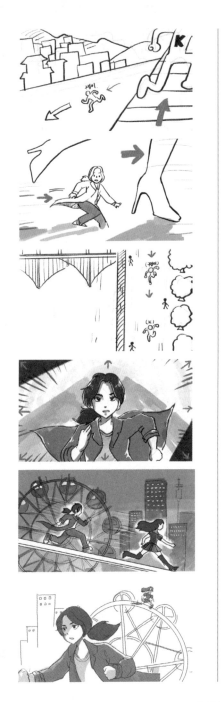
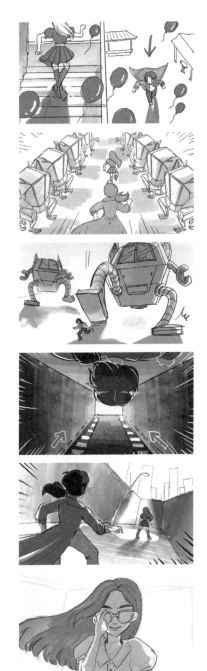

오프닝 콘티

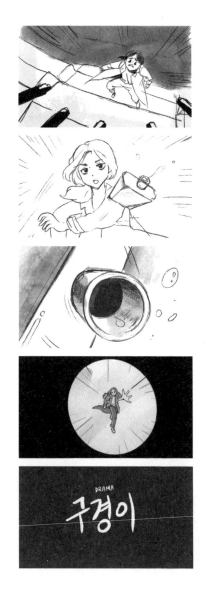

PART.1

〈안내〉
구경이 1화에서 언급된 소아 당뇨는 공식질환명인 1형 당뇨로 정정합니다. 1형 당뇨
아이가 밀가루 과자, 케이크를 먹어서는 안 된다는 설정은 실제와 다를 수 있습니다.

1화

"할 말이 있는지

없는지는

내가 판단할게."

1. 프롤로그. 과거. 학교 연극부실

여학생 (Off sound) 이리와 착하지

교복을 입은 앳된 얼굴의 여학생(17세)이
연극부실에서 작업 중이다.
보면, 햄릿의 연극 소품들(와인 잔, 왕관, 의상
등) 사이를 오가고 있는 새끼 고양이들.

여학생 잡았다!

고양이의 목덜미를 낚아채서, 가방에
집어넣는 여학생. 이미 가방에는 두어 마리의
고양이들이 들어가 있다.

여학생 (다른 고양이를 부르며) 이리와…
이리와…

Cut to.
고양이 가방, 불룩불룩 움직인다. 옆에서
씩씩거리며 톱질하는 여학생.
'써걱 써걱 써걱' 살벌한 기세로 썰리는 나무.
톱을 쥔 팔에 힘이 더 들어가고, 벌겋게
달아오른 얼굴에서 떨어지는 땀방울.

구경이 (사운드 선행) 죽어…

2. 현재. 구경이의 집 / 낮

어두컴컴한 방 안. 마우스 클릭하는 소리와
재빠른 키보드 소리만 가득하다.

구경이 죽어, 죽어, 죽어!

모니터 불빛에 간신히 구경이 - 40대
히키코모리 여성 - 의 얼굴이 보인다.
구부정한 어깨에 앙상한 손목. 화면 속으로
빨려 들어갈 기세로 마우스 광클릭 중.
같이 전투를 벌이는 팀원들 - 멜론 머스크,
산타 - 목소리가 헤드셋에서 흘러나온다.

구경이 다 죽여 다 죽여 다 죽여
다 죽여~
멜론 머스크(E) 나가야죠 나가야죠! 안
나가면 나가리죠!
구경이 (화면이 버벅거리자) 아~ 렉! 똥컴!!!
미안 미안합니다 님들
산타(E, AI 보이스) 제발 애플 님 컴 좀
바꿔요. 지금 고고고
멜론 머스크(E) 이 겜 지면 나 죽을 거야!!
살 이유 없어어어!

마침내 드러나는 구경이의 방 전체, 발 디딜 곳
없이 쓰레기 천지다.

구경이 멜론 님! 몬스터 무시하고 핵심만
때려야 돼! 쩜사 쩜사! 지그으으음!!

구경이의 팀이 한 번에 공격하자 상대편
캐릭터가 난사 당하여 사라진다.

구경이 (환희에 가득 차서) 됐어! 됐어!
됐어여!!

구경이, 세상을 얻은 듯 즐거워하며 옆에 놓여 있던 맥주 캔을 들어 마신다.
한 모금 꿀떡 하고 캔 탁! 내려놓으면, 캔 입구에서 바바밧 기어 나오는 바퀴벌레.

3. 현재. 보험회사 사무실 / 낮

사무실을 걸어 들어오던 **나제희** - 30대 여성, 각 잡힘, 이지적 -
방금 B팀 탈출한 원식이 박스를 들고, A팀에게 환영받고 있는 모습을 본다. 신이 났다.

A팀 일동 (고등학교 구호 외치며) 청룡의!
기상으로! 달려 달려! 동군고의 아들들!

나제희, 지나가려다가 웃으면서 A팀을 향해 한마디 한다.

나제희 벌써 분위기 좋네! 우리 원식 씨 잘 부탁드려요! 원식 씨 여기서도 열심히 해야 돼! 홧팅!

Cut to.
나제희가 가글을 하며 짐 빠진 원식의 빈자리를 본다.
올라가 있는 것은 '원식의 얼굴 사진이 박힌 컵' (최고의 남자 MAN of the YEAR!)
텅 빈 B팀의 사무실에는 **경수** - 각 잡힌 수트 but 불안한 눈빛의 20대 남성 - 뿐.

나제희 (컵 노려보다가) 이건 왜 놔두고 갔대?

나제희가 쓰레기통에 컵을 던져 넣고는, 위로 침 뱉는다.
자리 앉는데, 빼꼼 원식이 들어온다.

나제희 (웃으며) 무슨 일?
원식 미씽 썸씽 한 게 있어서… 어? 어디 갔지?

경수가 눈치 보다가 원식 안 볼 때 얼른 쓰레기통에서 컵 꺼내 준다.

경수 제가! 따로 챙겨 놨습니다!
원식 땡큐 땡큐 이따가 우리 현 팀장님이 환영식으로 상미동에 연포탕 쏘신다는데-
나제희(O.L) 나는 괜찮-
원식(O.L) 나 팀장님 징그럽다고 안 드시죠? (경수에게) 경수 씬 갈 거지'?
경수 (화색) 가도 되나요?
원식 아무리 팀이 달라져도 같은 컴퍼닌데 되징 되징~
나제희 이제 업무 봐야 되니까 잠깐? 경수 씨 우리 김춘자 씨 케이스 진행 상황 어떻게 됐지?
경수 그게-
원식 그거 이제 A팀으로 넘어왔죠. 제가 담당하던 거니까. 제가 A팀이 되면서 자동적으로- (밖에서 부르는 소리에 후다닥 나간다.)

나제희, 방금 올라가 있던 서류 치워버리고

경수를 본다.
아쉬운 듯 원식 나간 쪽을 보던 경수.

나제희 징그러워서 안 먹는 거 아니야.
경수 예?
나제희 반인륜적이라서 안 먹는 거라고.
경수 저는 맛있던데. 저같이 젊은
남자들한테 좋다던데요.
나제희 (욱) 이제 우리한테 남은 케이스가
뭐지?

경수가 헐렁한 서류첩을 펼친다.

나제희 잔잔바리 말고. 최소 5억 이상.
건수 제대로 될 만한 거.

경수가 서류들 손으로 훑다가 한 장 남기고
나머지를 옆으로 치운다.
그 한 장을 나제희에게 주면서도 표정이
좋지 않다.

경수 이게 액수가 크긴 한데… (피식)
다들 폭탄 돌리는 중이에요
맡으면 호구라고…
나제희 (눈으로 서류를 훑으며) 희망적으로
말해봐
경수 (건강한 미소) 나 팀장님이 능력은
좋으시잖아요? 저도 머리 좋으니까
힘을 합하면 뭔가… 할 순 있겠죠
나제희 객관적으로 말하면?
경수 (정색) 이거는, 말도 안 되죠. 잘못

얽히면 손해 막심 시말서 각인데요. 현장
조사부터 해야 되는 거를 둘이서 어떻게
하겠어요…
나제희 (말자르며) 희망! 희망! 희망!
경수 (억지미소) 할 수 있다, 하면 된다!
긍정 앤 도전 정신!
나제희 (진지) 오경수.
경수 예?
나제희 고향 대구. 3녀 1남 중 막내.
아버지 고추장 공장 하시고. 경찰대
준비하다 체력 딸려 그만뒀지? 재작년에
NT생명 입사. 암기력 좋고, PPT 잘
만들고. 삼성 라이온즈 팬이고-
경수 뭡니까 갑자기?
나제희 입사 때 동기들 중에 경수 씨가 몇
등이었는지… 혹시 알고 있나?
경수 (당연히 아는데 겸손 떨며) 제가 거의
수석이었다고들 하시던데
나제희 최하위였어. 진중함이 떨어지고
신의가 없어 보인다고. 사실 더… 질
떨어지는 워딩이었지만. 그런 평가를 한
게 누구였을까? (A팀쪽 향하며 어깨 으쓱하는)
경수 (표정)
나제희 그런데 왜 붙었을까? 대체 누가,
우리 경수 씨를 알아봤을까? (경수 어깨
짚으며) 나야. 내가 봤거든. 경수 씨 안에
있는… (얼굴을 거의 맞대고) 불-꽃을.
(손댔다가) 앗 뜨거. 이거 봐 느껴진다. 경수
씨 같은 사람들이 한 번 불붙으면,
못 해내는 일이 없어.
경수 불… 꽃…

나제희 이 사건, 12억이야. 그거면
경수 씨 다음 스텝, 저 원식 대리보다
빨라진다. 계산되지?
경수 (계산 팽팽, 살짝 감화된다.) 예! 계산됩니다.
근데 팀장님, 저. 둘이서 될까요?
나제희 용병이 있어야겠지?

4. 현재. 구경이의 집 / 낮

집구석 곳곳. 말라붙은 음식물 쓰레기…
변기까지 가득 채운 쓰레기들…
와중에 격렬하게 키보드 갈기는 손놀림.

구경이 됐어! 됐어!
(소리) 다 왔어! 가자!! 가자!!
구경이 (격정적) 가자!! 됐어! 죽었다!!!

팟! 게임 화면 승리 목전에서 컴퓨터가 꺼진다.

구경이 어?

깜깜한 천지 사방.

구경이 아니… 아니야…

구경이, 컴퓨터 본체 때리고 키보드 때리고
이것저것 눌러보고 난리.

구경이 (서서히 격앙되는) 아니..야…!!
아니야…!! 이거는 아니야!!! 아아아!!!

피시방 전원 끊긴 초딩처럼 울부짖는 구경이.
핸드폰은 배터리 나간 지 오래다.
어찌할 바를 모르고 옆에 널브러져 있던
맥주병 들고 인터폰으로 손을 뻗는데,
팟! 다시 불 들어오고, 현관 입구에 서 있는
사람 실루엣 보인다.
컴퓨터 화면에 뜬 글씨. '패배!'
구경이, 억울함에 눈물 그렁그렁 해져서
입구를 돌아본다.
누전 차단기 뚜껑을 덮고 있는 나제희.

나제희 선배?
구경이 (악에 받쳐 맥주병 들고 나제희에게 달려가며)
야아아아아아아아아아!!

나제희 시점으로 보이는, 자신을 덮치는
구경이의 희번덕한 눈빛.
나제희, 재빠른 반사신경으로 휙! 피하자 뒤에
있는 경수의 토끼 눈.

5. 현재. 아파트 앞 / 저녁

구경이를 끌고 가고 있는 나제희.
구경이는 오랜만에 밖에 나와 눈도 제대로 못
뜨고 있다.
놀이터에 앉아있던 청년 (산타, 지만 얼굴은
보이지 않는다.) 이 그걸 지켜본다.
구경이가 지나가는 자리마다, 헨젤과
그레텔처럼… 쓰레기들이 줄줄이 남아있다.
청년, 홀린 듯이 다가가서 구경이가 흘린
쓰레기들 하나 하나 줍는다.

6. 현재. 식당 안 / 밤

종업원 뭐 드릴까요… (헉!)

종업원의 눈에 퀭한 얼굴, 떡진 머리에 커다란
검은 코트를 걸친 구경이가 보인다.
밑에 입은 것은 수면바지. 종업원, 최대한 티 안
나게 코 밑을 손으로 막는다.

종업원 (계속 기다리다 구경이 말이 없자 다시 한번)
뭐 드릴까요?
구경이 (뭐라뭐라 웅얼웅얼)
종업원 네?
구경이 우웅야이오아…

화장실에 다녀온 나제희, 머리를 정리하며
자리에 앉는다.

나제희 우동 하나 야키소바 하나… (구경이
웅얼거림 듣고) 만두도 하나요.
종업원 아… 네… (주방쪽으로 가는)

자리에 앉던 나제희, 뭔가 불편함을 느끼고
목덜미를 더듬다가 구경이를 똑바로 본다.

나제희 구경이 선배님

옷 사이에서 나온 맥주병 조각 테이블에 탁
내려놓는 나제희.

구경이 (모른 척, 웅얼웅얼) 애허흐?

나제희 (한숨, 주방 향해) 여기 생맥도 한
잔 주세요! (구경이 보고) 선배. 이제 일
이야기 좀?
구경이 으응?
나제희 보험 가입자가 실종됐어요.
구경이 아아…

구경이가 건성으로 대답하면서, 주방 쪽을
보고 군만두가 구워지는 것,
면이 삶기는 것, 맥주가 컵에 따라지는 것을
본다. 아름다워…

나제희 통영이에요, 이름은 김민규,
서른다섯 살 남자. 화학공장 사무직.

나제희의 말 듣는 둥 마는 둥 하며, 서빙된
맥주부터 꿀꺽꿀꺽 들이켜는 구경이.
술 들어가자 눈이 번쩍 뜨인다.

나제희 아침에 산책 나갔다가 안
돌아왔어요. 아내가 실종 신고했고,
최근에 인정 사망을 받았어요.
사망보험금 수익자는 아내 윤재영.
외지에서 왔는데도 동네에 잉꼬부부라고
소문났대. 사이에 딸 하나 있고.
구경이 (맥주 들어가자 명확해지는 발음! 청명해진
눈빛의 구경이. 머리 위를 윙윙 날던 파리를 한 번에
잡아챈다!) 너 잉꼬가 사실은 앵무새라는
거 아니? 걔네는 금슬이랑 아무 상관도
없어. 그리고 부부 사이좋다고 소문난
집이 더 의심스러운 거 알지? 어떻게

하면 그게 소문이 났겠어? 보여주려고
용을 썼다는 거지…
나제희 의심병 여전하시네. 그래도 이
사람들은 진짜 좋았던 거 같아요.

7. 케이스 소개
C#1 통영 항구 / 낮

김민규와 윤재영이 5살 선미의 손을 잡고
횟감을 구경하며 화기애애한 모습.

나제희(V.O) 남자가 엄청 가정적이었대.
구경이(V.O) 집 안에 CCTV 설치했니?
으뜨케 알아, 그걸.
나제희(V.O) 토 달지 마!

C#2 통영 교회 / 낮

교회에서 성실하게 배식하는 부부의 모습.
함께 기도하는 모습 등.

나제희(V.O) 부부가 교회도 열심히
다니고. 사람들 사이에서 평판도 좋고.

C#3 재영의 집 현관 / 아침

교외의 아담한 1층짜리 단독주택. 현관 앞에서
김민규가 운동화를 신고 있다.
따라 나온 재영이 배낭에 오이를 넣어준다.

나제희(V.O) 집 근처에 야트막한 산이

있어서 김민규가 평소에도 자주 갔대요.
실종된 날도 별다른 점은 없었고요. 신던
운동화에, 입던 츄리닝.

C#4 재영의 집 안 / 밤

창 밖에 어둠이 가득하다. 재영이 핸드폰을
들고 있지만 통화연결음만 계속된다.

소리(E) 연결이 되지 않아 음성
사서함으로 연결되오니….

초조한 모습의 재영. 창밖을 보면, 태풍이
가까워진 듯 미친 듯이 부는 바람…

C#5 산 / 밤

태풍 바람 뚫고 손전등을 들고 산을 수색하는
경찰들. 수색견.

나제희(V.O) 근데 완전 사라져 버린 거지.

산과 연결된 절벽에 서 있는 경찰들. 아래로
거센 파도가 치는 바다.
경찰 하나가 절벽 끝에서 먹다 만 오이와
핏자국을 발견하고 소리친다.

나제희(V.O) 대신 절벽에서 김민규가
들고 나간 가방이랑 혈흔이 나왔고
바다에서 신발이 발견됐어요. 시체는 안
나왔지만 생존 흔적도 없었어. 경찰은

실족 사고로 결론을 내렸고.

C#6 거리 / 낮

재영이 [남편을 찾습니다] 전단지를 돌리고 있다. 전단지 속 웃고 있는 김민규.

나제희(V.O) 윤재영은 포기 못 하고 남편 계속 찾아다녔대. 한동안 애 무지 썼더라고요.

8. 식당 안 / 밤

나제희 (이어지며) 대출은 집 살 때 낀 정도고, 제3금융권은 깨끗해. 돈 문제는 크게 없었던 거 같아. 애가 소아 당뇨가 있어서 병원 오다닌 거 빼면.

후루룩 면발을 흡입하는 구경이.

구경이 (입안에 음식을 한가득 머금고) 그렇군
나제희 그렇군? 그렇군이 다예요?
구경이 (눈알 굴린다.) 토 달지 말라며
나제희 무슨 생각이 드는 게 없어?
구경이 너 머리 안 돌아가는 건 옛날이나 지금이나 비슷하다는 생각?
나제희 (질린다.) 으…
구경이 본심 제대로 못 숨기는 것도.
나제희 무슨 본심?

구경이가 우물우물 면발 삼키고 말한다.

구경이 자살로 만들어 달라는 거잖아. 그 남자가 무슨 고민이 있었다, 아내랑 사이가 안 좋았다 이런 건덕지 찾아서 말 몇 마디 퍼뜨리고, 우울증 진단 기록 몇 개 만들어내고. 자살로 처리되면 보험회사는 생명 보험 지급 의무가 안 생기니까. 이게 꽤 야비한 건데 너네는 그런 거에 가책을 안 느끼지.
나제희 불법적으로 조작하고 이런 건 안 해요. 그리고 매번 말하는데, 나랑 우리 회사를 좀 분리해서 생각해 줄래요?
구경이 이렇게 발끈한다는 건, 찔린다는 거지. 버튼 눌렸구만
나제희 …조작은 말고, 정황 몇 개만 건져줘요. 솔직히 자살이 아닐 수가 없잖아?
구경이 뭘 그렇게 확신해?
나제희 의심된다며 선배도. 사람 속은 모르는 거거든. 겉으로는 멀쩡해 보여도 속에 무슨 바람이 불어서 자살했을 수도 있고…

나제희, 말해 놓고 아차 싶어 구경이 눈치 살피는데 -
구경이가 씹던 걸 멈추고 가만히 있다.
잠시 긴장,
구경이가 곧 입술과 혀를 리드미컬 하게 움직여 잇새에 끼어 있던 오징어 빼낸다.

구경이 어우 찔겨…
나제희 (태연한 구경이 반응에 안도하여) 할 거죠?

구경이 자기들 능력 딸리는 거 있음 아무 때나 틱틱 불러내고 말이야. 내가 심부름센터도 아니고. 너가 꽂아주는 푼돈 받으면서. 뭐 어디? 통영? 야 너무 멀다, 이번에는 제발 알아서 좀 해. … 여기 만두 포장되나?

나제희 아니

구경이 (소스라치게 놀라며) 포장이 안 돼?

나제희 아니. 선배는, 이거 할 수밖에 없어

9. 현재. 구경이네 집 앞 복도 / 밤

잠긴 문 앞에서 도어락 열고 망설이고 있는 구경이.

나제희 뭐해?

구경이 (나제희를 보고) 니무 오랜만에 나와서… 까먹었어

나제희가 번호를 세게 누른다. 369369*. 모르는 게 더 힘들지 않냐는 표정.

구경이 너 나에 대해서 너무 많은 걸 알아…

문 열리면, 구경이 입이 떡 벌어진다.

10. 현재. 구경이네 집 안 / 밤

집 안을 가득 채우고 있던 쓰레기 모두 사라졌다.

깜빡이던 형광등은 밝은 LED 조명으로. 음식물 쓰레기와 설거지거리로 가득하던 주방도 환골탈태.

무엇보다… 거실 저쪽에 놓인 것은…

영롱한 자막 - AMD 라이젠 스레드리퍼 3970X (캐스픽) - 2,583,170 원

ASUS ROG STRIX LL EXTREME ALPHA - 756,000원

ZOTAC GAMING 지포스 RTX 3090 Trinity D6X 24GB - 2,210,000원

BenQ SW321C AQCOLOR 모니터! - 2,690,000원

커세어 버츄오소 SE RGB 헤드셋! - 299,000원

구경이 (반지 찾아가는 골룸처럼 컴퓨터로 향하며) 우어어…

앞을 탁 가로막으며 튀어나오는 경수. 얼굴엔 반창고 붙이고 연신 기침 중.

경수 오셨습니까, 저는 NT생명 조사B팀 오경…

구경이, 듣지도 않고 경수를 한 손으로 퍽! 밀쳐낸다.

억 소리 내며 자빠진 경수의 원망의 눈초리 아랑곳 않고 컴퓨터로 달려가는 구경이. 컴퓨터 전원버튼 누르는데, 전원 들어오지 않는다.

구경이 으어?

달칵 달칵 달칵. 안 켜진다. 본체 뒤에 연결된
전원선을 따라 눈으로 훑는 구경이.
전원선 끝에 꽂혀 있는 멀티탭을 둘러싸고
있는 투명한 박스. 자물쇠로 잠겨 있다.

구경이 뭐야?
나제희 (열쇠를 흔들면서) 나는 선배에 대해서
너무 많은 걸 알지. 뭐가 필요한지도
잘 알고. 여기는 같이 일하는 경수 씨…
(자물쇠 흔드는 구경이 보며) 거 스위스제야,
힘으로 열리는 거 아닙니다

구경이, 원망스러운 표정으로 쳐다보면 사르륵
나제희의 주머니로 들어가는 열쇠.

나제희 열고 싶으면, 하나만 한다고 하면
되지
구경이 (이를 꽉 깨물며) 너, 사람을 너무
우습게 보는구나. 이런 거 내 돈으로 살
수 있어
나제희 경수 씨~
경수 (찾은 통장 들고) 구경이 씨 제일은행
잔고 35만 원, 국민은행 잔고
109만 원 있으십니다. 천 원 단위는 절사
했습니다
구경이 (호오) …생각보다 많은데?
경수 폐기물 처리비용, 청소 업체
용역비가 110만 원 나왔고요. 내고
나면…

구경이 누가 청소해 달래?! 다 도로
가져가! 원래 여기 있던 컴퓨터는 어디
갔어?
경수 그것을 컴퓨터라고 할 수 있을까요?

- INS. 조금 전. 청소 업체 직원들과 방진복
입고 청소 중.
컴퓨터에서 소리가 들려 가 보는 경수.
컴퓨터 본체에서 바퀴벌레 한 부대가 사사삭-
튀어나와 사방팔방으로 흩어진다.
기겁하는 경수.

구경이 (입맛을 다신다.) 그래도 이건 아닌 거
같아. 강압적으로 이러는 게 나의 자유를
대단히 침해하는 기분이고… 내가 이런
물질 때문에 뭘 하겠다고 믿는다면
그거는 경기도 오산..

구경이 말하는 사이, 나제희가 자물쇠를 열고
컴퓨터 전원을 켠다.
따-로-링~ 천상의 음계와 같은 컴퓨터 부팅 소리.
구경이가 입술을 앙다물었다가 천연덕스럽게
컴퓨터 앞으로 가 앉는다.
마우스를 딸깍이고, 키보드를 누르며 키감을
느끼는 구경이. 전율.

구경이 야…이거는… 이거는 좋네… 내
시력이 좋아졌나? (눈 꿈—뻑) 어우 환해
나제희 (구경이의 어깨를 꾹 짚고 속닥) 오케이 안
하면, 고대로 반품할 거야 선배.
구경이 (침 닦으며) 통영이랬지? (잠깐

돌아보고) 늦었는데 뭐해? 가, 가, 더워.

(게임 접속되자) 님들 저 컴 새로 뽑음! 안 끊김 대박임!

나제희 (웃으면서) 경수 씨가 내일 데리러 올 거야

구경이 (건성으로) 어, 어… 내일? 뭘 그렇게 일찍 와, 담주에 와… 아니 담달… 잠깐만 쟤가 온다고? (또급정색) 난 저런 못 믿을 놈이랑 일 못 해

나제희 운전은 하실 수 있어? 도어락 비번도 까먹으면서 액셀이 왼쪽인지 오른쪽인지 기억은 하셔?

구경이 (코웃음) 야! 액셀은… (기억안남) 운전은 본능으로 하는 거야. 암튼 쟤랑은 안 해 (경수보고) 너 뭔데?

경수 몇 번이나 말씀드린 거 같은데요

구경이 NT생명 어쩌구 말고… 너 뭐냐고. (사이) 말투 보니까 대구 출신. 경찰 준비하다 그만뒀지? 체력 문제였겠네. 나 팀장 같은 사람 모시는 타입이 아닌데, 붙어 있는 게 의심스럽네. 실적 가로채서 팀 옮기고 승진하는, 그런 그림 그리나?

경수 (찔려서 더 불퉁) …저도 이런 예의 없고 위생관념 떨어지는 사람이랑은 일 못 합니다!

나제희, 말릴 새도 없이 경수, 쾅 문 닫고 나가 버린다.

나제희 (구경이더러) 이러기예요? 안 되겠다, 반품해야겠다

구경이 (다급) 운전해줄 사람만 있음 되는 거잖아! 믿을 만한 사람 찾으면 되지!

나제희 선배가 믿을 만한 사람이 있어? 나는 바빠, 선배.

구경이, 뭔가 생각난 듯 다시 컴퓨터 앞으로 가서 채팅창에 메시지를 친다.

[님들 중에 운전면허 있는 분 알바 하나 하실?]

멜론 머스크(목소리) 쫌없

산타(목소리) 오 저 ㅇㅇ

[낼 시간 ㅇㅋ?]

산타(목소리) ㅇㅋ

구경이 (나제희에게) 구했어

벙찌는 나제희.

나제희 장난이지? 신원 확실한 내 팀원은 싫고, 게임에서 본 아무나를 믿는다고?

구경이 아무나 아니야! 그동안 우리가 했던 전투가 수천수만이야… 목숨도 맡기는 동지들이라고!

11. 현재. 카페 / 아침

나제희가 NT생명 명함을 내민다. 받아 드는 하얀 손의 주인공, 산타.
일전에 구경이가 가던 길의 쓰레기를 줍던 바로 그 청년이다.

나제희 어떻게 바로 근처에 살고 계셨네요

빙그레 웃는 산타. 뭔가 토를 달기 힘든 선한 느낌.

나제희 차량은 지급이 될 거구요. 비정규로 NT생명 외주 용역이 되시는 거예요. 구경이 조사관님이 사람들이랑 친근하게 못 지내는 타입인데… (산타 보고) 더 잘 아시겠구나… 근데 무슨 일 하셨는지 물어봐도 될까요?

멀리서 산타의 얼굴을 훔쳐보는 구경이.

Cut to. 카페 앞

나제희 생각했던 거랑 완전 다르네, 선배 사람 잘 본다. 간병일 하다가 맘이 힘들어져서 게임 하고 있는 거래.
구경이 으음… 생각했던 거랑 너무 다른데… 쟤가 진짜 우리 팀 산타라고? 다른 사람 아니야?
나제희 뭐래더라… (메모 뒤적이며) 팀원들 다 죽고 피5 남았을 때, 숨었다가 역궁 날려서 상대 다 쓸어버린 광복절 대전 말하면 알 거라는데?
구경이 (아련) 맞군…

산타가 모는 차가 카페 앞으로 온다. 차에 구경이를 태우는 나제희.

나제희 운전은 합격이고. 그럼 해결 부탁드립니다!

차 문 닫히고, 산타가 구경이를 본다. 구경이가 시선 피하면서 천천히 의자를 뒤로 젖힌다.

구경이 (아주 작은 목소리로) 도착하면 깨워… 주…럼

부앙, 출발하는 자동차.

12. 과거. 고등학교 연극부실 / 낮

한 무리의 연극부원 고등학생들이 왁자지껄 연극부실로 들어온다.

학생1 죽느냐 사느냐 그것이 문제로다. 이 더러운 운명의 화살을 그냥 참고 견딜 것인가?
학생2 (영주 보며) 아름다운 오필리아 여신이여, 그대의 기도로써 제발 나를 구하여다오.
영주 왕자님 요즘은 어떠하시온지?

'호랑이네 가족' 팻말이 달려 있는 고양이 집. 밥그릇 주변에도 고양이들의 모습이 안 보인다.

영주 호랑아~ 호랑아 어디 갔어?
학생3 춘삼아~ 봉구야~ 명태야!

영주 (돌아보며) 막내는 로이라니까! 로이야!

학생1 야, 저거 뭐야? 원래 있었어?

사물함 위에 놓여 있는 선물 상자.

학생2 여기 '영주꺼'라고 적혀 있다

다소 섬뜩한 오오라를 뿜어내고 있는 선물 상자에 정말로 '영주꺼'라고 붙어있다. 툭, 툭, 안에서 치는 듯한 소리까지 들리자 기겁하는 아이들.

학생3 빨리 열어봐!

학생1 무서워!

영주가 천천히 상자로 다가가 상자를 열자, 쏟아져 나오는 고양이들. 모두 하나같이 리본을 묶고 있어서 엄청나게 귀엽다. 고양이들이 나오자 안에 보이는 것은… 여학생의 머리통!!!

학생들 꺄아악!!

영주 경이야?

여학생, 감고 있던 눈을 번쩍 뜨며 입에 물고 있던 코끼리 피리를 분다. 놀라서 자지러지는 다른 학생들.

여학생 뿌----! 서프라이즈!!!

영주 어떻게 한 거야?

보아하니 톱으로 아래 사물함 내부를 다 잘라낸 모양이다.

여학생 써프라이즈으으!!!

학생2 (뒤에서 고양이 만지며) 오늘 무슨 날이야?

여학생 (눈을 좌우로 굴리다가) 어… 영주 생일?

학생1 헐! 이영주 오늘 생일이야? 왜 말 안 함?

영주 생일 아니야~

로이가 예민하게 반응하나 싶더니, 문 드르륵 열리며 연극부 담당교사 장성우가 들어온다. 도망쳐서 숨는 고양이 로이.

학생들 안-녕-하-세-요

장성우 어. 고양이 냄새 난다 창문 좀 열자

장성우, 아이들 놀음에 관심 없다는 듯, 한쪽 자리로 가서 읽던 책 집어 든다.

영주 (여학생에게) 야 너 얼굴에서 피 나

여학생 (웃으면서) 리본 묶으니까 로이가 긁었어

영주 (웃으면서) 서프라이즈 했어 아주

여학생 (신나 하며) 진짜? 니가 서프라이즈 한 거 좋아한다고 해서.

영주 진짜야. 없던 애도 떨어질 뻔했다

장성우 (여학생 힐긋 보고) 뭔지 모르겠는데 다 했으면 나와서 연습들 해라.

학생1 이것만 찍구요! 귀여워!

여전히 머리통인 채로 영주를 보면서
어린아이처럼 웃는 여학생.
학생 하나가 폴라로이드로 고양이들, 영주와
여학생 사진을 마구 찍는다.
셔터음- 찰칵, 찰칵-

13. 현재. 재영의 집 앞 / 낮

찰칵, 찰칵- 차 안의 구경이가 망원렌즈 단
카메라로 재영의 집을 찍고 있다.
뒤로는 야산인 외딴곳에 자리한 재영의
단독주택. 산타가 눈치 보며 우편물들 챙겨서
가져온다. 구경이가 몇 개 뒤적이더니 카드
명세서 봉투를 북 찢는다.

산타 (이래도 되나? 하는 눈빛)
구경이 그냥 누락됐다고 생각할 거야
(돌려주며) 나머지는 다시 꽂아 놔

명세표를 재빨리 훑어보는 구경이. 눈알이
빠르게 움직인다.

구경이 다음!

14. 현재. 통영 시내 마트 앞 차 안 / 낮

마트 계산대에 있는 윤재영을 보는 시선.
구경이가 차에 탄 채로 찰칵거린다.
마트의 다른 직원에게 싹싹하게 대하는 재영.

손님들에게도 웃으며 응대한다.

구경이 이상하게, 저 카운터에만 사람이
많은 게… 의심스러운데.

확실히 옆 카운터보다 더 사람이 많다. 다른
계산 카운터에는 아주 손이 느린 계산원이
다소 심술궂은 표정으로 계산한다. 산타가
그걸 보고 핸드폰에 뭐라고 입력한다.

산타 (AI 보이스) 나라도 저기 섬

재영, 손 빨리 계산하는 와중에도 손님 한 명 한
명과 눈을 맞추고 안부를 나눈다.
모두가 친한 이웃인 듯. 손님들이 부러 재영
쪽으로 와서 선다.

구경이 좋은 사람일까?
산타 (끄덕)

마트 사장(중년 남자)이 다가와서 재영에게
퇴근 시간임을 알려준다.
재영이 이것만 마무리하고 가겠다고 한다.

구경이 남자들도 좋아하겠지. 남편 죽이고
보험금 받아서 새 살림. 가능성 있네.

재영이 옷을 갈아입고 나와 자신의 차에
올라탄다.

구경이 남편이 산 중고차를 아직 타네.

차 유지비, 딸내미 병원비, 교육비 하면 캐서 월급으로는 감당 힘들 텐데, 보험료 받으면 숨은 돌리겠구만. 안 그래?

(카메라에서 눈 떼고) 어우 침침해. (산타에게) 아까 산 거는?

15. 현재. 통영 시내 마트 앞 / 낮

승용차가 흔들거린다. 차 안에서 옷 갈아입는 구경이.
세일러문 변신하듯이 윗도리에 팔을 넣을 때 짜란~ 조끼를 뒤집어쓸 때 짜란~
소통 불능 히키코모리 룩에서, 현지 완벽 적응 복부인 등산 룩으로 변신한다. 구경이가 품속 플라스크 꺼내 술 한 모금 하려는데, 갑자기 움찔! 하는 산타.

산타 으헉!

구경이, 놀라 보면 선팅한 앞유리에 코 붙이고 있는 중년의 사내, 강호가 보인다.

강호 여따가 차대면 안 되는데~

16. 현재. 통영 방파제 / 낮

낚싯대 뻗어 놓은 아저씨들을 지나치며 걷고 있는 강호와 구경이, 뒤따라가는 산타.

강호 집 산다고예? 내가 여기 사십 년 토박이 아입니꺼. 암꺼나 다 물어보이소.

구경이 동네는 비린내 적당하고 좋은데… 안전은 한가요? 실종 그런 거 있었다고 들었는데

강호 실조옹?

구경이 외지서 온 애기 아빠가 하나 사라졌다든데?

강호 그거는 오해가 좀 있네~ 그 집은 딱하게 된 기고, 여기가 몇십 년 동안 아-무 사고 없는 동네로 유명하다 아입니꺼

구경이 하기는 이렇게 든든한 형사 선생님이 딱 버티고 계시니까아?

까르르 웃으며 투닥거리는 두 사람을 보며 못 볼 거 봤다는 얼굴을 하는 산타.

구경이 딱하게 된 게 뭔데요?

강호 그 집 아가 당뇨가 있어서 고생은 좀 해도, 남편이 성실했어. 근데 고마, 산책 갔다가 우째 고마 발을 헛딛어가 그래 됐다 아입니까. 시신도 몬 찾고.

구경이 저런… 근데 애기가 아팠으면 아빠가 마음이 아파서 그랬을 수도 있겠네요…

강호 에헤이! 딴 사람은 몰라도 금마는 예쁜 마누라 두고 그란 짓 할 타입은 아입니다. 그 댕기던 공장에 결원도 몇 생기가, 금마 벌이도 괜찮아지고 그랬는데 고마.

구경이 (강호 말투로) 에이, 한 이불 덮고 자는 사람 속도 모르는 게 인생 아입니까~

형사 선생님도 싸모님 속 다 모르실걸?

그때, 낚싯대 잡고 있던 낚시꾼이 불쑥
끼어들며 말한다.

낚시꾼 하이고! 또 아픈데 찔라뿌네~
총각 아인교 총각!
구경이 어머! 어쩐지이!
낚시꾼 아이고, 총각 얼굴 빨개지네!
강호 (정말 부끄러워하는) 고마 시끄럽다!
구경이 공장에 결원이 많이 생겼댔죠,
다들 큰 도시로 나가서?
낚시꾼 으데! 다 (목에다가 손 긋는 시늉) 끽 해
뿌지
강호 허허 거 멀리서 오신 손님한테 또
괜한 소리 한다
구경이 끽?

구경이의 '캐내는 느낌' 때문에 살짝 경계심을
느끼는 낚시꾼 곁으로 산타가 나타난다.
자연스럽게 요구르트에 빨대 꽂아 내밀고,
그걸 받아먹자 이상하게 마음이 누그러지는
낚시꾼. 오호, 요거 봐라 하는 눈으로 산타를
보는 구경이.

낚시꾼 1-2년 사이에 민규 놈 다니던
공장 사람들이 줄줄이 끽 했다니까.
그래서 민규 금마도 어데서 잘못된 게
맞겠다… 하는 기지.
구경이 무셔라 전염병이라도 돌았어요?
낚시꾼 보자… (손가락으로 숫자 헤아리며) 한

놈은 교통사고, 한 놈은 심장마비…
강호 (말 자르며) 낚시 한다꼬 여 앉아가
외지 사람 앞에서 고마 떠벌떠벌.
구경이 같은 공장 사람들이 줄줄이
죽었다…? 의심스러운데…

17. 현재. 교회 예배당 안 / 낮

찬송가를 부르는 사람들이 힐긋힐긋 한쪽을
쳐다본다.
구경이가 열정적으로 찬송가를 부르며 돌고
있는 헌금함에 5만 원권 뭉텅이
(뒷장은 사실 다 신문지)를 넣는다. 허억, 하는
분위기. 온화한 미소의 목사.

18. 현재. 교회 예배당 앞 라운지 / 낮

복도에 붙어 있는 꼬마들이 그린 그림일기를
보고 있는 구경이.
'유치부 김선미'. 남자가 크레파스를 들고 딸
옆에 서 있는 그림.

구경이 (나직하게 노래 부르는) 어젯밤에 우리
아빠가 다정하신 모습으로 한손에는
크레파스를 사가지고 오셨어요…

구경이의 낮은 노랫소리가 이어지며 보이는
삐뚤빼뚤 그린 그림일기.
'소미네 생일파티. 나도 케이크를 먹고 싶어서
울었다. 생일 선물을 주었다.'
'꿈나라에서 온 아빠를 그렸다. 아빠가

크레파스를 사주셨다.'
'빨주노초파남보금은동 무지개 세상! 예쁘다.'

목사 (노래 이어서) 음음!

구경이가 돌아보면, 목사가 윤재영과 함께
서 있다.

목사 여-는 윤재영 자매님.
재영 (꾸벅 인사하는)
목사 새로 오신 자매님은 성함이…?
구경이 김선미라고 합니다.
재영 (살짝 놀란 눈빛)
목사 두 분이 처지가 비슷한 거 같아서
소개해 드리려고 한 건데, 인연이네요!
구경이 (모르는 척) 뭐가요?
목사 윤재영 자매님 딸내미 이름도
김선미거든요
구경이 어머! 그러세요! 아버지께서 인연
내려 주셨네!

19. 현재. 조사B팀 사무실 / 낮

'통영에서 교통사고 사망' 기사 제목.
'부고란'의 작은 글씨들.
초췌한 경수가 뽑아준 자료 꼼꼼히 보는 나제희.
경수가 그런 나제희 앞에 컵라면을 둔다.

경수 근데 이 사람들이 죽은 거랑 우리
김민규 케이스랑… 상관이 있습니까?
나제희 (경수가준 컵라면 열며) 의심이 많긴

한데, 허투루 짚는 사람은 아니야.
경수 (컵라면 후루룩) 시키셔서 하긴 하는데,
저는 그 분 좀… 소문도 많고요.
나제희 소문. 일전에 민원인 깨물었던
거? 그건 그 사람이 깨물릴 만했던 거고.
경수 그거 말고도 구린 거 많다던데.
나제희 남편 죽인 여자라고?
경수 (잠시 멈춤) 그거, 진짜가요?
나제희 뜬소문에도 주워 먹을 게 있댔지.
경수 진짜예요???

20. 현재. 카페 / 낮

구경이 (눈가가촉촉한) 내가 얼마나
불쌍해요. 불시에 남편 잃고… 근데, 이
보험사라는 놈들 눈빛이… 나를 무슨
남편 잡아먹은 사람처럼 보면서
꼬치꼬치 캐묻는 거야. 다 포기하고
싶었어요, 보험금이고 뭐고. 근데 그때
하느님이 그러시는 거라. 딸아, 포기하지
마라. 이 돈이 눈에는 돈이지만 남편이
너한테 주는 선물이고, 내가 너한테 주는
선물이다… 아멘.
재영 (작게) …아멘.
구경이 (아멘 소리 듣자 재영 손을 붙잡고)
자매님도 포기하면 안 돼. 보험사
그놈들이 돈 돈, 하면서 아무리 가슴을
후벼 파도, 남편이 사고 전부터 좀
이상했다거나, 우울해했다거나 하는
거는 절대 들키면 안 된다구.

산타, 짠 듯이 타이밍 맞게 김 모락모락
밀크티 가져오고, 재영이 두 손으로 밀크티를
감싸 쥔다.

구경이 (재영의 안색 살피며) 우리는 하느님의
뜻을 지켜야 되니까.
재영 저는…
구경이 (토닥토닥) 그래 힘든 건 우리끼리
털어놓고 끝내요.
재영 저는 괜찮아요

산타, 안 통했다는 듯 도리도리.

구경이 …. 재영 씨 남편은 천국 갔을 거
같아요?
재영 예?
구경이 나는 가끔 그런 생각 하거든.
우리 남편이… 천국에 갔을까… 아니면
지옥에 갔을까… (목소리에 진심이 담기며)
내가 알던 사람이면 분명 천국에 있을
텐데… 내가 알던 그 사람이 정말 그
사람이 맞을까? 남은 인생 죽도록
착하게 살아서 천국에 갔는데, 그 사람이
지옥에 있으면? 그땐 어떻게 해야 되지?

구경이의 진심을 읽은 재영이 구경이를
빤히 본다.

재영 저는… (뜸을 들이다가) 저희 남편이
죽었다고 생각 안 해요
구경이 (옳다구나! 의 눈빛) 그게 무슨 뜻이야,

자기?
재영 마음 같아서는… 그냥 기다리고
싶어요. 우리 남편 그렇게 쉽게 죽는
사람 아니니까. 근데 우리 선미가 갑자기
큰 병원이라도 가게 되면, 종일 일해도
힘드니까… 그래서 남편 목숨 값으로
산다고 욕먹어두, 우리 선미만 생각하는
거예요. (슬픔) 죄송해요 이제 마트 가봐야
돼서

재영이 일어서고 남은 구경이. 아무런 감정도
느껴지지 않는 싸늘한 표정이다.

사운드 선행. 여자 아이들 우는 소리.

21. 과거. 학교 뒤뜰 소각장 / 낮

싸늘한 표정의 여학생. 영주와 학생들이
서럽게 울고 있다.
여학생이 소각터 안으로 작대기를 넣어 노란
포대 자루를 당겨 끄집어낸다.

영주 어떡해!!! 말도 안 돼!! 우리 춘삼이
어떡해!!
학생1 (눈물 닦으며) 계속 안 보여 가지고
여기 와봤더니 흑흑
학생2 누가 때린 거야? 너무 잔인해!!

보이진 않지만, 여학생 - 자루에서 고양이들
시체를 헤집어 본다.

여학생 맞아 죽은 거 같진 않은데…
학생3 그럼 뭔데? 갑자기 한꺼번에 다 죽은 이유가 뭐냐고!

같이 버려져 있던 참치 캔을 주워 올리는 여학생.

여학생 (맡아보고 영주에게 캔을 내민다.) 달달한 냄새 나지
영주 (킁킁) …어.
여학생 한 마리가 없지 않아? 걔. 로이.

그제야 한 마리가 없다는 사실을 깨달은 아이들. 로이의 이름을 부르며 흩어진다.

영주 로이야! 로이야!
여학생 쉿!

여학생, 손톱 끝으로 깡통을 톡톡 친다. 깡통 두드리는 소리만 들리는 가운데…
어디서 끼깅거리는 소리가 들린다. 까도독 까도독, 나무 긁는 소리와 함께.
여학생과 영주가 잔뜩 집중해서 소리 나는 곳으로 가보면,
속이 빈 나무 틈에 끼어서 옴짝달싹 못하고 있는 새끼 고양이 로이가 보인다.

영주 로이야!

영주가 서둘러 나무 치우고 안아 올리는데, 여학생은 다른데 눈길이 간다.

깔린 나뭇잎 사이에 있는 나일론 끈. 노란 쌀 포대 자루를 묶는 용도로 쓰는 끈.

여학생 한꺼번에 죽이고 전부 태우려고 했네~
영주 누가 이런 악마 같은 짓을 해!
여학생 (영주가 안고 있는 고양이를 보면서) 로이만 도망친 거고.
영주 누구 짓이야?
여학생 (일어서며) 찾아봐야지

22. 현재. (교차) 보험회사-통영 거리 / 낮

- 보험회사 사무실

나제희 (구경이와 전화로) 찾아봤어요. 근데 김민규가 자살인지 아닌지 알아보라고 했더니 갑자기 주변 사람들은 왜?
구경이(E) 의심스러운 게 있어서 그래
나제희 내용은 딱히 없던데. 사람들이 3-4개월 단위로 띄엄띄엄 죽은 건 맞아요.
경수 (나제희 옆에서 조사한 내용 읊는) 김섭룡은 심장마비구요,

- INS. 심장을 잡으며 쓰러지는 공장 사무실의 김섭룡.
교통사고로 박살 난 차. 운전석 사이로 팔이 축 늘어진다.
운전석과 조수석에 각각 피 흘리며 있는 직원 한만구, 옆 자리 그의 애인 호송미.

목을 매달아 죽은 젊은 여성 김미진.

경수(V.O) 한만구는 불륜 관계의 애인과
차에 타고 있다가 사고로 즉사.
나머지 한 명 죽었다는 여자는 경찰에
자살 신고가 됐습니다.

- 통영 거리. 구경이, 전화 받고 있다.
보험회사와 교차로.

나제희 이렇게 묶는 이유를 모르겠네.
구경이 그거… 그거는?
경수 윤재영 통화 기록도 별거 없어요.
직장, 교회, 병원, 어린이집이 다입니다.
구경이 노잼.
나제희 눈에 들어오는 게 하나 있는데,
실종 뒤에 김민규 핸드폰 위치 추적한
기록이 있어. 사라지고 삼 개월 뒤에
폰이 한 번 켜졌나 봐. 장물로 나왔나
보다 하고 넘어갔대.
구경이 켜졌을 때 잡힌 기지국 위치가
어딘데? 절벽이랑 멀어?

23. 현재. 무인텔 밀집지 / 밤

왕복 4차선 도롯가에 있는 무인텔 밀집지.
뒤에는 숲이 울창한 산.
'일단 들어가서 얘기하자'며 여자를 잡아끄는
남자, 오가는 선팅 차량,
철럭거리는 모텔 주차장의 더러운 커튼들…
카메라 쭉 올라가면

5층 정도의 비상계단에서 가고일 석상처럼
아래를 내려다보고 있는 구경이.
옆에서 꾸벅꾸벅 졸고 있는 산타.
구경이의 시점으로 보이는 장면들이 빠르고
감각적으로 편집되어 보여진다.

한 남자가 A모텔로 들어간다. 잠시 뒤, 2층에
불이 켜진다.
또 다른 남자가 C모텔로 들어간다. 5층에
불이 켜진다.
검은 밴이 나타난다. 검은 밴에서 내린 여자가
A모텔로 간다.
짜장면 배달 오토바이가 나타난다. 배달원은
A모텔로 들어간다.
배달원이 모텔에서 나올 때쯤 A모텔 2층에
불이 꺼진다.
검은 밴에서 여자가 내려 C모텔로 간다. 같은
시간, 배달원이 C모텔로 향하다가
C모텔 입구에 다다른 검은 밴 여자를 보고
아는 척을 하며 같이 들어간다.
C모텔에 배달을 마치고 배달원이 밖으로
나오자, C모텔 5층에 불이 꺼진다.

시야를 넓혀 보면
- 모텔촌 밤 풍경 속에 배달 오토바이의
헤드라이트가 계속해서 궤적을 남긴다.

영주 (사운드 선행) 눈알 빠지겠다!

24. 과거. 학교 옥상 / 낮

가고일 석상처럼 아래를 내려다보고 있는
여학생. 아래로 보이는 학교 사람들.
한 무리의 학생들이 몰려가고, 장성우, 급식실
조리원들, 경비원도 지나간다.

영주 니 눈엔 뭐가 다르게 보여? 넌 맨날
좀 다르게 보잖아
여학생 (대답 없이 풍경에 집중한)
영주 내 눈엔 그런 짓 할 사람 안 보이는데.

한 명 한 명, 인물들을 훑으며 영주의 목소리.

영주 급식실 선생님들은 고양이들 밥도
챙겨 주시잖아.
여학생 밥을 주니까 밥에 뭘 섞어서
죽이기 쉽겠지
영주 (혁, 질 수 없다) 장성우 쌤은 이름도
물어봤었어. 고양이 좋아해서.
여학생 이름도 기억 못 하던데? 냄새
난다고 싫어했잖아.
영주 (흠…) 수위 아저씨도 방학하면
고양이 밥 줄 사람 없어서 어떡하냐고
걱정하셨어
여학생 그 말 이상하다? 방학 땐 자기가
밥 주면 되지.
영주 야! 수위 아저씨는 진짜 아니야.
고양이들 진짜 귀여워하셨단 말야.

여학생, 아래를 보던 시선 거두고 가방에서 빵

꺼내 먹는다.

여학생 참치 캔에서 달달한 냄새 났잖아.
그거 부동액 냄새거든. 기름 따라 내고
부동액 넣으면 애들이 참친 줄 알고 그냥
먹어
영주 너는 그런 걸 어떻게 알아?
여학생 상식이지~
영주 근데 로이는 안 먹었잖아
여학생 걔 평소에 남자 어른만 보면
도망갔잖아. 그러니까 남자 어른들
중에, 애들이 고양이 보러 자주 가니까
학교 사람들 루틴을 잘 알고- 포대자루,
부동액 같은 걸 들고 있어도 의심 안
받을 사람이지.
영주 와…. 그래서 누군데?
여학생 …범인 잡으면 어떻게 할 건데에?
영주 (버럭) 죽일 거야!

영주의 말은 그냥 들으면 귀엽지만, 얼굴을
보면 '귀엽다'는 말이 나오기 힘들다.
달아오른 얼굴, 핏발 선 눈동자로 여학생을
보는 영주는 흡사 귀기가 서린 듯.

영주 고양이는 죽었는데 지는 왜 살아야
돼?
여학생 (그런 영주 흥미롭게 보며 알겠다는 표정)
알겠어

25. 현재. 모텔 밀집지 / 밤

구경이, 알겠다는 표정.

구경이 우리도 방 잡자

졸던 산타, 벙쪄서 일어난다. 구경이, 뭘 더 말하지 않고 먼저 계단을 내려간다.

26. 현재. 모텔 / 밤

'대박각' 철가방을 매고 달리던 오토바이. Cut to. 띵- 소리와 함께 엘리베이터에서 내리는 배달원. 403호 앞에서 노크.

배달원 (문 열리자 짜장면 내려놓으며) 만 오천 원입니다
구경이 (오만 원권을 내밀며) 잔돈이 없어서 그러는데 나머지는 그냥 '그거'로 주면 안 될까?

배달원이 영문을 모르겠다는 표정으로 있는데, 그때 화장실에서 산타가 나온다.

배달원 (산타 보며 피식하고) 이만 원 더 주셔야 되는데요

오만 원짜리 한 장을 더 내미는 구경이. 배달원이 전대에서 작은 봉지를 꺼낸다. 파란색 알약 두 알 - 성 기능 촉진제. 곧바로 알약 든 배달원의 손목 확 붙잡는 구경이.

27. 현재. 모텔촌 앞 / 밤

배달원이 전에 알은체를 했던 여자와 이야기를 하고 있다.

여자 (의심하며) 짭새 아닌 건 확실하나?

휙 돌아 얼굴 드러나면 눈물범벅의 구경이. 그 꼴을 보면서 안심하는 여자.

경과.

여자 여 왔다 가는 놈들이 한둘이가. 아줌마 남편 기억하는 애들 없을 거 같은데? (보고 있던 김민규 사진을 돌려주며) 우리는 어차피 얼굴은 진짜 잘생기거나 한 거 아니면 기억을 안 하거든요. 다른 쪽에 어떤, 한국인 같지 않은, 그런 특징이 있으면 모를까.
구경이 그런 특징… 우리 남편은 그냥 보통인데… 어떻게 찾아야 될까…
여자 (구경이가 또 울려고 하자) 이거 하다 보면 별 놈 다 있어요. 지는 아무것도 안 하고 쳐다보고만 있는 변태 새끼두 있구.
구경이 에구머니! 숭해라~ 일 년 안 됐을 텐데…
여자 보자… 옷 벗다가 처 울던 놈도 있었고, 들어와서 나갈 때까지 선글라스에 가면 쓰고 있는 놈도 있었구… 암튼 이래 울며불며 찾아다닐 가치가 없는…

구경이 (O.L, 눈물 쓱 닦고) 그 새끼 이야기 좀 해봐라

여자 (갑자기 바뀐 구경이 태세에 놀라) 어? 누구?

구경이 가면 쓴 새끼

28. 과거. 모텔방 안 / 밤

여자(V.O) 미로넷으로 연락 왔을 거야. 무인텔에 방 잡아 놨으니까 빨리 좀 보자고.

방에 들어서며 실소 터트리는 여자.

여자 오빠야- 뭔데?

동물 가면에 8bit 선글라스를 쓰고 있는 남자. 알몸 위에 가운만 입고 있어 꼴이 우습다.

여자(V.O) 우리는 또 이런 거 기분 나쁘니까 바로 연락하거든. 예전에 '그 일'도 있었고…

가면맨 왔어? 잠깐만! (허둥지둥)

선글라스 껴서 앞이 안 보이는 가면맨이 스툴, 탁자 등에 부딪혀 가면서 뭘 찾는다.

가면맨 아야야!!

와중에 앞섬 풀어지지만 교묘하게 각종 소품들로 마스크맨의 배꼽 아래는 가려진다. 그 사이 여자가 실장에게 메시지 보낸다.

[F. 303. 가면 쓰고 있어 머야]

그런 중 가면맨, 동물 가면 아가리 쪽으로 파란 알약을 쑤셔 넣고 있다.

당연히 안 들어간다.

가면맨 (뒤늦게 깨닫고) 아, 이러면 되는구나 (가면 들추고 아래로 알약 먹는다.) 하자하자!

그 사이 실장에게 온 답장.

[- 대기할게 일단 일 해]

여자 (한숨 쉬고 가면맨 쪽으로 가며) 오빠야… 무릎에서 피 난다…

29. 현재. 모텔촌 / 밤

여자 근데 별 건 없었네 그 뒤는 기억 안 나는 거 보면

구경이 그게 정확히 언제야

여자 아줌마 웃기네. 그걸 어떻게 기억해요

구경이 실장이랑 문자!

여자가 핸드폰 주섬주섬 꺼내서 실장이랑 나눈 문자메시지 대화창을 뒤진다.
'검색어: 가면'으로 하니 바로 나오는 당시 메시지창.

여자 나왔다. **월 **일. 이 언니 뭐고?

여자가 뭐라 할 사이도 없이 핸드폰을

빼앗아서 마구 훑어보는 구경이.

구경이 (울먹울먹) 흐허헝, 여보… 여보 당신이니…? 당신이야…?

구경이, 울먹이는 목소리와 달리 빠른 손놀림으로 핸드폰 곳곳을 뒤지고 있다. 구경이의 눈에 들어오는 애플리케이션 하나. '미로넷'

구경이 (미로넷 어플 보여주며) 실장은 이걸로 영업하는 거지?
여자 그게 신상도 안 남고 대화도 바로바로 지워져서 많이들 써요.
구경이 봐도 아무것도 안 나온다는 거네. …예전에 '그 일' 있었다는 건 뭐야?

빠르게 지나가는 미로넷의 내부 화면.

여자 여기 사람들이 가끔 배에서 놀거든요. 전에 둘이가 거기 불려 갔었는데, 하나는 차 사고 나서 죽고 하나는 자살했잖아… 그래서 아무리 페이 쎄도 단체나 쎄한 예약은 인제 안 받아요
구경이 (뭔가 생각난) 그거 혹시…. 효창바이오(민규네 회사) 아니야?
여자 (놀란) 엄마야 그 소문 아는갑다
구경이 무슨 소문?
여자 그즈음에 방파제에서 얼라 시체가 하나 올라왔는데, 사실은 걔가

배에서 회식하던 사람들 허드렛일 하다가 죽었다는 소문이 있었어요. 그 뒤에 갸가 원한 품고 저주 내리가, 그때 있던 사람들 싹 죽있다고…

여자와 배달원 두고, 재빨리 돌아선 구경이. 빠른 걸음으로 걸어간다. 산타가 따라붙는다. 생각에 빠진 구경이가 부딪히려 하자 앞서서 장애물 치워주는 산타.

구경이 의심스럽지? 가면 쓴 남자랑 김민규랑 성급하게 연결 짓는 거 같아서. 근데 그 가면남 나타난 날이, 하필 김민규 핸드폰이 켜진 날이다? 몸이 근질근질했다는 거거든…
산타 …
구경이 자살 가능성을 찾으랬더니 얘가 안 죽었다는 가능성이 찾아졌네? 저주 땜에 자기도 죽을까 봐 무서워서 도망쳤다?

생각에 빠져 멍하니 걷는 구경이.

구경이 …혼자서 죽은 사람이 될 수 있나?

30. 현재. 교회 예배당 / 낮

유치부 아이들이 단체로 찬송가를 부르고 있는 예배당 안.
학부모들은 웃고 동영상을 찍고 손을

흔드는데, 구경이만은 무표정한 얼굴로 재영의
딸 선미를 쳐다보고 있다. 노래를 하면서도
문이 열릴 때마다 문쪽을 힐끔거리는 선미.
그 시선을 따라 뒤를 돌아본 구경이. 언제
들어왔는지 윤재영이 장바구니를 든 채
뒤에 있다. 구경이가 다시 선미를 보는데,
선미는 여전히 무언가를 찾는 얼굴이다!

구경이 기다리고 있어.

- 플래시백. 1화 S#18. 선미의 그림일기를 보고
있는 구경이.
크레파스를 들고 있는 아빠의 모습이 확대되어
보인다.

구경이(V.O) 꿈나라에서 온 아빠를
그렸다…

- 플래시백. 1화 S#18. 선미의 그림일기를 한
장씩 넘겨본다. 크레파스를 들고 있는
아빠가 그려진 일기와 바로 전날의 그림일기.
확실히 전자의 것이 더 선명하고 다양한
색깔의 크레파스로 그려져 있다.
이전까지는 없던 금색, 은색… 새 크레파스로
그린 그림인 것이다!

구경이(V.O) 꿈이 아니라 진짜 새
크레파스를 갖고 온 거야

- 플래시백. 1화 S#29. 산타에게 자신의 추리
말하고 있는 구경이.

구경이 그 가면남 나타난 날이, 하필
김민규 핸드폰이 켜진 날이다?

구경이가 벌떡 일어나며 산타도 나오라고
툭툭 친다.
박수까지 치며 아이들의 노래 공연 보고
있던 산타, 영문을 모르고 따라 일어나
통로로 빠진다.

구경이 (되게 급한 일 생긴 사람처럼 산타의 귀에
대고) 속닥 속닥 속닥 속닥
산타 ?

문 앞에 서 있던 윤재영을 못 본 척 세게 툭
치는 구경이. 장바구니가 바닥에 떨어진다.

구경이 아이고, 미안해서 어째~

쏟아진 물건들을 담아주며 재빨리 물품들을
스캔하는 구경이. 스낵 과자들이 가득하다.

<u>31. 현재. 교회 앞 / 낮</u>

차 세워 둔 곳으로 바쁘게 걷고 있는
구경이와 산타.

구경이 어떤 엄마가 소아 당뇨 있는
애 집에다 밀가루 과자를 사 놓겠니.
생일 때 케이크도 못 먹게 하는데. 과자
좋아하는 다른 누가 있다는
거야. 김민규는 자살한 것도, 누가

죽인 것도 아니야. 윤재영이 살아있는
김민규를 숨겨 주고 있어.

산타 (숨 쉴 틈 없는 추리에 놀란 표정)

구경이 그게 어디냐면… 그건 이제부터
찾아봐야지.

32. 과거. 학교 / 밤

학생들이 모두 떠나고 텅 빈 학교, 무겁게
닫히는 교문.
학교에 남은 경비원이 복도 하나 하나를
둘러본다. 텅 빈 복도와 교실.
경비원이 지나가자, 아무도 없는 줄 알았던
교실 뒤 사물함에서, 여학생이 기어 나온다.
아크로바틱 수준의 몸놀림.
사물함 안에 있던 새 소주병을 꺼내 수건으로
감싼 후 퍽, 깨뜨리는 여학생.
깨진 소주병에서 온전한 뚜껑 부분만 들어
올린다.

Cut to.
당직실 문을 열고 들어서는 여학생. 내부에는
각종 생활 흔적 보인다.
밥솥, 가스버너, 라면, 쌀자루, 참치 캔, 그리고
가스난로와 부동액까지.
냉장고를 열어 소주병 하나를 꺼내는 여학생.
소주병을 까서 준비해온 가루를 병에 담고,
온전한 뚜껑을 돌려 끼워 넣어 새 병처럼 만든다.
나머지 소주병들은 모두 손이 잘 닿지 않는
곳에 두고, 하나만 냉장고 안에 남긴다.
지문 닦고 일어서려는데 밖에서 경비원의

발소리가 들린다.
여학생이 눈이 커져서 숨을 곳을 재빨리
찾는데, 밖에서 로이의 야옹 소리.

경비원 (문밖에서) 에잇! 저놈의 고양이가!

경비원 소리 멀어지자, 여학생이 당직실
밖으로 빠져나와, 반대편으로 룰루랄라
걸어간다.

33. 현재. 교회 앞 / 낮

구경이가 윤재영의 차 앞에 서서 전화 건다.

구경이 선생님~ 어떻게 해! 지금 교회
앞인데! 어떤 남자가 차에다가 뭘
하는데…
어머머! 타이어에 펑크 낸 거 같애!
무서워 빨리 와주세요!

구경이가 전화 끊으며 가방에서 송곳 꺼내
산타에게 준다. 어리둥절한 산타 얼굴.

구경이 빨리! 시간 없어!

산타, 어어어 하면서 곧바로 차 타이어에 송곳
찌른다. 펑!

34. 현재. 재영의 집 앞 / 낮

구경이와 산타가 탄 차가 재영의 집 앞에 선다.

76   PART.1

답지 않게 달려나가는 구경이.
도어락으로 잠겨 있는 현관문. 0자가 많이
지워져 있고, 1, 2, 5도 희미하다.

구경이 (전화걸어) 어, 난데. 윤재영 생일,
김민규, 김선미 생일 차례대로 대봐.
나제희(E) 뭐해요, 선배?
구경이 문 딴다. 김민규 찾아야 돼.
나제희(E) 네?
구경이 빨리 말해. 시간 없어

구경이가 일단 0을 누르는데, 그때 삐리리
하고 문이 열린다.
문을 열고 나온 것은 다름 아닌 산타. 열린
창문에 그 밑에 곱게 벗어 둔 산타의 신발.

구경이 너… 산타 씨, 잘했어. 아주…
예의 바르네……. 신발도 벗고. (툭툭 치고
들어가는)

35. 현재. 교회 라운지 / 해 질 녘

예배가 끝났는지 사람들로 북적북적한 교회
라운지.
재영이 딸 선미의 손을 이끌고 출구로
향하는데, 무슨 대단한 일이라도 난 것처럼
주차장에 재영의 차 - 모닝을 둘러싼 경찰들과
번쩍이는 경광등. 앞에 선 강호.

강호 애기 엄마 차야?

타이어 펑크. 푹 퍼져 있는 차.

재영 이걸 누가…
강호 우리도 신고 받고 왔쓰, 어떤
남자라던데 참나 장난이 심하고만

선미가 재영의 뒤로 숨는다.

강호 애기가 많이 컸네~ 일단 지금은
이게 안 되니까 집에다가 모셔다 드릴까?
재영 아.. 아니요, 택시 타고 가면…
강호 택시비 아깝구로, 가면서 이런 짓
할 사람이 있는가, 우리도 물어보고. (선미
보면서) 우리 공주님 경찰차 타본나? 함
타보까? 삐용삐용 좋제?

36. 현재. 재영의 집 안 / 해 질 녘

닫혀 있는 방문을 활짝 여는 구경이. 아무도 없다.

구경이 여긴 아니야. 그래, 여기에 뒀을
리가 없지. 어딜까. 어디 있을까.

거실을 둘러보고, 화장실, 주방도 둘러보고,
벽도 두드려보지만, 모녀의 흔적뿐.
그때, 뒤뜰로 연결된 문을 발견하고 나가는
구경이.

37. 현재. 강호의 경찰차 안 / 밤

노래를 흥얼거리고 몸을 흔들흔들하며

운전하고 있는 강호와, 아크릴판으로 가로막힌 뒷좌석에 앉아 있는 재영과 선미. 강호가 핸들을 꺾자, 재영이 화들짝 놀란다.

강호 아바이 없이 안 힘듭니꺼?

재영 …괜찮아요.

강호 그기 여자 혼자서 힘들끼다… 이런 짓 할 만한 생각나는 사람 있는교?

재영 아니요… 딱히…

강호 (사이) 보험금이 제법 된다 카대?

재영 (긴장) …

강호 동네에 소문이 도니깐… 외지에서 와가 아무래도 여자 혼자서 아 건사하고 살기가 힘들낀데 집에 남자가 있어야지… 아한테도 아빠가 있어야 아무래도 든든하고…

선미 저 아빠 있어요!

화들짝 놀라는 재영. 선미를 붙든다. 룸미러로 힐긋 보는 강호. 잠시 긴장감.

강호 그래 우리 아가씨 아빠 있지. 하늘나라에서 딸내미 예쁜 거 보고 있지~

재영 (이를 꽉 깨무는)

강호 (사이렌을 켠다, 시끄러워서 큰 소리로) 이런 거 본 적 있나! 신기하제!

38. 현재. 재영의 집 뒤뜰 / 밤

구경이가 맨손으로 태운 쓰레기를 뒤진다.

타다 만 플라스틱이 보인다.
형태가 많이 망가졌지만 일회용 남성용 면도기다.

산타(O.S) 아!

산타가 들고 있는 베이비 모니터용 무전기에서 불이 깜빡인다. 구경이가 귀에 대고 소리를 들어본다. 치직, 치직. 왔다 갔다 하며 소리 잘 들리는 곳 찾는 구경이. 곧 무전기 너머에서 들리는 남자 목소리.

소리(E) …아직 멀었어? 배고파…

구경이가 산타와 0.5초간 눈을 마주치고 무전기의 반경을 검색한다.

구경이 50미터….

- INS. 윤재영의 집 앞 풍경. 마당 바로 앞에 도로가 있고, 그 앞은 논밭이다.
다시 카메라가 집 앞을 비춘 후 왼쪽으로 트래킹하면 집집마다 불이 켜 있고,
각 집마다 지붕 위에 집주인 이름이 뜬다.
카메라가 다시 오른쪽으로 빠르게 트래킹 후,
윤재영의 집 앞부터 천천히 트래킹하면,
옆으로 이웃집 하나에 그 뒤로는 숲이다.

구경이 산타 씨, 앞문으로 나가서 오른쪽 정찰해. 사람 하나 숨어있을 만한 곳 있는지. 50미터 안쪽이니까 금방 찾을

거야. (산타와 다른 방향으로 향하는)

39. 현재. 재영의 집 / 밤

집으로 들어서는 윤재영과 선미.

재영 엄마가 사람들 앞에서 어떻게
하라고 했어!
선미 아빠 얘기하지 말라고…

40. 현재. 숲속 / 밤

사람 발길이 있는 곳을 따라 걷고 있는 산타.
앞쪽에 부스럭거리는 소리가 나서 비춰보면,
고양이에게 밥 준 흔적이 있다.

41. 현재. 숲속 - 컨테이너 앞 / 밤

좁은 길을 달리던 구경이의 눈에 낡은
컨테이너가 보인다.
구경이, 핸드폰 플래시 켜고 조심스럽게
컨테이너 안으로 들어간다.
긴장된 가운데, 널린 만화책들과 컵라면
쓰레기 등 생활 흔적이 드러난다.

구경이 (조심스럽게) 김민규 씨?

금방이라도 뭐가 튀어나올 듯한 분위기.
시야에 들어오는 베이비 모니터 무전기.

구경이 김민규! 끝났어 이제 나와!

구경이 귀에 끼이- 하는 철문 소리 들린다.
가려져 있던 뒤쪽 커튼을 확 젖히자,
컨테이너 밖으로 나가는 뒷문이 하나 더 있다.

구경이 이런 씨…!

그 문 따라 재빨리 나오는 구경이. 저 쪽 숲에서
인기척이 들린다!

42. 현재. 숲속 / 밤

구경이가 꺾인 나뭇가지와 밟힌 나뭇잎,
부스럭거리는 소리를 쫓아 나아간다.
검은 모습의 사내가 거침없이 앞으로 앞으로
걷는다.

구경이 김민규?

구경이에게 소리가 가까워진다. 10미터쯤
앞에 보이는 남자의 형체.

구경이 김민규 씨!

구경이를 의식한 남자가 돌아본다. 김민규의
얼굴을 확인하는 구경이.
구경이가 다시 속도를 높이자 민규가 재빨리
나무 사이로 몸을 숨긴다.
놓칠 수 없는 구경이, 민규가 사라진 나무
사이로 달려가는데,
부웅-! 작대기를 휘두르는 민규. 구경이,
반사적으로 허리를 꺾어 간신히 피한다.

구경이 눈앞을 스쳐 지나가는 작대기. 구경이,
간만에 움직였더니 허리 삐끗하고.
작대기 들고 몇 번 휘두르는 민규. 대치하는
구경이, 긴장감.

구경이 이야기로… 할까요?
김민규 나 아니라고!
구경이 이미 저한테 들키셨으니까,
도망치셔도 소용없어.
김민규 에이… 에이씨 진짜!

민규가 구경이에게 작대기 냅다 던진다.
구경이가 거기 맞아 눈 주변이 찢어진다.
구경이가 휘청해 넘어진 사이 민규가 다시
빠르게 달려간다.
어둡고 길이 아닌 곳으로 달리는 데도 속력이
줄지 않는 김민규.
김민규의 시점으로 보이는 길. 나무에 작게,
형광물질이 발라져 있다.
민규의 눈에 표식이 가리키는 길 끝에
하수도로 연결되는 듯한 철문이 보인다.

김민규 에이씨 저런 델 들어가라고

뒤에서 구경이의 발소리 들리자, 김민규, 잴 것
없이 철문을 열고 안으로 들어간다.
다시 구경이 시점. 이리저리 손전등을
비춰보는데 김민규가 보이지 않는다.
망연자실. 손전등 든 손을 내리는 구경이.
그러자 어두운 숲속에 헨젤과 그레텔 속
조약돌처럼 점들이 희미하게 빛난다.

나무에 점점이 묻혀 있는 형광물질들… 그걸
따라서 걸음을 옮기는 구경이.
저 쪽에 사각형의 철문이 보인다. 곧바로
거기로 달리는데, 쾅- 소리가 나더니, 위에서
흙더미가 쏟아져 내린다.

구경이 김민규!!!

구경이가 달려가서 맨손으로 흙을 치우고
문을 열려고 해보지만, 역부족이다.
도대체 이게 어떻게 된 일인가 위를
올려다보는 구경이.
달빛에 비친 구경이의 얼굴을 위에서
지켜보는 한 사람이 있지만, 구경이의 눈에는
보이지 않는다. 마침내 겨우 틈이 생겨, 문을
열어젖히는 구경이.

구경이 우웩!

솟구쳐 오르는 악취에 코를 막고 보면,
황화수소에 질식한 채 죽어 있는 김민규.
구경이, 그대로 주저앉는다.

43. 과거. 학교 경비실 / 밤

텔레비전을 켜고, 라면을 끓여 놓고, 소주를
마시고 있는 경비원.

경비원 (어지러움을 느끼며) 이게 독한 건가?
소리 미야오-
경비원 잉? 저게 또…

경비원이 고양이 울음소리를 듣고
일어서려다가 중심을 잃고 쿠당 넘어진다.

경비원 아구구구구

어지러움의 정도가 너무 심하다. 문을 열고
나가려는데 문이 열리지 않는다.

경비원 이게 왜 이래! 어우우우욹

경비원, 바닥에 쓰러진다. 입으로 솟구쳐
오르는 토사물. 토사물에 질식해간다.

여학생 야옹-

문 밖에 기대어 고양이 소리 내며 문이 안
열리게 막고 있는 여학생. 태연한 표정.

44. 과거. 연극부실 / 낮

햄릿에서 왕비가 독을 마시는 장면을 연기하고
있는 연극부 학생들.

학생1(왕비) 아니오, 마시게 해 주오. (좀
마시고 그 잔을 햄릿에게 준다.) 자, 햄릿.
학생2(왕) (방백) 저건 독을 넣은 잔인데.
이미 늦었구나.

여학생, 지루한 듯 햄릿 대본을 던지고 '손목을
꺾는 제스처'를 취한다.

여학생 이제 다른 연극 하지…
영주 대체 사람이 얼마나 술을 마시면
그렇게 되지? 난 술 조심해야지
여학생 …부동액 먹었을 때 바로 술을
엄청 마시면 살 수 있대. 위가 세척돼서.
영주 뭐?
여학생 그 아저씨처럼 마셨으면
춘삼이랑 새끼들 살아있을지도 몰라.

영주가 여학생을 물끄러미 바라본다. 순간,
영주의 눈에 깃드는 의심의 그림자.

여학생 죽이려고 했는데. 모자랐나 봐.
(헤헤 웃는다.)

뒷목에 소름이 솟아오르는 영주.

영주 너 지금 무슨 말 하는 거야?
여학생 왜? 니가 죽이고 싶다매?
영주 뭐? (무서운)
여학생 (영주의 팔을 꽉 붙들며, 의아한 표정으로)
니가 죽인다고 했잖아…
영주 …아파… 이거 놔…

드르륵, 문이 열리고 장성우가 들어선다.

영주 (얼른 이 상황을 모면하고 싶어 서둘러) 쌤!

여학생이 꽉 잡았던 손을 놓는다. 장성우 뒤로
경찰 한 명이 따라 들어온다.

장성우 연습 잠깐 멈추고, 여기 다 와봐라

학생1 헐 경찰~ 왜요? 수위 아저씨
때문에?

학생2 근데 아직 안 죽었다면서요! 술
먹고 그런 거 아니에요?

학생1 어? 근데 경찰 쌤, 우리 쌤 와이프다!
와이프죠!! 나 직업 체험 날 봤어!

학생들 대박~

장성우 연극반이 늦게까지 학교에 남아
있으니까 혹시 수위 선생님 그렇게 되신
날 누가 본 게 있는지 물어보러 오셨어.
있는 그대로 말하면 돼.

학생2 경찰 와이프 간지다!

학생3 어 무서워! 그냥 술 먹고 그런 게
아니야?

장성우 조용! (옆을 보고) 한 명씩 따로
이야기 들을래?

장성우 옆의 경찰복을 입은 여자, 고개를
돌리면- 과거의 구경이다.
우리가 지금까지 봐왔던 모습과는 전혀
다르게, 싱그럽고 건강한 모습.

구경이 응. 그러는 게 좋겠지? (훑어보다가
여학생을 가리키며) 거기 학생부터 잠깐-

여학생(O.L) 없는데요

구경이 응?

여학생 저 그날 일찍 가서 할 말 없다구요.

구경이가 여학생, 즉 어린 케이를 물끄러미
본다. 빙긋 웃어 보이는 케이.

구경이 (케이를 향한 시선을 떼지 않고) 할 말이
있는지 없는지는 내가 판단할게.

서로 쳐다보고 있는 구경이와 어린 케이. 어린
케이의 말간 얼굴이 -

45. 현재. 숲속 / 밤

숲 위쪽, 달을 가렸던 구름이 걷히고 숨어있던
한 사람의 얼굴과 디졸브 된다.
성인이 된 케이. 흙더미 무너뜨렸던 장치를
재빨리 회수하고 아래를 본다.
주저앉아 있던 구경이가 일어서서, 나무가
굴러떨어진 위를 올려다본다.
케이, 과거와 디졸브 된 구경이의 얼굴을
신기하다는 듯 바라본다.

─────── 〈1화 끝〉 ───────

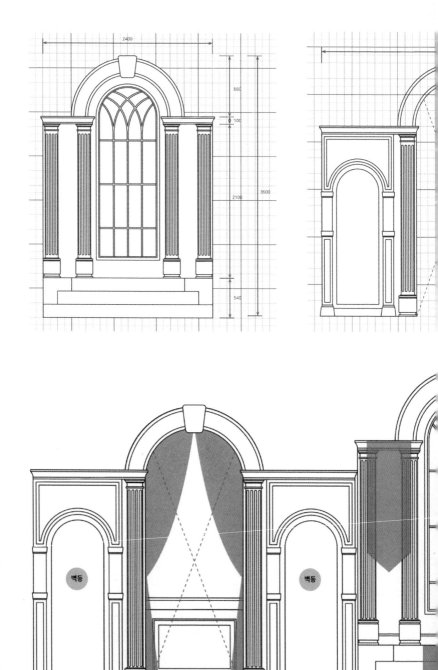

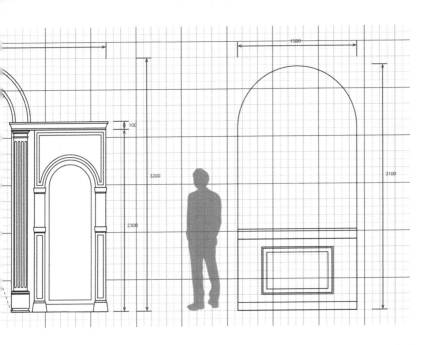

봉백여고 무대 디자인

2화

"근데 왜 나 아는 척 안 하니?"

1. 오프닝 이미지

특이한 표지의 '헨젤과 그레텔' 책이 펼쳐진다.

케이(V.O) 헨젤! 무서운 일이 생길 것 같아!

2. 산속 / 밤

적외선 망원경으로 숲속을 달리는 김민규의 모습이 보인다.

케이 (망원경 통해 보며) 그레텔,
침착하라구! 어둠 속에서 빛나는 저게 뭘까?

다시 망원경으로 보면, 김민규의 뒤를 따르는 다른 한 사람 - 구경이.
마치 '헨젤과 그레텔'을 연기하는 배우처럼 보이는 구경이와 김민규.

케이 저 오두막은 전부… 맛있는 과자로 만들어졌어! 이리와, 안으로 들어가자!

이윽고 김민규가 철문을 열고 대피 공간으로 들어가면, 망원경 내리는 케이.
비닐 봉지에 담긴 간이 폭탄을 흔들어 던진다.
잠시 뒤, 콰르릉 소리 내며 흙더미가 무너진다.
케이, 아래를 내려다보면 완전히 흙에 파묻혀 버린 철문.
뒤늦게 도착한 구경이가 맨손으로 흙을 파헤쳐 철문을 연다.

구경이 얼굴을 알아보는 케이!
호기심 어린 눈으로 구경이 보다가, 구경이가 올려다보자 재빨리 자리를 뜬다.

3. 숲속 컨테이너 / 밤

컨테이너에 불 던져 넣는 케이.
불타기 시작하는 김민규의 컨테이너.
노래 시작된다.

4. 주유소 매점 / 새벽

반쯤 졸린 눈의 직원이 저쪽에서 신나게 혼자 스낵 과자를 담고 있는 케이를 본다.
스스로에게 주는 상인 양 리듬에 맞춰 과자 음료수 쓸어 담는 케이.

5. 달리는 차 안 / 새벽

케이, 과자 먹으며, 창문 열고 새벽의 도로를 달린다.

케이 (노래를 흥겹게 따라 부른다.) I'm not that innocent!

6. 산속 / 낮

폴리스 라인이 쳐진 채, 경찰들과 검시관들이 왔다 갔다 하는 산속.
컨테이너 불탄 자리를 돌아보는 구경이.
남아있는 것이 없다.

구경이 (전화기 들고) 나제희 너도 통영으로 와야겠다… 생각보다 사이즈가 크네

컨테이너 불탄 자리를 돌아보는 구경이. 남아있는 것이 없다.

기자(E) 실종 후 사망 인정을 받았던 30대 남성이 또다시 사망하는 일이 벌어졌습니다.

6-1. 조사B팀 사무실 / 낮

기자(E) 경찰은 사망 보험금을 노린 해당 남성이 발각되자, 도주 중에 들어간 하수 시설에서 유독 가스에 노출돼 급사한 것으로 추정하고 있습니다.

나제희, 가방 챙겨 들고 사무실 밖으로 나간다. 식빵 입에 물고 자켓 걸치는 경수.

7. 북한산 중턱 식당 / 낮

기자(E) 최초 발견자는 보험금 지급 조사를 위해 파견되었던 보험 조사관으로, 실종 당시 철저한 조사를 하지 않았던 경찰 당국에 대한 비판의 목소리가 높아지고 있습니다. 다음은 날씨 소식입니다.

평상에 앉아 뉴스 보며 보리밥 먹고 있는 용 국장(여/60대)- 등산복, 푸근한 인상.

양복 차림의 **김 부장**(남/50대)이 땀을 삘삘 흘리며 올라온다.

보리밥집에 달려있는 몇 가지 현수막과 기념사진들. '수렵 협회 공식 인증 맛집' 엽사들의 단체 사진, 가운데는 엽총을 멘 용 국장의 모습도 보인다.

용 국장 (김 부장이 평상에 앉자) 엄마 깜짝이야! 어떻게 이렇게 스르륵 와? 뉴스 이거 무서운 거 보다가 가만히 있는데 누가 스르륵 와서 깜짝 놀랐네! (휴지로 땀 닦아주며) 땀 좀 봐 땀! 이런 데로 부르는 게 아닌데! 내가 괜히!
김 부장 (숭늉 마시며) 아닙니다 좋은 공기 쐬고 좋습니다.

용 국장의 말투는 아들 걱정하는 어머니의 그것이지만, 김 부장은 조금 긴장한 모습.

용 국장 (뉴스 가리키며) 저거 봤어요? 우리 부장님이 이렇게까지 안 찾아지는 거 보면 죽은 게 분명하다 그랬었잖아. 근데 지 발로 나왔다가 저렇게 됐더라.
김 부장 (눈치 보는) 그러게요 귀신 곡할 노릇도 아니고…
용 국장(O.L) 저 사람은 찾아봤어요?
김 부장 예, 전직 경찰인데 지금은 가끔 NT생명 보험 조사관 일 한답니다.
용 국장 생시는요?
김 부장 (핸드폰 메모 찾으며) 묘십니다.
용 국장 묘시 좋다. 사주에 불이 있네.

사주에 불 있는 사람들이랑 잘 맞아, 내가.
김 부장 뒷말 안 나오는지 좀 더 신중하게
조사를…
용 국장 부장님. 나는 막 무서워서
밤에 잠도 못 자. 이게 상황이 너무
무섭잖아요? 어떻게 그래?
김 부장 한 번 핸들링 해보겠습니다

'핸들링' 이란 단어에 잠깐 김 부장 쳐다봤던 용
국장의 시선이 TV로 휙 뺏긴다.
용 국장과 허현태 - 30대 초반, 배우 얼굴
느낌 -가 함께 찍은 국제봉사 CF가 나오기
때문.

허현태(E) 지금 아이들에게 힘을 주세요,
용 국장(E) 푸른어린이재단
허현태(E) 홍보대사 허현태입니다.
보리밥집 주인 (보다가) 아유 참해라! 우리
토깽이 현태 덕에 내가 밥 넘어간다!

음료 냉장고에 붙은 허현태 포스터. 보고
흐뭇하게 웃는 용 국장.

용 국장 누구 아들인지 귀엽긴 귀엽네.
그쵸오?

8. 케이의 집 / 낮

집으로 들어서는 케이의 신발, 흙으로 더럽다.
들어서던 케이가 싸한 느낌에 우뚝 선다.
인기척을 죽이고 보면, 소파에 길게 누워 있는

사람의 형상.
가벼운 옷을 덮고 잠들어 있는 정연(여,
40대 초).
가만히 그 모습을 내려다보는 케이. - 그
정적이 약간의 싸늘함을 만든다 -

케이 (정연 앞에 쭈그려 앉아 정연의 팔 냄새를 맡으며
귀엽게) 맛있겠네…

케이가 정연의 팔을 물어뜯을 듯이 입을 크게
벌리고 앙! 한 입 무는데, 동시에 -
자는 척하던 정연이 눈을 번쩍!!! 뜨고 케이를
확 끌어안는다.

정연 잡았다 요놈! (꽉 껴안으며) 어데 갔다
왔어? 다 큰 처자가 엉엉엉?
케이 다 큰 조카 프라이버시 좀
지켜주지? 왜 자기 집 놔두고 여기서
주무신대?
정연 우리 사이에 니 집 내 집이 어딨냐!
(살짝 사이) 근데 진짜, 또 폰도 꺼 놓고
어디 갔다 왔어, 밤새!
케이 (정연 품에서 벗어나며) 내가 무슨
어린애야? 배고프다! 아침 안 먹었지?
정연 혹시 또 악몽 꿨어? 이모 바로
부르지…
케이 아이고! 선배들 술시중 들다가 나도
취해서 근처 카페에서 술 좀 깨고 왔다.
됐냐!
정연 (안도, 장난스럽게) 그래서 우리
애기한테 이런 냄새가 나는구만.

케이 심해? (머리와 옷매무새 살피는)

정연 얼른 씻어! 부대찌개 끓여 먹자. 콩이랑 버터 밥 해서. 좋지?

정연이 부산스럽게 부엌으로 가는 걸 보는 케이.

9. 케이의 집. 욕실-부엌-거실 / 낮

욕조 안에 들어가 거품 목욕하고 있는 케이.
스피커에서 나오는 음악 따라 부르며

케이 쎄마 네임! 쎄마 네임! (영어 가사 얼버무리며) ㅎ ㅎ ㅎ ㅎ ㅎ 흥 ㅎ ㅇ ㅎ 흥 ㅎ 흥

부엌. 음식을 하던 정연이 케이 노랫소리에 피식 웃는다.
정연, 거실에 핸드폰 가지러 돌아섰다, 현관에 놓인 케이 신발이 흙으로 더럽혀진 걸 본다. 순간 정연의 얼굴에 불안한 기색.

케이(O.S) 아!

정연 (반사적으로) 왜 그래?

벌컥! 문 열리고 타올만 두른 케이가 나온다.

케이 (웃으며) 아니야!

10. 케이의 방 / 낮

머리카락에서 물 떨구며, 책상 밑 구석에서 잡동사니 박스 꺼내 뒤지는 케이.

1화때 찍은 케이&고양이 폴라로이드 사진.
구형 핸드폰 꺼내 ON. 옛 사진첩
넘기던 손 멈춘다. '직업 체험의 날' 행사 사진
보이고. 영주, 케이, 장성우 그리고…

케이 (눈 반짝) 헐 진짜네? 대-박.

사진 속, 경찰 제복을 입고 있는 젊은 시절의 구경이.

11. 경찰서 취조실 안 / 낮

사진 속 구경이 얼굴에서, 현재의 구경이로
디졸브.
심각한 표정으로 바닥에 모로 누워있다.

구경이 (혼잣말) 진짜 사고였다면
컨테이너까지 불탈 이유는 없지.
윤재영을 위해서 일부러 태운 거야.
의심스러운데…

강호 (방으로 들어와 어이없다는 듯) 사모님
뭐하시능교.

구경이 (안들리는 척 반대로 누우며) 목격자가
나타날 때를 기다려서 윤재영 알리바이도
만들고, 증거까지 태워줬다…대체 누가··?
만나는 남자가 있었던 것도 아니고, 다른
가족이 있는 것도 아닌데?

- 플래시백. 1화 S#16에서 낚시꾼이 했던 말.

낚시꾼 으데! 다 (목에다가 손 긋는 시늉) 끽

해쀼지

- 플래시백. 1화 S#29. 모텔촌에서 여자가 했던 말.

여자 걔가 배에서 회식하던 사람들 허드렛일 하다가 죽었다는 소문이 있었어요 그 뒤에 걔가 원한 품고 저주 내리가, 그 때 있던 사람들 싹 죽있다고…

구경이 윤재영 편이 아니라… 그 사람들을 다 없애려고 했던 거라면…
강호 여가 어데 안빱입니꺼!
구경이 (그제야일어나며) 효창바이오 사람들, 조사 어디까지 했어요?
강호 거는 와예. 시체에 컨테이너에 정신없구만.
구경이 그 죽은 사람들 같은 회식 자리 있었다며? 김민규까지. 소문 짜리하게 퍼졌더만.
강호 (헛기침하며) 거 떠들기 좋아하는 사람들 말을 다 믿심까!
구경이 벌어진 일을 믿는 거죠. 결국 다 죽었잖아, 거기 있던 사람들.
강호 어데요!
구경이 알아는 봤고?
강호 보소. 통영이 작은 동네 같지만은 그래 작은 동네도 아닙니다. 우연이라는 게 있어! 한만구랑 여자 하나는 불륜하다가 차가 고래 대뿌가 그래

된 기고, 하나는 사는 게 힘들어가 목 매달고, 김민규 이 놈은 보험금 타겠다고 꽁꽁 숨어있다 하수구 가스 마셔가 그래 됐는데 뭐 더 할 끼 있단 말입니꺼.
구경이 그럼 그 애는요? 이준현.
강호 (눈빛 흔들린다.)
구경이 알고 있구나? 그 회사 회식 때 배에서 죽었다는 어린애. 담당 형사셨죠?
강호 또 어데서 애먼 소문 듣고…
걔는 전혀 상관이 없어! 원래 사고 치고 여기저기 기웃거리고 소년원도 들락날락하고! 그라다 고마 부둣가에서 발을 헛디뎠는가 해서… 그런 기지..

- INS. 과거. 시체가방에 넣어져 있는 이준현의 시신. 강호에게 보고하는 순경.

강호 뭐어? CCTV 고자양?
순경 본 사람도 없대고…
근데 평소에도 지 혼자 술 먹고 부둣가 돌아다니고 그랬잖아요

CCTV 올려다보는 강호. 미심쩍은 표정이지만 *귀찮다.*

구경이 의심스러운데? (벌떡 일어나나가려고 하자)
강호 (제지하며) 어이 어이, 지금 사모님 조사 안 끝났습니다
구경이 나 참고인 신분이잖아요. 언제든지 내 의지로 나갈 수 있습니다

박차고 나가는 구경이. 당당하게 복도로 가는데-

강호 거 그 쪽 아닙니다

태연하게 휙 돌아서는 구경이. 역시 당당하게
빠져나가면서 -

구경이 (머쓱, 혼잣말조) 머리가 안 돌아가네…

12. 중국집 / 낮

구경이 …머리 안 돌아갈 땐 역시 모다?

구경이, 깐풍기 씹으며 빼갈을 찻잔에 따르고
품속에서 홍차 티백 꺼내서 우려낸다.

구경이 (냄새 맡으니 기분 좋아져) 이렇게 하면,
위스키 맛이 나거든. 먹어 볼래?
산타 (세차게 도리도리)
구경이 맛만 봐.

구경이, 슥 산타 앞에 빼갈 잔 내미는데 산타가
냄새만 맡고 픽 기절해 버린다.

구경이 (빼갈 잔을 도로 가져와 한잔 캬! 마신 뒤) 이
귀한 걸 말이야

비워진 잔에 새로 빼갈 부어 이번에는
빈자리로 내미는 구경이.

구경이 너라도 마시고 이야기 좀 해줘라.

누가 너 때매 이런 짓을 했는지.

13. 시민 납골당 / 낮

침통한 표정의 나제희. 무연고자들을 모셔
놓은 납골당 앞.
가장 구석진 바닥단에 '이준현' 이름만
덩그러니 있다.

나제희 (침울) 얘 뭐였어?

경수가 유품이 담긴 종이 상자를 가지고 온다.

경수 이준현 세 들어 살던 집주인이 모아
논 건데 별거 없어요.
방세도 한참 밀렸는데 그렇게 되는 바람에
못 받았다고 저한테 내라고 해서 (꿍얼꿍얼)
폰은 여기.

나제희, 보조배터리 연결된 준현의 폰 받아
들어보는데, 준현의 핸드폰 속 저장되어 있는
번호가 10개를 넘지 않는다.
'형 저 준현이에요. 보고싶어요' '2만원만
빌려주심 안대여? 제발제발ㅠㅠ' 등.
상대방들은 모두 답장이 없다.
사진첩 속 사진들 중, 웃고 있는 준현 셀카 보는
나제희. (문신이 언뜻 보인다.)

Cut to. 중국집에서 통화하는 있는 구경이와
교차되어 -
구경이에게 전화하고 있는 나제희. 경수는

추모 봉헌초가 켜진 곳을 보고 있다.

나제희 친했던 친구도, 가족도 없는
애였어. 얘를 대신해서 복수해 줄 사람이
없었다구요.

구경이 (대수롭지않게) 나랑 같네.

경수 (봉헌초들을 들여다보다가) 팀장님

나제희 왜?

경수 이준현 이름으로 누가 초를 켜
놨는데요?

구경이 (술잔 놓인 빈자리를 쳐다본다.)

Cut to.
봉헌초 기부자 명단을 훑는 손가락.

경수 여기 있다 이준현

고인 이준현. 옆으로 쭉 손가락을 옮겨 기부자
이름을 보면··· '윤재영'.

14. 재영의 집 앞 / 낮

문을 열고 나오는 재영. 구경이의 얼굴을 보자
문을 닫으려 하는데···

구경이 나 이대로 경찰한테 가면 보험금
위험할 거예요. 선미, 지켜야 되잖아요.

재영, 망설이다 문을 열어준다.

15. 재영의 집 안 / 낮

재영과 마주 앉아 있는 구경이. 산타는 경찰
조사로 어질러진 집을 정리하고 있다.

구경이 경찰한테는 아무것도 몰랐다고,
잘- 말씀하셨어요?

윤재영 (불안해하는 선미 보고) 엄마 괜찮아,
방에 들어가 있어 (선미 들어가자)
그런 얘기 하려고 여기까지 오신
거예요? 이제 막 남편 묻고 온 사람한테?

선미의 까르르 웃는 소리가 들린다. 산타가
선미 앞에서 우스운 표정을 짓고 있다.
산타에게 작은 괴물인형을 내미는 선미.
구경이가 산타를 향해 눈짓을 하면,
산타가 인형으로 장난을 치며 선미를 데리고
뒷마당으로 나간다.

구경이 (건성건성 턱짓하며) 쟤가 저런 일에는
아주 선수더라고.

윤재영 누구랑은 다르네요. 깜박 속았어.

구경이 (아랑곳않는) 그래서, 남편이
선미 병원비 필요하지 않느냐, 자기가
희생하겠다, 하는 헛소리에 감동이라도
받은 거예요?

윤재영 아뇨. 처음엔 무슨 미친 소리냐고
했어요.

- INS. 재영의 집.
황당한 표정의 재영이 머리만 벅벅 긁고 있는

김민규를 올려다본다. 파리해진 선미가 숨을 가쁘게 몰아쉰다. 그 때 집 안으로 들어오는 앰뷸런스 불빛. 고개 돌리는 재영.

재영(V.O) 우리의 피난처이시오⋯ 힘이시니⋯ 환난 중에 만날 큰 도움이시라..

창밖으로, 들것에 실려 나가는 뒷집 영감 보인다. 비워지는 컨테이너. 그걸 보는 민규와 재영.

윤재영 일 년만 버티면 된다고⋯ 그 뒤에는 우리 가족 여기 떠나서 같이 행복하게 살 수 있다고. 남편이 다 알아 왔어요.

구경이 조금만 더 참았으면, 그렇게 됐을 텐데. 자기 욕구 해소하겠다고 꾸역꾸역 기어 나와서 일을 다 망쳤으니까. 차라리 진짜로 죽어버리면 좋겠다, 그렇게 생각했구나?

윤재영 ⋯

구경이 생각은 할 수 있지. 근데 대피소에 가스 채우고, 불 질러서 증거 인멸까지 하는건 아무나 할 수 있는 일은 아니거든요. 특히 재영 씨 같이 허술한 사람은.

구경이가 구석에 있던 아기용 무전기를 가리킨다.

구경이 나라면 저거부터 치워버렸을 건데.

윤재영 (애써 덤덤한 척) 잘 아시네요. 저는⋯ 아무 짓도 안 했어요.

구경이 그럼 누군데?

윤재영 무슨 말씀이세요?

구경이 (몸을 바짝 붙이며) 재영 씨 도와서, 남편 죽인 사람 있잖아요. 그거 누구냐고.

윤재영 (눈동자가 흔들린다.)

구경이 그 사람이 이준현 이야기도 해준 거잖아

윤재영 !

구경이 당신 남편, 딸 병원비보다 자기 성욕이 더 중요한 쓰레기인 것도 모자라서‐ 살인 방조범이라고. 먼저 연락을 한 건가? 그런 놈 죽여줄 수 있냐고?

재영(O.L) 죽어 달라고 한 적 없어!

구경이 갑자기 말을 잃고 재영의 너머를 본다. 재영이 이상한 기운을 감지하고 돌아보면, 산타와 선미의 모습이 보이지 않는다.

윤재영 (놀라서 일어나며) 선미야!?!?

시야에 들어오는 선미. 산타가 살금살금 다가가 선미를 안아 들어 올린다. 뱅글뱅글 돌리며 놀아주는 것인데, 재영의 눈에는 불안해 보인다.

윤재영 !

구경이 (재영의 심경 눈치 채고) 저한테만 말씀해 주세요. 아무 일 없게 할게요.

까르르 웃으며 뛰어가는 선미 보며, 재영이 입을 연다.

16. 과거. 병원 소아과 / 낮

재영(V.O) 갑자기 연락이 왔어요.

병원 치료실에서 잠든 선미 보고 있던 재영. 전화 울려 받으면,

강호(E) 다른 게 아이고 어제 남편분 핸드폰이 한 번 켜져서, 혹시 연락이 있나 해서 전화 드립니다
윤재영 예? (초조) 저한텐 아무 연락도 없었는데… 핸드폰이 켜졌다고요?
강호(E) 뭐 어데 장물로 나왔는 모양일 수도 있으니까 너무 기대는 하지 마시고요…

당황하는 재영. 통화 끝나자마자 문자 도착 알람. 동영상 파일.
클릭하면, 모텔방에서 가면을 쓰고 앉은 김민규가 보인다!

17. 과거. 야산 컨테이너 / 밤

컨테이너 앞에 선 재영. 창문에 대고 짧게 세 번 플래쉬 비춘다.

Cut to.
엉망진창인 컨테이너 안. 널려 있는 과자봉지, 쓰레기 더미…

민규 (재영이 갖고 온 만화책 뒤적거리며) 이거 본 건데…

재영, 그 말 무시하고 컨테이너 뒤지더니 곧 민규 핸드폰을 찾아낸다.

민규 야 뭐해?

재영, 옆에서 큰 돌을 찾아 핸드폰을 찍어 누른다.

민규 야!!! 미쳤어?
윤재영 폰 켜고, 그 짓거리 하고, 내가 모를 줄 알아? 그러다 들키면 우리 선미는 어쩔 건데!
민규 한 발짝도 못 나가고 겨우 버티고 있는데 시발!!

재영, 아랑곳없이 핸드폰 부수자, 화를 참지 못 하고 재영을 밀치는 김민규.
김민규의 아우성.

18. 과거. 차 안 / 밤

눈동자가 텅 빈 채 집으로 돌아가는 재영.
걸려오는 전화. '발신자 표시 제한'

윤재영 여보세요. (사이) 누구세요. 누구신데 이러시는 거예요?

재영(V.O) 끝까지 대답 안 해줬어요. 대신 이준현이라는 애를 아는지만 물어봤어요. 당신 남편 회식 자리에서 무슨 일이 있었는지 아냐고. 그러니까 남편 죽어도 너무 죄책감 갖지 말라고.

구경이(V.O) 그게 끝이었어요?

화면 속. 여전히 전화기를 붙들고 있는 재영.

변조목소리(O.S) 다음에는, 재영 씨도 도와주셔야 돼요.

19. 현재. 재영의 집 / 낮

윤재영 (울면서) 진짜 이런 일이 벌어질 줄은 몰랐어요… 그래도 우리 애기 아빤데…

구경이 대피 장소도 그쪽에서 준비한 거고?

윤재영 (고개 살짝 끄덕이며 울기만 한다.)

구경이 (재영의 눈물에 동요하지 않는) 결국 시키는 대로 하신 거네요

- INS. 과거. 컨테이너 앞에서 김민규에게 설명하는 재영.

윤재영 혹시 누구한테라도 들키면, 곧장 뒤로 나와서 이 표시(형광물질)를 따라가. 숨을 데랑 연결돼 있어.

- 플래시백. 1화 S#42. 표시 보며 달리던 김민규, 그 끝에 사각형으로 된 철문 본다.

김민규 에이씨 저런 델 들어가라고 (철문 열고 들어가는)

윤재영 이렇게 될 줄 몰랐어…

- INS. 2화 S#18. 차 안에서 케이와 통화하던 재영, 이어서 -

윤재영 …죽여요… 죽어도 싼 놈이에요

구경이 알았잖아.

윤재영 (울음을 멈추고) 뭐?

구경이 죽이고 싶었고. 그래서 당신 소원대로 죽어 줬는데, 왜 슬픈 척해?

재영이 구경이의 뺨을 친다.

윤재영 니가 뭘 알아! 내가 제일 믿었던 사람이, 내가 알던 거랑 전혀 다른 사람이었다는 거, 내 평생이 부정당하는 그거, 그게 얼마나 지옥 같은 건지 알아?

- INS. 과거.
경찰복 입고 있는 젊은 구경이, 돌아서 앉아있는 장성우의 등에 대고 소리친다.

구경이 (절망적으로) 당신이란 인간이 누군지 모르겠다고!

구경이 내가 왜 알아야 되는데?

20. 구경이의 상상

- INS. 밤. 산타가 운전하는 차에 앉아 생각에 잠긴 구경이.
도로를 가르는 헤드라이트에서-

바다 한가운데로 나아가는 요트의 불빛.
서서히 커지는 요란한 EDM.
누군가 갑판에서 바다 쪽을 내려다보고 있다.
'에이씨!' 하고 돌아보는데, 민규다.
민규의 시선을 따라가 보면 바다 가운데 둥둥
떠서 허우적거리는 이준현.
구경이가 갑판에서 배 위의 남자들이
우왕좌왕하는 행태를 본다.
한만구, 김섭룡, 김민규, 호송미, 김미진의
얼굴과 교차로

구경이 (낮게 읊조린다.) 다 죽어…

- INS. 빠른 이미지로
- 한만구의 차. 아래로 기어 들어가 스패너로 조인트를 느슨하게 만드는 구경이
- 김미진의 집. 의식이 없는 여자의 목에 줄을 걸어 자살을 위장하는 구경이
- 김섭룡 사무실의 물병에 약을 타는 구경이.
- 김민규가 컨테이너 밖으로 나와 표식을 보고 달린다.
곧 철문 발견하고 들어가는 김민규. 대피 공간 안으로 들어간 김민규,

가스를 마시고 휘청하는 사이, 위에 있던 흙더미를 철문 위로 무너뜨리는 구경이.
- 컨테이너에 기름을 뿌리고 라이터에 불을 켜는 구경이.

보트 위. 갑판의 사람들이 쓰러지고
난리법석이다.
물살에 떠내려가 점점 멀어지는 이준현.

구경이(V.O) 누가 이런 짓을 했을까?

21. 어린이집 / 낮

나무 옷을 입은 케이가 한껏 미소 짓고 있다.
'헨젤과 그레텔' 공연 중인 극단.
아이들 앞에서 배우들이 열연을 펼치는 와중,
드디어 케이의 차례.

케이 (대단한 발연기) 가지마! 거기는 마녀의
집이야!

벙찐 표정의 유치원생들. 다른 배우들, 저걸
어쩌나 표정.

케이 (혼자 뿌듯한 표정으로 발연기) 마! 녀! 가!
산! 다! 구!

울음을 터뜨리는 아이들.

21-2. 피자집 / 낮

신나게 피자 먹고 있는 연극단원들.
여전히 혼자 나무 옷을 입은 케이가 피자
먹으면서 이야기 따라가려 애쓴다.
자기들끼리 엄청 화기애애한 분위기.

케이 (피자 꿀떡 삼키면서) 와 너무 맛있다.
그쵸!
동료배우 어…어… 이경이도 고생했어
케이 저 이번 연기 어땠어요? 엄청 연습
많이 했는데!
동료배우 (어렵게 말하는) 그… 이경아…
기분 나쁘지 않게 들으면 좋겠는데…
다음 연극에서는 너가 조명을
잡아줬으면 하는데…
케이 와! 다음 공연 잡혔어요? 응응, 전
뭐든 좋아요!
근데 연기가 좋긴 한데 저는!
동료배우 그러니까 그게…
케이 피자 더 드실래요? 오늘 제가 쏠
거니까 드시고 싶은 거 더 시키세요!

케이 말에 침 꿀꺽 삼키면서 앞다투어 메뉴
외치는 단원들.
케이 여전히 생글한 미소 띤 채로 단원들을
본다.

22. 한강 둔치 컨테이너 / 낮

- INS. 한강 둔치를 자전거로 달리는 다소

껄렁한 인상의 **건욱**(남/20대).

좌우 살피고 컨테이너로 들어서는 건욱.
테이블 위에 놓인 가방이 눈에 들어온다.
열어보면, 무전기, 방독면, 비닐봉지 등 뒤져
보다… 옆의 와인병에 시선이 간다.
망설이며 손 뻗는데 -

케이 도둑이야!!! (와인병 낚아채서 품에 안고 눈
똥글) 아저씨 누구세요?!
여기 함부로 들어오시면 안 되는데…!

케이를 보는 건욱. 잠깐 긴장된 텐션.

케이 (와인병 찰랑거리면서) 다시 술
드실라고? (와인 퐐퐐 따르며)
성공기념 짠 한 번 할까?

건욱이 손을 내밀더니, 와인 잔 옆에 있던
생수를 들어 올린다.

건욱 (코킁킁) 니 혼자 또 뭐 맛있는 거
묵었나
케이 맞춰볼래?

케이, 트림 꺽 하고 손 키스 날리듯 후- 분다.

건욱 (표정 굳어 있다가 코 찡긋) 피자?
케이 헐 대박. 짠해 짠! (건배하고 마신다.)
건욱 (깡생수 들이켜고) 어 취한다 물맛이 참
맛이 있다 그쟈잉?

케이 뉴스 나왔어?

건욱 사고사라고 나오대. (테이블 위에 있는 물건들을 익숙한 손놀림으로 닦아내며) 이래 열심히 뒤에서 백업을 해주니까 되는긴데 은혜도 모르고 맨-날 혼자 맛있는 거 묵으러 다니…ㄱ…

뒤에서 궁시렁 거리는 건욱 무시하고 정면으로 나오는 케이.

케이 (수상소감처럼) 저한테도.. 이런 좋은.. 순간이 오는군요… 증거 없고, 목격자 확실하고, 그 여자한테 피해 갈 일도 없고… 저는 그냥 제가 차린 밥상에서 밥숟가락 하나 들고 맛있게 먹기만 했거든요

건욱 (개무시 하면서 가방 정리) 다른 문제 없지?

케이가 곰곰이 생각하는 표정 짓다가 잔 내려놓고 손목 꺾으며 장난스럽게 말한다.

케이 장성우 알아? 고등학교 때 나 연극부 담당했던 쌤. 와이프 경찰이었고.

건욱 어, 자살했다 아이가.

케이 (눈이 뜨인다.) 자살했어? 장성우 쌤이?

건욱 나도 동네 떠날 때라 잘 모르겠는데, 그랬을걸. 근데 그게 왜?

케이 그 쌤 와이프가 보험조사관 하고 있더라고. (보면서) 우리 목격자. 타이밍 맞게 딱 와줘서 일이 술~술~

풀렸지

건욱 (대수롭지않게) 좀 더 들어온다 싶으면, 그 여자도 죽어라.

케이 왜? 그 여자 뭐 나쁜 짓 했어?

건욱 아니 그냥. 경찰이었다니까 기분 나쁘네.

케이 (어깨를 툭 치면서) 어떻게 기분 나쁘다고 사람을 죽이냐? (희희 웃는다.)

건욱 옛날에는 그랬던 거 같은데?

케이 (순진한 척 눈 깜빡이며) 예…? 제가요? 언제요오?

건욱 못 하는 연기 그만하시고요, 정리나 확실하게 해두입시다. 근데… 이미 우리 너무 완벽해서 확실하고 말고 할 게 없네-

돌아선 건욱이 자기 핸드폰을 열어본다. 아주 오래전, 건욱에게 온 문자. '형 저 준현이에요. 보고 싶어요.' 저장되어 있는 이름은 '소년원동기 235준현' 건욱이 마침내 문자를 지운다.

케이 또 없나?

건욱 뭐?

케이 죽일 놈. (미소)

23. 케이와 건욱의 마무리 의식 / 해 질 녘

음악 진행되면서, 익숙한 듯 진행되는 '의식'

- 한강 한가운데에 패들 보드 탄 채 떠 있는

건욱. 베이비 모니터용 무전기
튀어나와 있는 통영 사건 가방을 한강 속에
밀어 넣는다. 가라앉는 증거 물품들.

- 컨테이너. 케이, 컨테이너 벽을 드르륵 밀면
책장이 드러난다. 50권 정도의 대본들.
장식되어 있는 모양이 고급진 컬렉션 같다.
모두 특이한 표지의 동일한 제본.
케이, 비어 있던 곳에 '헨젤과 그레텔'을 꽂는다.
한 권 한 권이 한 명 한 명의 살인이다.

24. 구경이의 집 / 밤

멜론 머스크(E) 다 죽여! 다 죽여!!!! 아
왤케 못 죽여!!

멜론 머스크의 목소리 헤드셋으로 들리는
가운데…
구경이, 채팅 치며 옆에 놓인 맥주 캔
들이켜는데 또 텅 비어 있다.

[appleboycat: ㅈㅅㅈㅅ]

멜론 머스크(E) 존나 되는 일 없는데
겜이라도 좀 이기자고!

구경이, 옆에 놓인 빈 맥주 캔을 한 번 더
흔들어 본다. 절망적인 얼굴이 되는 구경이.
[멜론 머스크: '멜론 머스크'님께서
'탁월한고래힘줄회복제'(을/를)
선물하셨습니다.]

[멜론 머스크: '멜론 머스크'님께서
'밸류패키지'(을/를) 선물하셨습니다.]

멜론 머스크(E) 힘내서 잘 하자고 드린
거예요.. 겜 하나 졌다고 인생 끝나는 거
아니니까…
산타 (AI 보이스) 가자, 가자, 가자!
구경이 (중얼중얼 발음 다 뭉개져서) 머리가 너무
안 돌아가는데…

구경이, 부엌 쪽 보면 너무나도 멀어 보이는
냉장고.

멜론 머스크(E) 바로 가여?

[appleboycat: 잠만염]
[멜론 머스크: ????????????]
[멜론 머스크: 가여?????????]
[멜론 머스크: 안함?????????]
[멜론 머스크: 나가지마여!!!!!!!!!]

채팅 알람이 요란하게 울리는 중에 구경이가
대단한 결심을 한 사람처럼,
천천히 의자 아래로 한 발을 내리는데 오래
굳어 있었던 고관절에서 뚜둑 소리가 난다.

구경이 으윽

다른 쪽 한 발도 내리는데… 이번에는 쥐가
나서 아야야 하고 자빠지는 구경이.
그 때 띠띠띠띠띠띠띠, 삐로리. 문 열리고

나제희가 들어선다.

구경이 (나동그라진 채) 와이에오아…
나제희 뭐야.. 왜 그러고 있어?
구경이 (급하다는 손짓 팔랑팔랑) 아이 아이!
(냉장고 가리키는)

나제희, 고개 절레절레하며 냉장고로 가 맥주
캔 하나를 꺼내 온다.
구경이, 간절하게 손 뻗는데, 나제희가 캔을 따
자신이 벌컥벌컥 들이켠다.

나제희 (캔 책상에 탕 내려놓으며) 선배, 나 짤릴
거 같아.

맥주 보며 부들거리고 있는 구경이. 나제희가
모니터 가리며 의자에 앉는다.
구경이는 구부러져 엎어진 그대로다.

나제희 김민규 건 6억 지급됐어. 위장
신고했던 것 때문에 깎이긴 했는데,
약관상 까도 그만큼은 내줘야 되더라.
전부 다 마이너스로 내 인사에 반영이야.

구경이, 겨우겨우 몸을 일으켜 앉아 벽에
기댄다.

구경이 으에어? (맥주를 향한 손을 더 가까이
내밀며)
나제희 그래서는 무슨! 우리 조사B팀이
없어진다구! 그게 무슨 뜻인지 알아?

구경이, 대꾸할 힘도 없다는 듯 입 벌리고 있자
하는 수 없이 맥주 건네는 나제희.
맥주 벌컥벌컥 마시는 구경이. 동공 확장,
표정이 살아난다.

나제희 (찌릿) 자살 시나리오 못 만든 선배
때문에 내 밥줄 끊어진다고! 그렇게
되면 이것(컴퓨터)도, 이것(맥주)도! 내가
팀장으로 있는 우리 팀도! 다 없어지는
거야!
구경이 (각성한,스마트) 너는 항상 인정받고
싶어하지. 근데 있잖아,
나제희 인정이 아니라 최소한의! (말하려다
됐다싶어 입다무는)
구경이 살인 사건이야. 흙더미 무너진
거, 황화수소 출처, 컨테이너 불 난 거,
이준현 정보 윤재영한테 알려준 통화
기록. 조회 됐니?
나제희 슨배림? 슨배림? 여기 경찰청
아니고요, 슨배림 경찰 아닙니다.
구경이 의심스럽잖아.
나제희 흙더미는 자연적으로 무너진
거고, 황화수소는 거기가 하수구랑
연결돼 있던 거 알지? 불은 합선
때문이었다고 하네요.. 의심 많은
선 배 님 아.
구경이 그러니까 더 무서운 거야.
사람들이 죽었는데 사고사로 위장 돼서
사건화도 안 됐다는 거.
나제희 그렇다 치자, 김민규가 살아있는
건 어떻게 알았고?

구경이 하나씩 찾아서 정리해 나가다
김민규 차례가 됐는데, 얘가 사라졌어.
시체도 안 나오고. 그러다 하루가 멀다
하고 숲속으로 출퇴근하는 윤재영이
보인 거지.

나제희 근데 잘 숨어있던 얘가 언제
튀어나올 줄 알고 미리 가스를
채웠을까?

구경이 내가 나타났잖아. 내가 김민규에
접근하는 걸 보고, 준비한 거야.

나제희 선배 말은, 힘들게 사람 죽여야
되는데 선배 같은 사람이 목격자로
나타나길 굳이 기다렸다가 실행했다. 그
얘기야 지금?

구경이 (감탄한 표정) 진짜 대단하지 않니?
어떻게 그렇게 부지런하게 사람을
죽이지?

나제희 와 눈 초롱초롱한 거 봐. 선배 이런
모습 5년 만에 보네. 근데, 선배.
의심하는 버릇 나오면 나한테 말려
달라고 한 거 기억하죠?

- INS. 장례식장. 장성우의 영정사진 앞.
피폐해진 얼굴의 구경이가 조문객에게 인사도
제대로 하지 않은 채 앉아 있다.
나제희가 다가가 구경이를 끌어안고, 구경이는
그걸 그대로 둔다.

한창 추리에 빠져 있던 구경이의 기분이
순식간에 다운된다.
구경이, 의자에 앉아 있는 나제희 밀어내고

자기가 앉으며 헤드셋 쓴다.
게임모드 들어가는-

나제희 (등 돌리고 앉은 구경이를 보며 보험 사기 사건
관련 자료 내려놓는다.) 선배 의심병 도져서
또 폐인처럼 사는 꼴 못 봐. 이거! 중요한
거야.

구경이 (무시하고 마이크 켠다.) 왔어요 왔어
인사할 시간 없어!
지금 부활 갑니다 고고고!

B.O

25. 과거~현재. 고등학교 / 낮

어린 시절 케이가 가방을 챙겨 학교를
빠져나가고 있다.

장성우 친구들이랑 인사는 했어?

어린 케이 (잠시 뒤를 돌아보다) 아뇨. 어차피
다시 볼 일 없을 건데, 괜히 귀찮잖아요
서로서로. (너무 차가웠나 싶어서) 마지막
인사하면서 울고불고 그런 것도 싫고…

장성우 그럼 내가 마지막으로
배웅해주는 사람 할게. 그거는 슬플 일이
없지? 너랑 나랑은 별로 안 친하니까.

교문을 향해 걷기 시작하는 장성우와 어린 케이.

장성우 새로운 데 가는 건 걱정 안 돼?

어린 케이 제가 가고 싶다고 한 건데요

장성우 그래 너는 열심히 하니까. 잘 할 거야. 근데 너무 열심히 하려고 하지 마.

어린 케이 그게 '선생님'이 할 말은 아닌 거 같은데.

장성우 너는 보면 항상 너무 애를 써, 연극할 때도 그렇고. 친구들 관계도 그렇고.

어린 케이 …쌤 저한테 영주 얘기하고 싶으신 거 같은데… 저 아무렇지도 않은데.

장성우 답답하잖아. 세상 사람들이 다 널 이해 못 하는 거 같고. 그래도 사람들한테 기회를 좀 줘보라는 거야. 그러다 보면 한 명쯤은 있어

어린 케이 나를 이해해주는 사람이요?

장성우 그런 건 없고. 그냥 너를 편하게 해줄 사람은 생긴다는 거지

어린 케이 (교문까지 다다르자) 쌤 경찰 사모님은 그런 분이에요? 안 그래 보이던데.

장성우 (웃으며) 이경이가 예리하네. 구경이 씨랑 나는… 그게 약간 반대긴 하지.

어린 케이 구경이? 이름이 구경이예요? 이름이 뭐 그래.

장성우 너는 (손가락 두 개 펼치면서) 2경이고, 경이 씨는 (손가락 아홉 개 펼치며) 9경이네. (웃는) 암튼 잘 가라, 또 보자!

교문 지나 맞은편에 선 어린 케이, 인사를 꾸벅 하고 일어나면 지금의 케이 모습.

케이 그랬던 사람이 자살이라…

장성우는 온데간데없다. 먼 데를 보는 케이. 하교하는 학생들이 보인다.

케이 어! 영주야! 영주야!!! 여기!!!! 여기여기!!!! (반갑게 손 흔드는)

학생들 사이에 있던 영주가 케이를 본다. 어색하게 인사하는 영주.

26. 패밀리 레스토랑 / 낮

케이 (신나게 웃으며 수다스럽게) 벌써 교생 실습도 하고 어른이네. 많이 컸다, 우리 영주. 우리 옛날에 대따 친했는데 그치! 연락도 안 받구! 번호 바꼈어?

영주 어… 바꼈어… (알려주겠다는 말이 선뜻 먼저 안 나온다.)

케이가 스테이크를 썬다. 써걱 써걱 써걱. 그걸 보면서 섬찟해지는 영주.

영주 장성우 쌤 이야기 궁금하다고 했지

케이 어. (칼로 고기 찍어 입에 넣으면서) 말해줘 봐

영주, 말을 꺼내기 전 크게 심호흡을 한다.

영주 한결 선배라고 기억 나?

케이 알지~ 오필리아 했잖아. 엄청 하얀 언니.

영주 …그 선배 저수지 빠져 죽은 거 알아? 너 전학 가고 얼마 안 돼서였을걸.

케이 대박. (설마) 누가 죽인 거야?

영주 경찰들은 실수로 미끄러져서 물에 빠진 거 같다고 그랬는데, 솔직히 아무도 안 믿은 게 그 선배 죽던 날에 장 쌤이랑 둘이 있는 거를 누가 봤댔거든. 둘이 원래 무슨 사이였다는 소문도 엄청 돌고. 근데 장 쌤 와이프가-

케이 경찰이었잖아.

영주 어, 어. 그래서 사고로 마무리되니까 와이프 빽으로 덮었다는 얘기도 나오고. 그쯤에는 쌤 고개도 못 들고 다니고… 그러다 (목소리 낮추고) 자살하셨어.

케이 유서 같은 건?

영주 아마… 없었을걸?

케이 진짜 장 쌤이 그런 거야?

영주 모르지, 다 죽고 아무 증거도 없는데. 쌤 와이프가 경찰 그만두기 전에 엄청 헤집고 다녔어, 자기 남편 결백 밝힌다고. 근데 아무것도 안 나왔어

케이 자기 남편이 범인이라는 증거를 찾으려고 그런 걸 수도 있지.

영주 (케이의 말에 살짝 반응) …

케이 으. 진짜 더러운 짓 한 거 아냐? 그딴 짓 한 선생은 지가 죽기 전에 누가 죽였어야 되는데. 그렇지? 애는 죽었는데 지는 왜 살아야 돼?

- 플래시백. 1화 S#24. 어린 영주가 했던 말.
'고양이는 죽었는데 지는 왜 살아야 돼?'

케이가 칼로 접시 바닥을 긁는다. 영주의 신경이 날카로워진다.

영주 (표정 싹 굳는다.) 나 이제… 가도 돼?

케이 모야! 이제 만났는데! 우리 수다 떨고 노래방도 가자! 너 번호도 안 줬어!

영주 (망설인다.) 번호… 알려줄 사이는 아닌 거 같은데…

케이 우리 사이 좋은 사이 다정한 사이 아니야? (표정 보고) 너 아직도 그거 내가 했다고 생각하는 거야?

- INS. 과거, 교실. 가방을 여는 영주. 이상한 느낌에 들여다보다가 비명 지른다.
가방 속에 쥐들이 드글드글. 우는 영주 안는 케이. 문득 보면, 케이가 웃고 있다.

케이 루이가 보은했다고는 생각 안 해?

영주 (갑자기 기겁) 내가… 내가 잘못했으니까 제발… 미안해, 내가 이렇게 빌게.

케이 뭐가 미안해, 니가. 왜 그래…

영주 (바닥에 무릎꿇고, 울며 비는) 제발 나 좀 그만 놔둬. 내 앞에 나타나지 좀 마, 제발… 부탁할게. 너무 무서워.

케이가 영주에게 손을 뻗는데, 영주가 기겁을 하며 비명을 지른다.
케이, 서글픈 표정 된다.

27. 구경이의 집 / 밤

익숙한 모습으로 컴퓨터 앞에 앉아 마우스를
움직이고 있는 구경이.
모니터 게임화면에 '승리!'가 뜨는데 구경이의
얼굴은 전혀 기쁘지 않다.

소리 저 인제 갈게여~ 다들
고생하셨습니다… 굿 겜이었슴다 바바~

유저들이 접속을 종료한다는 알람이 뜨고,
멜론 머스크와 구경이, 산타만 남는다.

멜론 머스크(E) 안 나가세요?

구경이는 대꾸하지 않고, 자기의 생각에
빠져있다.
화면에 차오르는 글씨.
['멜론 머스크'님께서 '그믐달 축복패키지'
아이템을 선물하셨습니다]
멜론 머스크가 무어라 말하고 있는데 구경이의
귀에는 웅얼거림으로 들린다.
헤드셋을 벗는 구경이. 벗겨진 헤드셋으로
새어 나오는 소리.

멜론 머스크(E) 다 했다… 이제 진짜
죽어야겠다

돌연 선명하게 들리는 소리에, 구경이가 다시
헤드셋을 쓴다.

산타 (AI보이스) 죽다니요, 무슨 그런
말씀을 하세요

[Appleboycat: 무슨 소리?]

멜론 머스크(E) 두 분 계셨네요. 겜도
이겼겠다, 아이템도 다 썼겠다, 이제
죽을 수 있을 거 같아요.

산타, 구경이 모두 잠자코 듣는다.

멜론 머스크(E) 제가 생각해보니까
살 이유가 없어요. 그 뭐냐 사람이
첫 기억이라는 게 있잖아요? 근데
저는요, 태어나서 제일 오래된 기억이
4살쯤이었나? 그 때 아빠라는 인간한테
밥그릇으로 맞은 거거든요?

멜론 머스크의 말소리가 점점 작아지며
구경이의 모니터 화면이 보인다.
이 주절거림이 멜론 머스크의 자살 예고라는
걸 알게 된 구경이와 산타.
긴급하게 멜론 머스크의 메일 주소를 각종
SNS에 넣어본다.
트위터, 페북, 인스타 모두 나오는 곳이 없다.
게임용으로 판 메일 주소인 듯.

[산타(귓속말): 에쎈에스 안 나옴]
[appleboycat(귓속말): ㅇㅇ]

멜론 머스크(E) 엄마한테 제발 데려가

달라고 울고불고 지랄했는데, 안
받아주고… 처음 엄마가 나 좋아한
게 스무 살 때 토토해서 백만 원 딴 적
있었는데 그 때 백만 원 그대로
갖다 줬더니 그렇게 좋아하더라고요.
그래서 계속 했는데 사다리 시작하면서
완전히…

[산타(귓속말): 토토도 안 나옴]
[appleboycat(귓속말): 아뒤 뒤에 숫자 붙여서]
[산타(귓속말): ㅇㅋㅇㅋ]

구경이, 구글에서 멜론 머스크 뒤에 숫자 1부터
넣어서 검색한다.

[산타(귓속말): 멜론 머스크35 경품 당첨 뜸!]

멜론 머스크35를 다시 SNS 검색에 돌리는
구경이. 찾았다! 남도현.

[appleboycat(귓속말): 서울시 00구 00동
000번지 501호 본명 남도현!]
[산타(귓속말): 가깝!]

남도현(E) 그렇게 쌓인 빚이 3억이
넘으니까… 누나는 그 충격으로
유산했어요.
하… 진짜 힘들게 임신한 거였는데…

구경이, 112를 누르고 통화를 누르려다가
외투를 입는다.

[appleboycat(귓속말): 나간다 시간 좀 끌…]

남도현(E) 우리 불쌍한 누나가… 나한테
빌었어요… 제발 사라져주면 안
되냐고… 그러면 니 빚 다 니가 안고
가는 거니까… 그냥 사라져 달라고…

구경이가 어울리지 않게 다급하게 나간다.

28. 거리 / 밤

남도현(V.O) 그런 생각이 드는 거예요.
어떤 사람들은 날 때부터 사랑받고, 되게
몸값이 높은데

머리부터 발끝까지 빡세게 꾸민 영 앤 리치,
핸섬 앤 쿨 케이가 또각또각 걸어간다.
케이를 지나치는 사람들이 모두 한 번씩은
그런 케이에게 시선을 준다.

남도현(V.O) 나는 그냥 날 때부터
싸구려에 불량품인 거예요. 망할 팔자
갖고 태어나서 망해가는 게 인생의
전부고…

케이의 표정은 자신감이 넘치지만, 남도현의
목소리와 맞물려 쓸쓸한 느낌을 준다.

29. 주택가 / 밤

남도현(V.O) 내가 숨 쉬면서 똥 싸고

쓰레기 버리는 거보다 없어지는 게 좋은 거 같은 거예요.

다닥다닥 다세대 주택들이 붙어 있는 골목. 불 켜진 5층 위의 옥탑방을 쳐다보는 구경이. 구경이, 계단 보고 한숨 나오지만, 다시 심호흡 하고 계단을 오른다.

30. 남도현의 집 / 밤

좁은 옥탑 원룸 안에 헤드셋 낀 채 울고 있는 남도현. 며칠을 못 먹고 안 씻었는지 꼴이 말이 아니다. 책상 위에는 농약 한 병, 막걸리 한 병이 있다.

남도현 태어나지 말았어야 되는데 멍청한 애비 애미가 나를 낳아버려서 시발…
소리 똑, 똑
남도현 잠깐만요. 올 사람이 없는데…
(헤드셋 벗고 문가로 가며) 누구세요?
구경이 (Off sound) 배달이요~
남도현 안 시켰는데요.
구경이(O.S) 이상하다~ 계산도 다 하셨는데? 보족 세트에 비빔 막국수요! 안 시키셨어요?

남도현, 그 구체적인 메뉴에 배가 아파 온다. 슬그머니 문을 여는 남도현. 눈앞에 보이는 것은 검은색 코트를 뒤집어쓴 구경이다. 손이 비었다.

남도현 뭐예요?

놀랄 새도 없이 일단 비집고 안으로 들어오는 구경이.

남도현 아씨 뭐야!!!

구경이, 재빠른 스캔으로 농약병 집어 든다.

구경이 죽으려고?
남도현 어?
구경이 부모한테 학대당하고. 도박 중독에, 누나 이름으로 대출까지 받았는데 갚을 길도 없으니까?
남도현 어어?… 맞아요… 아줌마 뭐야?

잠깐의 대치 상황.

남도현 (컴퓨터 모니터와 구경이를 번갈아 보다가 상황 깨닫고) 애플보이캣 님?
구경이 어
남도현 아이씨! 이십 댄 줄 알았는데!
구경이 음… 미안하게 됐다
남도현 여긴 어떻게 찾은 거예요?
구경이 인터넷에 질질 흘리고 다니지 마.
남도현 …그거 내놔요
구경이 왜?
남도현 내놔요!! 솔직히 그쪽 같아도 내 상황이면 안 죽고 싶겠어요? 제가 살아 있어야 되는 이유가 있으면 하나라도 말해보세요. 제가 왜 살아야 되는데요?

구경이 너 없으면 정찰은 누가 해.

남도현 그런 거 말고! 내가! 왜 살아야 되냐구요!

구경이 정찰 말고? (생각한다.) ‥‥‥‥ (입 오물오물… 말하려다가… 더 생각한다.) ‥

남도현 (열 받아!) 그렇게 열심히 생각해야 된다는 거부터가 내가 살 이유가 없다는 거잖아요! 왜 왔어요! 이런 거 다 끝내게 방해하지 마세요!

도현이 구경이 손에 있던 농약병을 확 낚아챈다.

남도현 가세요

구경이 싫어

남도현 가라면 좀 가! 다 끝내게!

도현이 부들부들 떨리는 손으로 농약병의 뚜껑을 여는데, 구경이가 병을 발로 차버린다. 의외의 발차기 실력! 데굴데굴 구르며 바닥으로 다 쏟아지는 농약…

남도현 이…. 이…. 아아아아아악!!!!!

구경이가 에구에구 허리야 하는 사이, 도현이 현관 밖으로 달려 나가 낮은 난간 앞에 선다. 구경이가 재빨리 따라 나와 도현의 두 걸음 옆에 선다.

남도현 왜 그래요 진짜! 가까이 오면 확 밀어버릴 거야!

구경이는 그러거나 말거나 난간 쪽으로 가까이 다가간다.

남도현 오지 말라니까!

구경이 (완전 차분) 아니…

남도현 뭐가 아닌데요?

구경이 생각해 보니까 말야…

남도현 ?

구경이 생각해 보니까 그렇다. 살 이유라는 게… 없네?

남도현 네?

난간 아래를 내려다보는 구경이. 구경이의 그런 체념에 도리어 남도현이 당황한다.

구경이 진짜로 그렇잖아… 니 말이 맞아. 이게 다 뭐 하는 짓이니.

갑자기 달라진 분위기에 어째야 할지 모르는 남도현. 골목으로 들어선 산타. 옥탑 난간에서 대치 중인 두 사람 보고 외마디 비명 지르며 눈 가린다.

산타 악!!!

구경이 내가 있잖니? 경찰이랍시고 남편까지 의심하다 죽게 만든 사람이야. 더 웃긴 건… 아직도 남편이 진짜 범인인지 아닌지 궁금해. 죽을 거면 알려주고 죽지… 니가 봐도 나 쓰레기지?

남도현 …네…

구경이 그렇지? 나 같은 건 그냥 없어져도 되겠지? (몸을 기울이는)

남도현 어? 저기요?

구경이의 몸이 천천히 기울어지더니 난간 밖으로 떨어진다.

산타 (너무 기겁하며) 아아악!!

남도현 어?! 잠깐! 잠깐만!

곧바로 아래로 떨어지는 구경이! 당황한 도현이 아래를 바로 내려다본다. 철푸덕! 으아악!!!!! 쓰레기차에 떨어진 구경이. 쓰레기들과 나뒹군다.
구경이의 시점으로 붉은 가로등 빛과 파란 새벽빛이 뒤섞인 채 빠르게 지나간다.

남도현 (O.S소리 점점 멀어지는) 저기! 잠깐만!!!!

구경이의 얼굴 위로 스쳐 지나가는 붉고 파란 빛들. 구경이, 눈을 감는다.

31. 클럽 앞 - 클럽 안 / 밤

역시 눈 감고 있는 케이, 붉고 푸른 클럽 조명이 케이의 얼굴을 다채롭게 비춘다.
뜨악한 표정의 사람들. 카메라 빠지면 80년대에나 췄을 법한 우스꽝스러운 춤을 추는 케이.

– 플래시백. 2화 S#26. 패밀리 레스토랑에서 영주의 울먹이는 표정.

케이, 웃으면서 춤추다가 점점 얼굴에 미소가 사라져간다.

32. 쓰레기장 / 밤

쓰레기차의 뚜껑이 열리고, 쓰레기를 던져 넣는 환경미화원.
툭, 툭, 쓰레기 떨어지는 소리.

구경이 (신음소리) 흐으어어…

미심쩍은 소리에 쓰레기 던져 넣다 말고 안을 들여다본 환경미화원, 깜짝 놀란다.
차에서 벌떡 일어나 내리는 쓰레기꼴 그 자체인 구경이.
구경이가 쓰레기장을 뒤로하고 머리카락에 붙은 오물을 털어내며 걷는다.

환경미화원 (놀라서) 사람이요?

환경미화원의 외침에도 들은 기색 하나 없이 비척비척 나아가는 구경이.

33. 외곽 도로 / 밤

구경이가 택시를 잡으려고 팔을 뻗어 보지만, 택시들은 쌩쌩 지나갈 뿐이다.
잠깐 속도를 늦추는 택시 하나.

헤드라이트에 비쳐 보이는 구경이가 자유로
귀신 못지않다.
기사가 식겁해서 다시 액셀을 밟는다. 텅 빈
도로에 혼자 남는 구경이.
얼마나 걸었을까. 발이 팅팅 불 때쯤 다시 택시
한 대 다가온다.
구경이, 별로 희망도 없어서 팔도 안 흔드는데
택시가 구경이 옆에 선다.
구경이가 차에 올라타자, 곧바로 출발하는 택시.
뒷좌석의 아늑함에 잠깐 몸을 묻는 것도 잠시,
구경이의 얼굴에 당혹감이 깃든다.

구경이 기사님, 제가 목적지를
말씀드리지 않은 것 같은데요?

기사(김 부장)가 힐끔 룸미러로 구경이를 본다.
구경이가 손잡이에 손을 가져가는데, 끼익!
멈추는 차. 택시 뒤를 줄곧 따라오던 검은 밴도
바짝 붙어 서더니,
밴에서 우르르 내린 남자들이 곧바로 택시로
올라타 양옆 앞좌석에 앉는다.
사이에 낀 모양이 된 구경이.

구경이 뭐야!

구경이가 당황한 것에는 아랑곳 않는 남자들.

구경이 당신들 뭐냐고!

구경이가 몸을 빠져나가려고 흔들흔들 하는데
꼼짝 않는 양옆의 남자들.

34. 서울 외곽 목욕탕 앞 / 밤

차 하나 다니지 않는 도로에 구경이 내려놓고
부앙 출발하는 택시.
영업 안 하는 듯 불 꺼져 있는 허름한 목욕탕이
외따로이 보인다.
안으로 들어가는 구경이.

35. 목욕탕 안 / 밤

사람은 아무도 없고, 구경이는 옷 입은 채로
들어간다.
냉수탕에서 폭포수 물 맞고 있는 용 국장이
보인다. 굉음을 내던 폭포수 뚝 끊기자,
고개 들어 반갑게 인사하는 용 국장.

용 국장 왔어요~! (번쩍 일어나 탕을 휘적휘적
걸어 나오며) 실물은 이렇게 생겼구나.
햇빛을 안 봐서 그래? 피부 느므 하얗다!
(구경이 쪽으로 손 뻗으며) 나 수건 좀.

구경이, 엉겁결에 자기 가까이 있던 수건을 용
국장에게 준다.
수건으로 몸을 닦으며 탈의실로 나가는 용
국장. 구경이, 따라간다.

용 국장 김민규 씨 부인 만나서 무슨
이야기 했어요?
구경이 …그냥 위로차 이야기 했어요.
용 국장 아~ 위로… 허긴, 남편 없이 혼자
살기 힘든 거 본인이 더 잘 아실 것이고.

구경이 (의심의 눈초리)

용 국장 이준현에 대해서는 알고 있던가요, 윤재영이?

구경이 (어쭈) 다 아시는 걸 물어보는 거 같은데요. 지금?

용 국장 다 알면 안 물어봤지~! 모르니까 물어보는 거지.

구경이 (어깨 으쓱)

용 국장이 몸 닦고 바디로션을 촵촵촵촵촵! 소리 나게 바른다.!

거울보고 면봉으로 귓구멍 물기 닦아 내며 -

용 국장 (대뜸) 김민규는. 누가 그런 거 같아요?

구경이 사고사로 처리됐는데, 살인 사건처럼 말씀하시네요?

용 국장 우리 경이 씨도 그렇게 생각할 거 같아서 그렇지.

시치미 말고 우리끼리는 괜찮아요.

구경이 그걸 알아내기엔 단서가 부족하던데요. 누가 덮은 것처럼.

용 국장 그러면은, 응? 흔적도 없는데 경이 씨는 왜 그게 다 연결되어 있다고 생각하는 건데?

구경이 의지가 보이잖아요. 죽이고 싶었음 그냥 죽였으면 될 텐데.

아무도 피해 안 받게 하려고 사고나 자살로 위장했죠.

용 국장 또오?

구경이 (잠시 망설이다가) 다 죽을 만한

사람들이었죠.

용 국장 (화장시작하는) 어유 으스스해! 죽을 만한 게 뭐야.

나쁜 짓을 했나 그 사람들이이?

구경이 저는 이 정도면 많이 말씀드린 거 같은데. 여기에 이런 식으로 데려와서 이런 이야기를 저한테 하시는 이유가 뭔지, 그쪽이 말할 차례인 거 같은데요.

용 국장 내가 또 너무 막 그랬다! 그렇지? (구경이 보며) 무서워서 그래요, 무서워서.

나도 느낌이 이상하거든? 그러니까 우리가 그 살인자 같이 잡아요.

그거 말하려고 불렀어.

구경이, 거울에 비친 용 국장 얼굴 훑어보며 가늠하다가 -

구경이 경찰에 의뢰하는 게 순서 아닌가요?

용 국장 (질색하는) 본인이 그랬잖아. 다 덮은 거 같다고. 경찰을 어떻게 믿어요~ 죽은 사람들 조사도 못 하게 흔적 없앤 게 경찰인데. 안 그래요?

구경이 경찰은 몰랐으면 하는 게 아니라요?

용 국장 (호호) 무슨~ 자기가 경찰보다 잘 잡을 거 같아 그러지.

내가 사람 보는 눈이 좋거든.

구경이 내가 왜 이걸 할 거라고 생각해요?

용 국장 이 살인마가 죽인 게 이 사람들뿐이라고 생각해요? 내가요,

곳곳에 귀도 있지만
눈도 많거든? 정보는 내가 드릴게.

구경이 (흥미 있는 표정)

용 국장 (웃는) 좋아할 줄 알았다니까~ 딱
보면 알지, 내가.

구경이가 용 국장을 똑바로 쳐다본다. 어느새
채비를 마친 용 국장.
김 부장이 기다리고 있다.

용 국장 나 이제 시간이 없다. 어떡할래,
자기?

구경이 팀원은, 제가 꾸릴게요

용 국장 하나라도 더 알게 되면 우리는
리스크가 큰데? 엘리트들로 붙여 줄게.

구경이 다른 사람은 못 믿어요. NT생명
조사B팀을 사주세요. 위장이 있는 게
편하니까.

용 국장 리스크 감수하고 가라구?

구경이 하이 리스크 하이 리턴

용 국장 (김 부장에게) 거기 그 아가씨가
팀장이었나?

김 부장 예

용 국장 시나리오 짜보라 해요. 그 정도
능력은 되겠지~?

구경이 하겠죠 그 정돈.

용 국장 됐네 그럼

용 국장이 손을 내민다. 악수하는 구경이.
구경이 얼굴에 바짝 다가간 용 국장.

용 국장 말 새나가면, 케이가 경이 씨까지
죽이려 들 수도 있어.
각자 조심해요, 우리.

구경이 케이?

용 국장 우리는 '그걸' 케이라고 불러요.

김 부장 시간이…

용 국장 (나가며, 구경이에게) 온 김에 껍질 좀
벗기고 가요. 피부에 안 좋다 안 좋다
하지만 좋아.

구경이 근데! (뒤통수에 대고 다급히 외치는)
누구세요?

용 국장 그걸 물어볼 줄은 몰랐네~?
(CF처럼 자애로운 미소 지어보는)

구경이 ??

용 국장 아이구, 맘 아프다.

용 국장과 무리들, 뚜벅뚜벅 나가버린다.
남겨진 구경이는 여전히 고개 갸웃.

36. 구경이의 집 앞 / 아침

유치원 통학 차량이 아이들을 싣고 있다.

선생님 안녕하세요~ 천천히 올라가요
다치지 않게~ (고개 돌렸다 화들짝 놀라는) 빨리
타. 빨리!

돌연, 창문에 다닥다닥 붙어 뭔가 보고
소란을 피우는 애들. 애들이 손가락질하는 건
비척비척 걸어오는 구경이다. 유치원 선생님이
놀라서 빨리 차를 출발시킨다.

햇살이 너무 밝아 오만상 찌푸리는 구경이.

경비원 아이구! 이게 누구세요!

경비원이 빗자루를 손에 들고 구경이 쪽으로
막 달려온다.

구경이 (지레 먼저) 여기 주민입니다. 저
505호에… (작게) 506혼가…
(다시 경비원에게) 오백으흐..에 사는 사람…
경비원 이제 왔네. (멀리를 보며) 총각! 여기
왔네! 왔어!

구경이가 경비원 너머를 보면, 입구 쪽에
쭈그려 앉아있던 산타가 고개를 든다.
산타답지 않게 엄청 꾸질꾸질한 모습.

구경이 그렇게 깔끔 떨더니 왜 저
모양이야?

*- 플래시백. 2화 S#30. 어젯밤 멜론 머스크의
집에서 벌어진 장면이 산타의 시점에서
보여진다. 멜론 머스크의 자살시도를
말리려다, 난간 밖으로 몸을 날리는 구경이.*

산타의 꾸질꾸질한 꼴을 보며 유추하는
구경이.

*- INS. 멀어지는 쓰레기차를 보고 당황하는
산타. 죽을힘을 다해 쫓아가본다.
차번호를 기억하려고 애쓰는 산타.*

*도착한 쓰레기장에서, 구경이를 찾아서 쓰레기
더미를 헤치고 다니는 산타…*

구경이가 산타 쪽으로 가자 산타,
어린아이처럼 울먹이면서 일어선다.
허겁지겁 핸드폰에다가 메시지 쓰는 산타.

산타 (AI보이스) 죽은 줄 알았어요
구경이 보이지? 안 죽었어

산타가 재빨리 핸드폰에 쓴다. '참…'

산타 (AI보이스) 참 숯가마

산타, 당황해서 다시 '참 쉽네요'를 쓰는데
자동완성으로 자꾸 '참 숯가마'가 나온다.
지우고 지우고,

산타 (AI보이스) 참 쉽네요
구경이 (그런 산타 모른 척하고 싶어지는) 너 좀
씻어야겠다, 냄새 난다

괜히 차갑게 지나치는 구경이. 엉거주춤
구경이를 안으려 했던 산타가 남겨진다.
먼저 아파트 현관으로 들어가는 구경이.
들어가려다가, 에잇, 하고 다시 나온다.

구경이 안 씻을 거야?

들어오라는 소린 줄 알고 산타가 곧바로
아파트 현관으로 따라 들어온다.

엘리베이터를 기다리는 동안, 구경이가 살아있는 걸 확인이라도 하고 싶다는 듯 구경이를 찬찬히 뜯어보는 산타. 그 시선을 느끼며 애써 모르는 척하는 구경이.

구경이 아니야
산타 ?
구경이 사람 쉽게 죽어. 그러니까, 두지 마.

열리는 엘리베이터 문으로 들어가는 구경이.

37. 구경이의 집 / 낮

생각에 빠져 있는 구경이. 말끔하게 씻은 산타가 나온다.

구경이 (문득 뽀얀 산타를 보며) 해야겠지?
산타 ?!
구경이 방구석에서 의심만 하는 것보단… 할 수 있고 하고 싶으니까, 해야겠지? 준비됐니?
산타 ?!?!?!?!?
구경이 일단 게임 한 판하고 머리를 식힐까?

산타가 달려들어 확 마우스를 뺏는다. 구경이가 뭐야! 하고 쳐다보면, 구경이 앉은 자리 밑으로 뭔가 쓰레기 국물 같은 것이 뚝뚝 흐르고 있다. 떠밀려 화장실 들어가는 구경이. 산타가 구경이가 앉았던 자리를 쓸고 닦고 소독한다.

그 중 지워지지 않는 얼룩 한 조각을 박박 문지르다가 의미심장하게 한마디를 내뱉는다.

산타 생각대로군.
구경이 (갑자기 화장실에서) 산타 씨!

놀란 산타가 돌아보면, 문틈으로 얼굴을 내민 구경이.

구경이 린스가 먼저야, 샴푸가 먼저야?

38. 조사B팀 사무실 / 낮

짐 정리하고 있는 경수. 지끈거리는 머리 부여잡고 있는 나제희.
원식과 A팀원들이 이 모습 보면서 낄낄거리다 사부실로 들어오는 구경이 보고 헉, 한다.
뒤따라오는 산타.

경수 여긴 왜 오셨…
구경이 뭐해. 일 안 해?
나제희 뭘 여기까지 와. 안 해. 우리 팀 이제 해산이야.
구경이 왜
나제희 왜긴 왜야. 실적이 없어서지.
구경이 안 되는데
나제희 뭐가 안 돼
구경이 없어지면 안 되는데. 실적, 있으면 되지. (경수에게) 저기야, 그거 좀 갖고 와볼래?
경수 뭐요?

구경이 실적!

Cut to.
두툼한 서류뭉치 턱, 내려놓는 경수.

경수 진짜 제대로 하신다는 거죠?
구경이 허리 허리
경수 봅시다, 일 번! 계단에서 굴러서
허리 디스크가 튀어나왔답니다.
(허리 뻣뻣한 시늉을 하며) 허리를 아예 굽힐
수가 없는 장애가 생겼다네요.
구경이 클래식. 이쯤이면 브론즈야.
이지이지

39. 건물 / 낮

허리 뻣뻣한 건물주 상대하고 있는 경수. 그
위로 구경이의 목소리.

구경이(V.O) 일단 적당히 이야기 받아줘
경수 이쪽 계단에서 넘어지신 거예요?
건물주 응. 아주 떼굴떼굴 굴렀나 봐
정신을 딱 차리니까 눈앞에 별이 핑핑
돌아.
구경이(V.O) 몸으로 보여줘
경수 이렇게요?

경수, 데굴데굴 굴러서 아주 과하게 계단
아래로 굴러 넘어진다.

건물주 (당황) …어어 그렇게

경수 (몸을 털털 털며 일어나서) 그렇군요…
최대한 빨리 처리해드리겠습니다

허리 꼿꼿이 세우고 내려다보던 건물주,
경수가 떨어뜨리고 간 5만 원을 본다.
망설이던 건물주, 계단을 조심조심 내려와
허리를 굽혀 돈을 줍는데…
손을 턱! 잡는 경수.

건물주 엄마 깜짝이야!!!

놀라서 나동그라지는 건물주. 허리가 아주
유연해 보인다.
뒤에서 사진을 찰칵찰칵 찍는 산타. 경수가
가까이 다가온다. 묘하게 언더 라이트.

경수 허리를, 잘, 굽히시네요. (건물주에게서
지폐 빼앗으며 뿌듯한 얼굴)
구경이(V.O) 다음!

40. 조사B팀 사무실 / 낮

나제희 사고로 청각장애를 얻었다고
하고요. 두 내외가 정육점을 운영
중입니다.
구경이 팀플레이가 필요하겠네. 잘 봐 둬.
경수 (슬슬 리스펙 생기는)

41. 정육점 / 낮

채 사장이 '뭐 드릴까요.' 하는 손짓을 한다.

구경이 우리 애가 돈가스 먹고 싶다
그래서.. 아, 못 들으신다 그랬지.
(메모장에 돈가스용 1kg라고 적고 주면서) 참나
별스럽네.

돼지고기 꺼내 한 장 한 장 다지기 시작하는 채
사장. 탕탕탕탕탕…

구경이 (전화받는) 뭐? 교통사고가 났어?
한도 초등학교? 애들이 다쳤다구?

구경이, 부러 입 모양이 보이지 않게 몸 돌린
상태로 크게 크게 말한다.
여전히 돼지고기 다지고 있는 채 사장. 약간
손이 느려진다. 탕.. 탕…

구경이 3학년 남자애? 믜? 부모기
연락이 안 돼? 귀가 안 들려서 연락이 안
된다고?

탕… 탕… 채 사장의 손이 벌벌 떨리고
실수하여 본인 손등을 찍기 직전,

경수 (벌컥 문 열고 들어오며) 아주머니! 큰일
났어요! 민준이 혈액형 뭐예요?
채 사장 에이형이요!!!!! (고기 쥔 손 그대로
가게 입구로 뛰쳐나가며)

경수, 놀란 눈이다가 한 걸음 뒤로 물러선다.

채 사장 뭐예요? 우리 민준이 괜찮아요?

경수 NT생명에서 나왔습니다
채 사장 (알아차리고) 으으으!

채 사장, 이미 나가고 있는 구경이에게 손에
들고 있던 생고기 던진다.
구경이 뒤통수에 철퍼덕! 맞지만, 아랑곳
않는다.

구경이 다음!

42. 조사B팀 사무실 / 낮

경수 암 보험 가입자예요. 갑상선암 3기.
암 병력 없음으로 가입했는데 주치의
말로는 수술 흔적이 있다네요.
구경이 (생각하다가) 이건 보험 설계사
불러라.
나제희 척척 답 나오는 거 보니까 이제 좀
선배답네.

43. 한강변 / 낮

한강물로 바로 이어지는 완만한 경사로에 클럽
갔던 복장으로 누워 있는 케이.
머리를 물 쪽으로 두고 있어서, 머리카락이
강물에 너울너울 젖고 있다.
조깅하던 사람들이 술렁이며 지나가는데, 벨
울리자 상반신 벌떡 세우는 케이.
머리에서 물이 뚝뚝 흐른다.

케이 (전화받으며) 이모오… 아 맞다. 오늘

상담 날이지?

44. 정신의학과 상담실 / 낮

멀쩡한 모습의 케이. 손 닥터를 앞에 두고
정연만 긴장한 모양새다.

케이 네, 악몽도 안 꾸고 다 괜찮아요.
손 닥터 다른 문제는 없고?
케이 정연 씨가 너무 저를 물가에 내놓은
애 취급한다는 거 정도?
정연 내가 언제! (갑자기 벨 울린다.) 어머,
죄송해요, 회사에서 온 거라…
손 닥터 받으세요.
케이 (손 닥터에게) 다음에 저 공연하는 거
보러 오세요
손 닥터 이번엔 무슨 역할인데?

케이와 손 닥터가 대화하는 사이, 정연이
뒤에서 전화를 하고 있다. 케이 귀 쫑긋.

정연 (전화하며) 그래서, 제가 만나야 되는
분이…? 구경이 조사관님… 예…

'구경이'라는 이름을 들은 케이의 눈이 번쩍
뜨이며, 표정이 밝아진다.
전화 끊고 돌아온 정연의 난처한 표정.

정연 옷 사러 같이 못 가겠다. 회사에서
급하게 보험조사관을 만나야 한다네.
하필… (손 닥터에게) 그 조사관이

제멋대로라고 소문난 여자거든요.
케이 내가 데려다 줄게!
정연 이모 일 하는데 어린애가 왜~
지하철 타면 돼.
케이 방해 안 되게 차에서 기다리구
있을게. 볼 일 다 보고, 옷 사러 가면
되잖아? 응? (손 닥터에게) 둘이 유대감
쌓는 게 중요하죠? 친밀한 관계는 정서
안정을 불러오니까?
손 닥터 (웃으면서 정연에게) 그러라고 하세요.
오늘 상담은 이 정도면 됐어요.
그리고. 이경이가 괜찮으니까, 앞으로는
6개월에 한 번씩만 잡을까요?
정연 (감동) 어머, 선생님. 감사합니다.
케이 (웃으면서 정연 팔짱 끼고 나간다.) 것 봐,
아무 문제 없다고 했잖아!

케이와 정연이 시끌벅적하게 나가자, 손 닥터
남아있던 송이경의 자료를 본다.
캠핑장 실종사건 관련 영문 기사들, 이경의
어릴 적 사진, 보고서 등이 언뜻언뜻 보인다.

45. 병원 병실 / 낮

병실로 들어서는 정연. 병실 침대에 누워 있는
보험가입자를 보고 호들갑 떨며 달려간다.
산타가 간병인처럼 보험가입자의 이부자리를
봐주고 있다.

정연 어머, 오빠. 이게 뭔 일이래, 다쳤어?
보험가입자 (한껏 아픈 목소리로) 아니야 그냥

좀 아파가지고…

정연 어디가?

구경이 (불쑥) 몰라요? 어디가 아픈지?

옆 침대 커튼 차르륵- 열리며 옆 베드에
누워있던 구경이가 나타난다.
케이가 천천히 병실로 들어선다. 구경이의
모습이 보인다. 씨익 웃는 케이.

정연 어머! 놀래라. (경계) 나 부른 사람이
그쪽이에요? 구경이 조사관님?

구경이 (옆으로 누운 채로) '고지의 의무'
아시죠? 여기 구진모 환자 가입
전에 갑상선 암 확진 받았던 거 고지
받으셨나요? 서류엔 체크가 안
되어 있는데, 이 분은 말을 했다고
우기시네요?

보험가입자 정연아, 너가 그랬잖아.
외국에서 검사 받은 거까지는 확인 못 할
테니까 체크하지 말자고. 암 보험 하나
없이 병원비 어떻게 감당할 거냐고.

구경이 (침대 리모컨 눌러서 위잉-상반신 일어나며)
이 분 말이 사실이면 보험 사기입니다
이거.

케이 (불쑥 끼어들어) 우리 이모가 설마 보험
사기라뇨~

정연 (깜짝!) 얘는! 차에 있겠다더니!

케이 지금 유일한 증거는 우리 이모의
'증언'인 거죠?

구경이 (요것 봐라…끄덕) 그렇지, 서류엔
없으니까.

정연 (고민하다) …오빠는… 언제
말해줬다고. 나는 오빠가 나이도
있으니까 암 보험 하나쯤은 있어야겠다
싶어서…

보험가입자 (배신감 느끼는) 야… 너…! (말문
막힌)

구경이 (두리번거리는, 뭔가를 찾는 듯) 저기!

어딘가에 있던 경수 튀어나온다.

경수 피보험자가 고지의 의무를 다하지
않았을 때 보험사는 보험을 강제 해지할
수 있습니다.

구경이 이게 마지막이지? (일어난다.)

46. 병원 복도 / 낮

복도를 걷는 구경이, 정연, 케이. 구경이는
앞에, 정연과 케이는 뒤에 있다.
케이가 구경이를 흘긋흘긋 보고… 정연,
달려가 구경이를 잡는다.

정연 저기! 사실… 방금은… 짤릴까 봐
거짓말한 거예요. 다음부턴 이런 일
없도록…

구경이 (한숨 한 번 쉬고) '몇 달이든 납입금
받고 일방적으로 해지시키는 게
보험사로선 이익입니다. 앞으로도
그렇게 해주세요' 가 회사 입장일 거예요.

정연 네?

케이, 풉 하고 웃는다.

구경이 본인 안위나 챙겨요. 회사는
불리하면 그쪽부터 자를 테니까.
정연 (벙찐 표정)

구경이가 가는데, 케이가 손을 뻗는다.
구경이의 뒤통수를 스치는, 케이의 손가락.
손길을 느낀 구경이가 움찔, 하면서 뒤를
돌아본다.

구경이 뭐야?
케이 아니 머리에… (손가락에 집힌 생고기
조각을 들어 보이며) 생고기가…
정연 (얘가 미쳤나, 케이 잡아끄는) 옷 사러
가자, 가.
케이 그럼…

아쉬운 얼굴로 꾸벅 인사하는 케이. 그렇게
지나쳐 가나 싶은데…

구경이 근데 왜 나 아는 척 안 하니?

놀라는 케이. 케이와 구경이가 서로를
바라본다.

─────────── 〈2화 끝〉 ───────────

3화

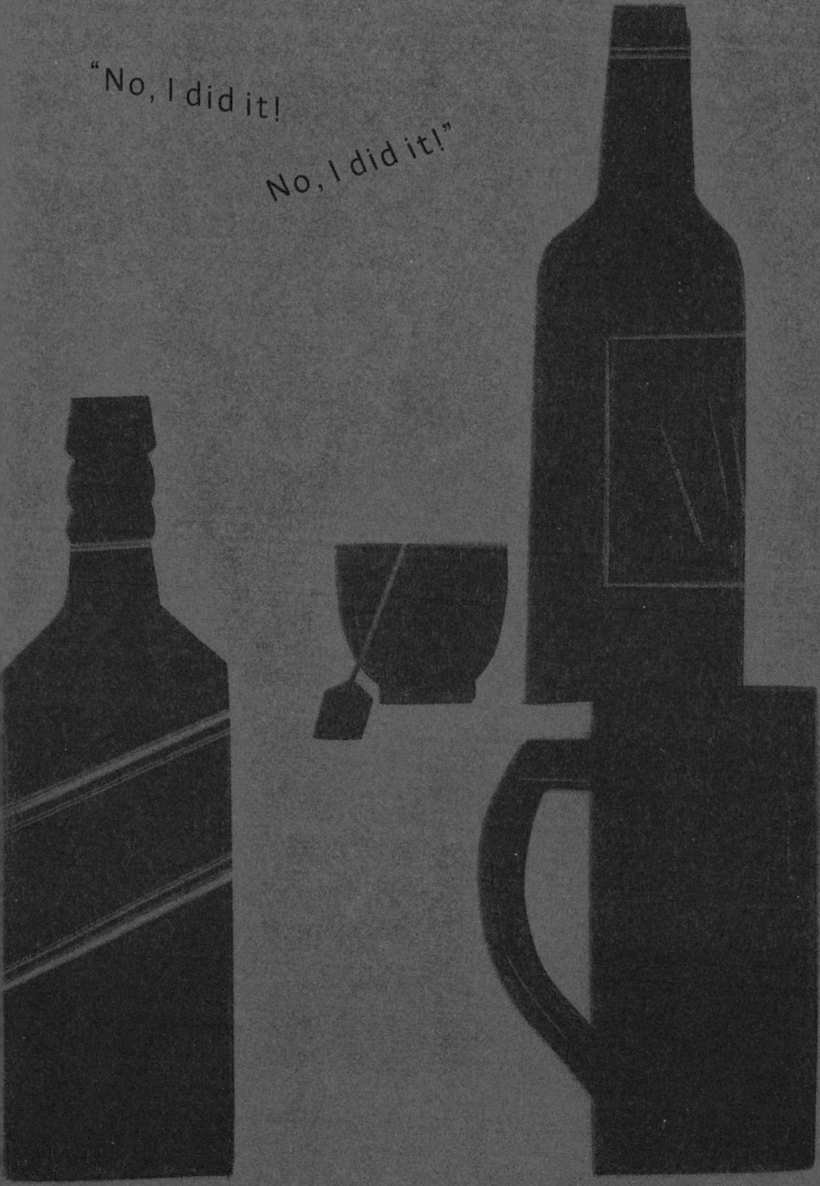

1. 과거. 고등학교 연극부실 / 낮

케이 두 분 스타일이 되게 다르세요.

어린 케이. 생글하게 웃으면서 앉아있다.
맞은편엔 경찰복의 구경이. 딱딱한 태도.

구경이 아는 대로만 답해주면 돼. 평소에
수위 선생님이랑 잘 알았니?

케이, 곧바로 대답하지 않고 앞에 있던 개별
과자 포장을 뜯는다.

케이 (과자 먹으면서) 그냥 학교에 계시니까
인사 정도 했어요
구경이 수위 선생님 사고 난 이후에 병원
계시다가 돌아가신 건 알지?
혹시 문병 간 친구가 있었니?
케이 다들 어느 병원인지도 모를 거
같은데. 왜요?
구경이 고등학생 정도 되는 애가 병원에
왔다길래, 너희 중에 있나 했어.
케이 어? 의심스럽다. 걔 뭔데요?
구경이 그냥 확인차 물어본 거야. (말을
곱씹다가 피식) 의심스러워?

케이, 다 먹은 과자 포장을 특이한 방법으로
접어 테이블 위에 놓는다.

구경이 (그걸 보다가) 방학식 날 평소랑 다른
거 본 건? 수상한 사람이라든가…

케이 아뇨, 저는 일찍 집에 갔어요. (구경이
쪽으로 바짝 몸을 붙이며) 수위 아저씨, 술 때매
돌아가신 거 아니에요? 다른 게 있어요?
구경이 왜 그렇게 생각해?
케이 자꾸 다른 일이 있는 것처럼
말씀하셔서. 누가 독이라도 넣었나 했죠.
구경이 아니, 급성알콜중독으로
돌아가셨어. (정리하며) 많이 놀랬겠다,
애들도.
케이 그렇죠… 우는 애들도 있었고…
(갑자기 울컥) 저도 약간 슬픈 거예요.
아저씨가 그래도 매번 밝게 웃어주시고..
고양이들도 귀여워해 주시고 그랬는데…

구경이가 케이의 어린애다운 울먹임을 잠깐
본다.

구경이 편해지셨을 거야.

케이가 그 말에 갑자기 울음이 멈춘다. '이런
소리를 하는 사람이 있네?'

케이 (눈물 찍어내며) 그럼 다행이고요
구경이 (피식 웃는) 장성우 선생님이 왜 니
이야기를 했는지 알겠다
케이 쌤이 제 이야기했어요?
구경이 인정하기는 싫은데, 비슷한 데가
있네. 너랑 나랑.

만지작거리던 과자 껍질 툭 내려놓는 구경이.
접은 모양이 케이가 접은 것과 같다.

구경이 (사운드선행) 근데 왜 나 아는 척 안 하니?

2. 현재. 병원 복도 / 낮

현재의 케이가 돌아본다.

구경이 봉백여고 연극부 송이경. 너도 나 한눈에 알아본 거 같은데.
케이 (놀라며) 어! 장성우 쌤 와이프 분? 경찰 쌤? 우와 왜 이렇게 달라지셨지?
구경이 더 시끄러워졌네. 가라.
정연 (궁시렁) 남의 조카한테…
케이 저 얼마 전에 쌤 소식 들었어요…
구경이 (멈칫)
케이 진작 알았으면 장례식장에라도 갔을 텐데… (슬픈 표정) 경찰 쌤 너무 힘드셨겠다… 진짜 그럴 분으로 안 보였는데… (진심으로 안타까운 표정) 그래도… 선생님은, 편해지셨겠죠?

구경이 순간 숨 쉬는 법을 잊은 사람처럼, 컥 하고 숨이 막힌다.

케이 어?
구경이 (간신히 숨 토해내며 버럭!) 어우 시끄러!!! 너 진짜 시끄럽다. 시끄러워.

구경이, 정신없이 사방팔방 부딪히며 달려간다. 케이가 호기심 어린 눈으로 바라본다.

3. 병원 앞 / 저녁

산타가 운전하는 차에 실려서 가고 있는 반 기절한 구경이의 모습.
나제희, 왜 저래? 하고 보며 입구 쪽으로 간다.
경수가 그런 나제희에게 서류 내민다.

경수 이 정도면 B팀 무사한 거죠?
나제희 당분간은. (사이) 현 팀장한테 말해 놓을 테니까, 팀 옮길 준비해.
경수 예?
나제희 이번에 정리한 건 들고 가면, A팀에서도 반길 거야.
경수 에엥? 싫은데요~
나제희 경수 씨가 싫고 말고랑 상관없어. 내가 경수 씨를 믿어도 되는지에 대한 문제야.

경수가 짐짓 진지한 표정을 지으며 나제희를 똑바로 보고,

경수 나제희. 인천 출생. 아버지는 경찰 출신, 어머니는 음악 교사, 종교는 천주교, 존경하는 사람은 퍼거슨 감독, 그리고… 구경이 씨. 좋아하는 음식은 연탄 불고기…
나제희(O.L) 뭐하는 거야?
경수 유능한 직원은 밑에 둔다가 회사 생활 모토잖아요. (자기를 가리키며) "유능한". 저 B팀에 있을 겁니다. 도움되실 걸요?

나제희 (처음으로 피식하며) 그럼 당분간만. 일손 딸리니까 봐주는 거야.

경수 말 나온 김에 요 앞에 꿀돼지 이모집이라고 연탄 불고기 잘하는 데가…

나제희 (핸드폰 울린다.) 응 맛있게 먹어 (쌩하니 떠나는)

경수 (시무룩)

4. 차 안 / 낮

산타가 룸미러로 뒷좌석 구경이를 본다. 눈 꼭 감고 피곤한 얼굴.
누군가의 손이 구경이의 머리를 쓰다듬는다. (케이가 생고기 떼 주려고 할 때와 같은 앵글)
구경이 슬며시 눈을 뜨고 보면 옆자리에 있는, 장성우.

장성우 (머리 쓰다듬으며) 더 자, 더 자.

구경이가 스르르 몸을 눕혀 장성우에게 기댄다.

장성우 경이 씨 보약이라도 지어 먹여야겠네, 매일 이렇게 일에 치여서 어떡해.

낱개 포장된 초콜릿 까서 구경이 입에 넣어주는 장성우.

구경이 (달달한 초콜릿 먹으며) 쓰잖아. 싫어.

장성우 (구경이 머리 넘겨주며) 남들이랑 같이해, 경이 씨. 혼자 짊어지려고 하지 마.

구경이, 그 말을 듣다가 눈을 뜬다. 장성우의 환상을 불러낸 자기 자신에게 실망스럽다. 자신이 다정한 목소리를 그리워한다는 것도 역겹게만 느껴진다.

구경이 그만.
장성우 너무 애쓰지 말라고. 경이 씨 동료들도 있고, 나도 여기 있으니까.
구경이 그만하라고!!!!

산타, 놀라 돌아보는데, 뒷좌석 문 활짝 열려 있다. 있어야 할 구경이가 없다.

5. 케이의 차 안 / 저녁

운전 중인 정연. 조수석에 앉은 케이는 구경이 생각에 피식피식 웃고 있다.

정연 (뭔가 발견하고) 어머!!! 저거 그 여자 아니야? 진짜 미쳤나 봐!

미친 사람처럼 도로에서 헤매고 있는 구경이. 산타가 허겁지겁 구경이에게 간다.

케이 (웃으며 폰으로 그런 구경이 찍는) 대박! 왜 저래? 개웃겨!

6. 나제희의 집 / 밤

현관문 열고 들어서는 나제희. 그다지 넓지
않은 집. 아이 물건들 널려 있고 다소 지저분.
벽에는 물고기 종류 가득한 도감, 물고기
캐릭터들 붙어 있고.
거실에 거구의 중년 남자-종준, 60대 후반,
나제희의 아빠-가 쓰러져 있다.

나제희 아빠? (허겁지겁 들어가 종준의 맥박 호흡
체크하지만. 이내 의구심) 아빠..?

종준 (달싹인다.) 도..와.. 주… ┬ …

나제희, 급 얼굴이 굳는다. 채근하는 종준.

종준 도..와..줘…요… 바…다..용..사..

나제희 (마지못해 따라 한다.) 도와줘요…
바..다…

종준 (채근) 더 크게

나제희 (-_-) 도와줘요! 바다용사!

소파 뒤에 숨어 있던 나나(여/5세)가 파란
망토를 두르고 튀어나온다.

나나 (마법봉을 휘두르며) 포파포파풍!

주문에 맞춰서 눈이 커지는 종준. 일어나
앉는다. 절뚝이면서 걷는 종준.

종준 살아났다… 살아났어! (나나를
보며 환호) 감사합니다 바다용사님

사랑합니다! (끄응 소리 내며 일어난다, 급 냉정)
자 이제 제발 밥 먹자

나제희 아직 안 먹었어?

종준 엄마 올 때까지 안 먹겠다는데
어쩌냐 그럼. 너도 안 먹었지?

나나 (마법봉을 나제희에게 대고) 포파포파풍!

나제희 그렇다고 이 시간까지 밥을 안
먹이면 어떻게 해? 잘 시간이 다 됐구만.

나나 (나제희에게 대고) 풍!

나제희 됐어 놀이 끝. 손 씻고 오세요. 밥
먹자.

나나 풍!

나제희 (잠시 궁리하다가 건성으로) 으악 (죽는
시늉)

나나 아니야 그거 아니야!

나제희 (약간 짜증) 그럼 뭔데?

나나 풍! 하면은 엄마가 어? 엄마가
감사합니다 사랑합니다 하는 거야!

나제희, 그 말에 약간 찡해져서 나나를 안아서
들어 올린다.

나제희 감사합니다 사랑합니다

나나 (안겨서 버둥버둥) 포파포파풍을
안 했잖아아아! (나제희 품 벗어나
종준에게 달려가며) 엄마는 암것도 몰라!
할아버지!!!

몸 불편한 아버지가 대충 차린 밥상이 눈에
들어온다. 옆에 쌓인 고지서들.

나제희 …아빠 용돈 좀 드릴까?

종준 (장난조) 그런 건 말 안 하고 주는 거야

(사이) 됐어 빚 갚느라 바쁠 텐데.

(다시 장난) 얼마 줄 건데?

7. 보육원 / 낮

아이들 돌보고 있는 용 국장의 자애로운
모습이 카메라에 담기는데,
허둥지둥 난입한 김 부장 엉덩이가 프레임
안을 갑자기 꽉 채운다.

김 부장 엄머머? 국장님!

간식 박스 들고 서 있는 나제희. 용 국장을 보고
미소 짓는다.

김 부장 지금은 안 된다고 했는데
막무가내로…

용 국장 안 되긴 왜~ (활짝 웃으며 손짓하는)
와요 와

Cut to.
나제희, 신나게(?) 아이들에게 간식 먹이고
있다.

나제희 (혼잣말) 우리 애랑은 밥 한 번 먹기
힘든데… 너희랑 뭐하냐 내가…

용 국장 (어느 사인가 다가와서) 아기
엄마라더니 잘하네

나제희 ?!

용 국장 우리 일 같이 하는 사인데. 미리
공부를 해야지.

나제희 다음에는 등산 가실 때 한 번
불러주세요.

내려오는 길에 땅콩두부 파는 데
알거든요

용 국장 (반가워하며) 우리 나 팀장님도
나 공부하셨구나. (사이) 그래서. 왜
오셨어요.

나제희 …앞으로의 이야기는 저를
통해서 하셨으면 해서요.

용 국장 으응? 구경이 씨한테 얘기하나
자기한테 얘기하나… 다른가아?

나제희 제가 팀장이고 구경이 씨는 제
팀원이니까요. 일이라는 게 해보니까
그렇더라고요. 결국에 최종 책임자가 될
사람이 저니까, 명확했으면 좋겠습니다.

용 국장 어유, 다이렉트 좋아하는 거
보니까 야망 있네~ 자시? 자시 생이죠?
(대답 안 기다리고) 까다로운 구경이 씨 굳이
데려다 쓰는 거 보고 보통내기는
아닐 거 같았어.

나제희, 그 말에 반응. 살짝의 미소.

용 국장 그래요, 연락은 그쪽 통해서.

나제희 감사합니다.

용 국장 또? 여기까지 온 김에 다 말해 봐요.

나제희 성공하면… (헛기침하고) 성공
보수에 대해서 정리를 안 하셨더라고요.

용 국장, 기특하다는 눈으로 나제희 보다가
나제희의 손을 잡고 쓰담쓰담 한다.

용 국장 자기야. 자기가 벌써 내 사람
같고 딸 같아서 한마디 할게.
벌써부터 돈을 쫓지 마.

나제희 설마 일하는 거 봐서 주시겠다 뭐
그런…

용 국장 아니~ 그거는 양아치고. 돈 말고,
힘을 쫓아가.
그럼 돈은 자연히 따라오게 돼 있어.

나제희 (눈이 커진다.)

용 국장 꼿꼿하게 허리 펴고 있지 말고,
살살 숙여줘. 돈한테 건, 사람한테 건,
남자한테 건. 그래야 넘어온다?

8. NT생명 사무실 / 낮

허리 숙이고 있는 나제희. 경수, 안절부절.
원식을 비롯한 A팀도 힐긋힐긋 이를 훔쳐본다.

나제희 면목 없습니다

경수 사장님, 제가 말씀드려도 되나요?
12억 손해를 6억으로 막은 게 저희 팀…

사장 아니 말씀드려도 안 돼. 능력 타령
하던 사람이 손해를 이만큼 냈으면,
시말서로 안 넘어가지는 거 알지?

나제희 (더욱 깊게 허리 숙이며) 죄송합니다

사장 그래서. 사표 쓸 거야?

나제희, 머뭇거리다가 무릎을 꿇는다.

갑작스러운 행동에 살짝 놀란 나머지들.
나제희, 멀뚱히 서 있는 경수 툭툭 치고. 경수,
그제야 허리 구십 도로 숙인다.
경수가 건넨 파일 보는 사장. 이놈들, 실적
엄청 올렸잖아?

나제희 한 번만 기회를 주시면 B팀이
7층에서 할 수 있는 역량을 최대로
뽑겠습니다. 지하로 보내시지 않는
이상은, 저희가 최선 다하는 모습 보실
수 있을 겁니다.

사장 …그거 좋네, 내려가

나제희 …사장님!

사장 내려가, 실적으로 올라와. 한 계단~
한 계단. 재밌겠지?

고소해 죽겠다는 구경꾼 A팀들 표정. 나제희,
죽상. 사장 나가자,

경수 왜 이러신 거예요?

나제희, 돌연 죽상이 펴진다.

나제희 이런 거구나.

경수 엥? (따라 일어나는)

나제희 숙이는 것도 잘 배워 놔.

9. 엘리베이터 안 / 낮

지하층 엘리베이터 누르는 나제희. 7층 열리고,
짐을 잔뜩 든 경수가 탄다.

1층 문 열리고, 청소용구 든 산타와 구경이가
탄다. 구경이만 빈손.
엘리베이터는 내려가지만, 묘하게 고양감이
솟는 구경이.
각자의 꿍꿍이가 있는 듯한 얼굴들. 지하 도착.
띵- 하고 문 열리면,

10. 지하 조사B팀 사무실 / 낮

축하 리본이 붙어 있는 화분, 화환들, 박스들
가득한 창고 간지의 공간.
경수는 가져온 박스도 못 내려놓고 있는데,
산타는 물뿌리개로 화초에 물 주고 있다.

경수 환기는 되나? (괜히 오버해서 기침
콜록콜록 하는)

먼지 쌓인 오래된 의자에 털썩 앉는 구경이.
경수, 얼굴 찌푸린다.
곧 띵- 하더니 엘리베이터 열리고 중국집
배달원이 철가방 들고 들어온다.

경수 어? 저 빼고 뭐 시키셨어요? 저 보약
먹어야 돼서 짜장면 못 먹는데!

배달원, 철가방 열자 안에는 빽빽하게
들어있는 서류 뭉치들. 사건파일이다.

나제희 빠르네
배달원 (주머니에서 쪽지 하나 꺼내 읽는다.)
필요한 게 있으면 언제든 연락하시오.

배달원, 라이터로 쪽지에 불을 붙여 화르륵
태워버린다.

구경이 오오오 (박수치는)

배달원 엘리베이터로 사라지고… 경수가
서류들 뒤진다.

경수 '게스트하우스 주인 익사…' '전주
박물관 심장마비…'
이게 다 뭐예요? 보험이랑 상관있는
건가?
나제희 밤새 봐도 모자라겠네.
저 정도면 그쪽에서 팀 꾸려서 작업하는
게 낫지 않아요?
구경이 그럴 수는 없지
나제희 왜?
구경이 내가 더 잘하니까.
산타 흐읍!

엘리베이터 소리 띵. 이번에는 다른 퀵
배달원이 들어온다.

경수 또야?
구경이 (버선발로 뛰어나가며) 남대문 퀵이죠?

퀵 배달원이 구경이에게 묵직한 종이가방
내민다. 감격스러운 손으로 받아 들면…
위스키 한 병. 재빨리 까서 흡향 하는 구경이.

구경이 진짜… 진짜 위스키다… 빼갈에

홍차 탄 게 아니라 진짜 위스키야… (한 모금)

산타, 청소하고. 구경이, 위스키 마시고. 나제희, 서류들 사이를 오가는 와중에…

경수 (혼자 멀뚱히 서서) 이게 모두 무엇인지 설명해주실 분?
나제희 (심각하게 분위기 잡고) 지금부터 내가 말하는 거… 비밀 지킬 수 있지?

경수, 기세에 몰려 끄덕끄덕. 나제희, 크게 심호흡하고 입을 연다.

Cut to -
경수, 양손을 모아 미간에 맞댄 채 짐짓 심각한 생각하는 사람의 포즈.

경수 이런 날이 올 줄 알고 있었어요. 증거도 용의자도 없는 연쇄 살인 사건이라…
제 머리가 좋긴 하죠… 좋습니다! 그 범인! 저 오경수가 잡아드리죠!
나제희 …경수 씨?
경수 (분위기에서 깨어나) 에? 에?
나제희 헛소리 그만하고 상자 옮겨.

경수가 자리에서 벌떡 일어선다. 상자를 드는데, 힘이 달려 서류 쏟아지고 만다.

구경이 (한심한 듯 보다가, 웅얼웅얼)

애으왜우이이애이흐이모으에아…
경수 뭐라고요?
나제희 (동시에) 쟨 왜 우리 팀에 있는지 모르겠다 (산타와 하이파이브)
산타 (동시에, AI 보이스) 쟨 왜 우리 팀에 있는지 모르겠다 (나제희와 하이파이브)

산타, 미안하다는 표정으로 경수 토닥토닥.

경수 (서류들 주워 읽으며) 근데 죽은 사람들, 공통점이 하나도 없네요. 사망 방법도 다르고, 나이며 성별, 사는 곳도 제각각인데. 왜들 죽었을까…
구경이 우리는 범인을 찾는 거야. 왜 죽었는지 말고 왜 죽였는지를 생각해.
산타 (무서워서 오돌돌)
나제희 지역, 성별, 속한 커뮤니티, 전부 다 다르니까. 개인적인 원한은 아닐 것이고.
오랜 시간 공들여서 계획적으로 죽였으니까. 순간 욱 해서도 아닐 것이고.
구경이 (위스키 한 모금) 많은 사람들 중에 왜 하필 이 사람들이었지?
경수 (눈치 보면서 슬쩍) 전문적인 킬러 아닐까요?

~ 경수의 판타지 ~
허름한 사무실의 문이 열리자 셜록처럼 차려입은 경수가 턱을 괴고 있다.

경수(V.O) 사무실 같은 거 차려 놓고,
의뢰를 받는 거죠. 돈만 주면 누구든
죽여드립니다!

가죽 잠바를 입고 총을 품에 넣고 걸어가는
경수, 갑자기 칼이 날아와 벽에 꽂힌다.
칼에 꽂힌 메모를 펴보는 경수.

경수(V.O) 자객처럼 어디선가 지령을
받는다거나…!

사이비 종교 집단 같은 후드를 쓰고 있는 경수…
옆을 보면 원형으로 둘러서는 후드맨들.
테이블 위에 놓여있는 이름들을 섞다가 하나를
뽑아낸다.

경수(V.O) 비밀회의 같은 걸 열어서
이 사람을 죽일지 말지 결정하는 거
아닐까요?

판타지 끝. 이글거리고 있는 경수의 눈빛.

11. 식당 / 밤

앞의 이글거림과 전혀 다른 분위기… 코
닦으며 수더분하게 국밥 먹고 있는 케이.

케이 (국물 들이켜고) 크어-

옆자리에 앉아있던 술 취한 중년 남자가
낄낄 웃는다.

중년손님 어린 아가씨가 입을 너무
벌리네? 훤-히 다 보이게!
입 큰 여자는 뭐가 어떻다던데?
케이 (입을 가리며) 호호^^

케이, 눈은 웃으며 손으로 김치 자르는 가위
세게 확 쥔다. 당장이라도 찌를 듯…

정연 뭐해? 칼을 잡았으면 무라도
잘라야지
케이 엉? (빈 김치 그릇 보고) 아아~ (김치
자른다.) 이모는 여기 김치 진짜 좋아한다
정연 이거 먹으려고 오는 거야..

김치를 씹으며 아까부터 주시하고 있던
뉴스로 다시 시선을 옮기는 정연.

앵커(E) 헤어진 애인과의 불법 촬영물을
유포한 박 모 씨가 벌금형을 받고
풀려났습니다.
정연 어떻게 저래! 저런 놈들은 씨를
말려버려야 되는데! 정말 나쁘다.
케이 ('나쁘다'는 말에-선지와 내장을 정연 그릇에
옮겨주다 TV쪽 본다.)
앵커(E) 재판부는 피고인이 촉망받는
의대생으로 깊이 반성하고 있다는 점
등의 참작 사유를 들었습니다. 한 편,
여성단체 등은 불법 촬영물이 현재도
유통 중이며 피해자 중 한 명이 자살하는
등 고통이 이어지는 것에 비해 너무
가벼운 처벌이 아니냐며…

정연 (쯧쯧) 사람이 죽었다는데 벌금이
모야… 당한 애들은 어떻게 살라고.
케이 나쁜 사람이구나.

케이, 귓구멍이 간질간질하다. 누군가 자기를
부르는 듯한 느낌. 고개를 들어보니,
식당 구석 창고 문이 아무도 손대지 않았는데
스르르 열린다.
정연은 알아차리지 못하는데… 열린 문틈으로,
아무도 모르는 검은 어둠.
케이가 어둠과 눈을 마주친다. 지금까지의
해맑던 케이와는 다른. 어둡고, 진지하다.

정연 (뒤늦게 케이 시선 따라 보고) 뭐 있어?
케이 (진지한 표정 빠르게 지우고, 장난스럽게)
이모, 내가 이모 소원 들어줄게
정연 내 소원이 뭔데?
케이 저런 놈들 혼구녕 내주는 거
정연 울 애기 이번엔 경찰 하고 싶어?
쪼끄매 가지구 저런 놈들 안 만나게
조심이나 해.
케이 진짜야. 이제 내가 이모 지켜 줄
거야. 세상에서 하나뿐인 우리 소중한
정연 씨~ (선물 주듯이 숟가락에 김치 하나
올려준다.)
정연 (살짝 감동, 김치 받아서 우물우물 씹으며) 얼른
먹어. 공연 시간 늦겠다!

12. 연극 공연장 소극장 / 밤

- INS. 공연장에 입장하는 사람들과 〈메두사의

머리〉 연극 입간판 보이고…

공연 중. 반 정도 찬 객석 가운데 눈을 반짝이는
케이와 하품하는 정연이 보인다.

페르세우스 모두 죽었나 보다

무대 가운데, 치렁한 뱀 머리를 한 메두사가
고개를 푹 숙이고 의자에 앉아있고
주변의 인물들은 돌이 되어서 굳어있다.

마부 메두사가 전부 돌로 만들어 버렸나
봅니다
메두사 (잠에서 깨려는 듯 신음소리)
마부 메두사가 깨어나요!

마부, 두려워하며 눈을 감고 엎드린다.
페르세우스, 거울 같은 방패를 들어 올린다.

페르세우스 눈을 떠라!

메두사, 눈을 뜨고 거울에 비친 자신의 모습을
보며 비명을 지른다.

페르세우스 너의 추악한 모습을 똑똑히
봐라!

케이 (무대에 매료된 채, 입을 달싹이는) 너의
추악한 모습을 똑똑히 봐…

13. 카페 / 낮

카페 나들이 온 듯 차려입은 케이가 카페
브이로그 찍고 있다.
테이블 위에 차려진 색색의 밀크티들과 크로플.

케이 (리뷰어 말투로, 밀크티 들고 작은 카메라 보며)
이거는 먹기 너무 아깝다. 으떡해~
(빨대에 입을 대려다가 살짝 뗐다가) 아 진짜
아까운데? 그래도 제가 한번 해치워
보겠습니다.

케이, 빨대로 밀크티 빨아당기고 눈
똥그래져서 말잇못…
하다가 양 손목을 부르르 떨고

케이 음~ (누군가에게 지시하듯) 이제 슬슬
오지?

케이, 귀에 블루투스 이어폰이 꽂혀 있다.
카메라 빠지면, 케이의 뒷자리에 등을 대고
앉은 박규일이 보인다.

박규일 (통화하며) 강 변 그 새끼는
싸가지고, 이번에 내 건 처리해 준 애
소개시켜 줄게.
얘네 삼촌이 대검 출신. (사이) 어
중앙지검. 빠꼬미라서 잘해줄 거야.

보안회사 유니폼을 입은 건욱이 들어온다.
슬쩍 케이 쪽을 보는 건욱.

건욱 (직원에게) 보안 점검 나왔습니다.

건욱이 직원 따라 점검실로 들어가자,
옆 테이블 앉아있던 케이가 CCTV
올려다보는데 -
곧바로 CCTV 빨간 불 꺼진다. 케이가 해킹
단말기 켜고, 원격으로 박규일의 폰을
해킹한다. 케이, 휴대폰을 들어서 박규일의
화면을 실시간으로 본다.

박규일 (알람이 자꾸 오자 폰을 켜고 혼잣말로)
난리들이 나셨구만-

화면 속. 미로넷 메시지들이 박규일에게 잔뜩
들어오고 있다.
[무사귀환쌉축 ㅋㅋㅋ 뉴스에서 봄]
[누구든 하드에 야동 하나 없는 자
김조커사마께 돌을 던져라 했더니…]
[복귀 기념 노조미 업로드 좀!!! 형빨리나 급해
헉헉]

14. 박규일 집 안 / 저녁

샤워 소리 들리는 화장실 앞을 지나, 살금살금
방으로 들어가는 검은 그림자. 케이다.
케이가 방 둘러보면, 수북이 쌓여 있는
외장하드들 (조커라고 매직으로 쓰여 있음),
컴퓨터 여러 대가 있다.
각종 최신 게임기들이 즐비해 있어서 좀 잘
사는 대학생 방 정도로 보인다.
한 쪽 작업 테이블에는 작은 인두, 납땜, 라인

등이 놓여 있다.
장갑 낀 손으로 물건들 뒤져보는 케이. 각종
생활용품으로 둔갑한 불법 촬영 카메라들.
'노조미' 라고 라벨링 된 외장하드 컴퓨터에
연결되어 있고, 미로넷에 업로드 중.

케이 난리들이 나셨구만—

그때, 물소리 뚝 끊긴다. 케이, 재빨리 화장품들
사이에서 비염용 스프레이를 집어 든다.
스프레이 신중하게 열고 거기에 한 방울,
화학약품을 넣는 케이. 똑—
동시에 화장실 문 열리고 박규일이 나온다.

박규일 아악!

나오자마자 주저앉는다. 발바닥에 뭐가 박혔다.
뒤에서 섬뜩하게 그 모습 보고 있는 케이.
바닥에 있던 피노키오 피겨어 머리. 코가 너무
뾰족하다. 그걸 뽑으며 낑낑거리다 —
등 뒤의 서늘한 기운을 감지한 박규일이 휙!
돌아본다. 아무도 없다.
복도를 유유히 빠져나오고 있는 케이 얼굴
위로, 사운드 선행. 경쾌한 팝송.

15. 케이의 집 부엌 - 현관 앞 / 밤

음악 흐르며 —
저울 위에 가루 올렸다가, 투명한 액체를 용량
맞춰 조심스레 섞고 흔드는 케이.
대단한 실험이라도 하는 것 같지만 넓게 보면,

케이가 하는 일은 요리다.
평범하게 생긴 주방세제, 식용유, 물병 등 쌓여
있는 가운데…
갓 만든 감자튀김 하나를 옆의 우리에 있는 흰
쥐에게 준다.
방금 만든 투명한 액체를 흰 쥐가 갉아 먹고
있는 감자튀김 위에 똑, 떨어뜨린다.

벨소리 띵—똥— (택배입니다.)

환하게 미소 지으며 현관문을 여는 케이.

택배기사 (냄새 맡고) 엄청난 요리를 하시나
봐요?
케이 예?
택배기사 되게 맛있는 냄새가 나서요
케이 (잠깐 부엌 쪽을 봤다가) 아…^^ 하나
드실래요?

방금까지 한 실험의 결과물인 감자튀김을 한
봉지 주는 케이.
케이의 뒤를 보면, 금세 죽어서 사지가
뻣뻣하게 굳어 있는 흰 쥐.
택배기사가 감자튀김을 한입 가득 넣는다.
목구멍을 꿀—꺽 넘어가는 감자튀김.

택배기사 오, 맛있네요! 감사합니다
(나간다.)

케이, 문 닫고 택배 상자 연다. 안에는 이전
책들과 같은 제본의 〈메두사의 머리〉 대본.

우두커니 거실에 앉아 대본에 빠지는 케이.

16. 대형 마트 / 밤

경수 산타 씨, 이건 진짜야, 들어봐. 사람 이름들을 쭉 적어 놓고 제비뽑기를 하는 거야. 이름이 나온다? 그럼 당첨. 그 사람 죽이는 거고. 아니면 아예 로또처럼 공을 돌려가지고? 돌려 돌려 돌림판 한 다음에 나오는 사람 죽이는 거면? 아니면…

카트 밀며 추리를 떠들어대는 경수.
산타는 대꾸 없이 락스를 몇 병이나 카트에 담고 있다.

경수 시체 치울 일 있어? 사무실 청소하는데 락스를 이렇게 많이…

산타, 그 말에 주눅 들어 마지막으로 넣으려던 락스 품에 안고 애처롭게 경수 본다.

경수 (눈빛에 눌려) 그래- 사무실 더러워서 머리도 안 돌아가는데. 어차피 법카야. 넣어
구경이 (안광이 번쩍) 법카?

전시용 빈백에 닌자처럼 누워있던 구경이가 그 소리에 벌떡 일어난다.

경수 깜짝이야

구경이 (빨라지는 손놀림) 담어 담어

구경이가 잡히는 대로 과자며 냉동 만두며 카트에 가득가득 담는다.

경수 이거 다 못 드실 거잖아요! 지금 사무실에 냉장고도 없는데!
구경이 원 플러스 원? 두 개씩 담어. 이건 사면 돈 버는 거야!

산처럼 물건 쌓인 카트를 밀며 구경이 따라가는 산타.

17. (교차) 남도현의 집 - 구경이의 집 / 밤

냉장고 미어터질 듯 반찬과 냉동 음식 채워 넣고 있는 산타. 문이 안 닫혀서 애를 쓴다. 뒤에서 입 벌린 채 보고 있는 남도현.

Cut to.
감동받은 남도현. 촉촉한 눈빛. 헤드셋 낀 채로 말한다.

남도현 근데 진짜 제가 이런 말 안 하는데 감사해요. 진짜 깜짝 놀랐고… 살아도 가치가 없다… 그런 생각 많이 했는데… 혹시 나도 살아도 괜찮나? 하는 생각이 조금은 들고…
구경이(O.S, E) 야!! 지금 그게 중요해!?!?!?
남도현 (벙쪄서) 에?! 에?!

구경이의 집. 살인자 관련 자료들 사이에서 게임에 빠져 있는 구경이.

구경이 정찰 똑바로 안 해? 포탄 그대로 날아오는데 왜 맞고 서 있어?!!?!?
산타 (OS, AI 보이스) 감동 바사삭

자료들 가운데 '…으로 사망' '…으로 사망' 하는 글씨들이 눈에 들어온다.

구경이 살 가치가 있다 없다 지금 안 중요해!!! 그런 거 따질 시간에 일단 집중해! 오늘 거점 무조건 먹어야 돼. 고고! 빨리 고!!

감동 파괴당한 남도현. 그래도 슬쩍 새어 나오는 웃음.

남도현 오케이 다 죽여 고고고고고고!

18. 몽타주. 실행자들에게 도착하는 케이의 메시지 / 낮과 밤

- (낮) 컨테이너. 〈메두사의 머리〉 대본이 놓여 있는 걸 건욱이 본다.

건욱 이번엔 이거가?

옆에 놓여 있는 식용유병, 주방 세제, 물통. 그 중 식용유병 들어 올리는 건욱.
병의 시점으로 - 건욱이 식용유 병을 들고 가다가 동네 놀이터의 빙글돌이에 올려놓고 돌린다. 몇 바퀴 돌아가다가 탁 멈추고, 건욱이 아닌 누군가의 손이 휙 식용유병을 낚아채 달린다.
- (낮) 주유소. 주유 끝낸 A, 창문을 내리고 계산하는데 직원이 식용유병을 내민다.

직원 사은품이에요

그때 낯선 알림음이 들린다. A, 폰 보면 미로넷에서 들어온 채팅 [네 차례야]
A가 놀라서 고개를 들면 직원인 척했던 행동원이 멀리 도망가고 있다.
룸미러에 매달려 있는 작은 '괴물인형'

- (해 질 녘) B. 도서관에서 책을 꺼내 펼치는데 쪽지가 툭 떨어진다 쪽지를 읽고 놀라 두리번거리는 B. 의자에 있던 가방을 보면, 어느샌가 들어가 있는 주방 세제.
가방에 달려있는 작은 '괴물인형'

- (밤) 득출(남, 20대 중)이 게임에 빠져 있는데, 갑자기 '이름을 알 수 없는 유저'의 메시지.
[이름을 알 수 없는 유저: 도와줄 차례, 잊지 않았지?]
[이름을 알 수 없는 유저: 내일이야]

득출의 방 책상 위에 놓여있는 '괴물인형' 보이고. 서둘러 답장을 보내는 득출.

[홍안의적룡: 최선을 다할게요!]
<<메시지를 보낼 수 없는 회원입니다.>>

19. 컨테이너 / 밤

미로넷 메신저에 메시지를 쓰는 케이.
[헐 ㄷㅐ박 인서대 축제 한영지 메이드 카페
온댄다! 형님만 믿습니다!]

케이 형님만 믿습니드아앗!

[한영지 메이드? 언더 성공하시면 선거래 50
제시오]
박규일 복사 폰에 뜨는 메시지들. 곧 박규일이
접수했다는 이모티콘을 올린다.
아래로 김조커를 칭송하는 메시지가 주르륵
이어진다.

케이 믿습니다!!!

20. 캠퍼스 / 낮

축제가 한창인 캠퍼스 풍경. 각종 행사 천막들이
늘어서 있고 젊은이들이 우글우글하다.
박규일이 인파 속으로 섞여 들어간다.
박규일의 모자 속 불법 촬영 카메라가
반짝하고.
불법 카메라가 달린 물병으로 사람들의 다리를
툭툭 건드리며 걷고 있는 규일.
그런 규일을 흘긋 쳐다보는 시선. 마스크를
내려쓴 케이다.

케이 (금세 시선 돌려 팬클럽쪽 향하고) 클로비
님들 일단 공지 드릴게여!

케이가 평소답지 않은 모습으로 나와 있다.
(팬클럽 진행요원 느낌 낭낭)

케이 무엇보다 매너가 중요한 거 아시져.
공연 7시 시작이고 우리 애들은 두 번째
순서거든여. 홈마님들 자리 배려 우선
할게요!

사다리와 카메라로 무장한 홈마들이
끄덕끄덕 한다.

케이 공연 끝나고 애들 너무 안
피곤해하면은 미니 팬밋 만들 수도
있어여
팬클럽 꺄악
케이 애들 기운 뿜뿜하게 호응 잘
해주세여 아셨져?

케이, 능숙하게 줄줄 말하면서 저쪽을 보면…
백팩 맨 B가 어디론가 가고 있다.
두리번거리며 식용유 든 A가 B를 스쳐
지나간다. 코스프레 주점으로 쑥 들어가는 A.

21. MEK 보안회사 복도 / 낮

MEK 보안회사 내부. 유니폼 입은 건욱의
뒷모습을 따라가는 카메라.
건욱이 조정실2 라고 적혀 있는 사무실 앞에

선다. 들어가기 전에 잠깐 긴장.

22. MEK 보안회사 조정실 안 / 낮

문 열고 들어가면, 한 벽 가득 채운 수십 개의
실시간 CCTV 화면.

건욱 저 왔습니다

화면 보는 중인 **보안 직원**(남, 40대 후반)과
대호(남, 20대 중반).
대호로 향하는 건욱의 시선.

대호 오셨어요

대호와 눈인사를 주고받는 건욱.

건욱 (보안 직원에게) 이쪽부터 할까요?
보안 직원 (자리 내어주며) 그래요… 나는
담배 한 대 피고 와야겠다…
(대호에게) 같이 가지?
대호 저 지금은… 괜찮습니다.
보안 직원 (의아) 그래? 그럼.

보안 직원 나가자, 건욱이 보안 직원 자리에서
CCTV 송출 영상을 체크한다.
클릭 몇 번으로 화면을 바꾸는 건욱. 화면 중
하나에 축제 중인 대학 캠퍼스 모습이
잡힌다. 작게 보이는 케이의 모습을 확인한
건욱이, 대호의 눈치를 보며 영상 타임 코드를
메모한다.

대호 언제 퇴근해요?
건욱 (깜짝) 예? 아… 저, 오늘 야간 3조…
밤 9시쯤 합니다.
대호 으응…

약간의 텐션. 건욱이 케이를 신경 써서 생기는
텐션뿐만 아니라 대호와 단둘이 있는 데서
오는 성적 텐션 포함.

대호 근데 우리.. 말 놓기로 하지 않았나?
그때 헬스장에서?
건욱 핫! 그러네요… 그러네. 원래 말 잘
놓는데…
대호 퇴근하고 맥주 한잔할까? 운동해야
돼서 안 되나?
건욱 (대답하려다 말고 그냥 웃어 보이는)

23. 대학 캠퍼스
C#1 대학 주점 안 / 낮

저질스러운 멘트들이 즐비한 코스프레 주점
안. 교복과 메이드 복 입은 학우들이 서빙 중.
규일, 맞은편에 앉은 원호와 함께 음식 집어
먹으며 열심히 두리번거린다.

원호 한영지 왜 안 보이냐? 오퍼
받았다며.
박규일 쑵, 그러게. 만반의 준비를 해
왔는데. 이런 데는 (둘러보며) 탈의실도
되게 허접할 거 아니야…
원호 (감탄) 와, 너는 그쪽으로는 진짜

대가리 진짜 잘 돌아간다~

규일, 메이드 복 입은 서버가 지나가자, 테이블
위에 있던 컵을 밀쳐버린다.
쏟아지는 음료.

서버 어떡해! 죄송해요!

서버가 숙여 정리하는 걸, 이런저런 각도로
촬영하는 규일. 낄낄거리는 원호.

박규일 죄송하면 뭐 서비스 있어야 되는
거 아닌가?
원호 (에반게리온 쿠키 억양) 서비스 서비스~

주점의 간이 주방. 튀김기 안에 기름을 붓고
있는 학생.

요리 학생 기름 벌써 다 썼어?

어느새 주방에 들어온 A가 학생 옆에 식용유
병을 올려 둔다.

요리 학생 어 고마워. (식용유 튀김기 안에
붓다가, 뭔가 생각난 듯) 어? 근데 누구?

요리학생, 둘러보면 A 보이지 않고⋯ 고개
갸웃하다 감자튀김에 집중한다.

Cut to.
서버가 가져오는 감자튀김. 규일이 감자튀김을

한입 베어 문다. 바사삭~

C#2 천막 주점 밖 / 낮

각양각색 비눗방울 날아다니는 가운데⋯ B가
비눗방울 만드는 물에 세제를 더 푼다.

비눗방울 학생 오 센스!

싱긋 웃고 사라지는 B. 주점에서 나오는
규일의 얼굴 앞에서 비눗방울이 톡 터진다.

박규일 물 좋네⋯

카메라 붙은 모자를 더 숙여 쓰고, 물통도
카메라를 앞으로 고쳐 잡는 규일.

박규일 안 가냐?

원호, 고개 흔들고. 아까 물을 쏟았던 서버
붙잡고 작업 걸고 있다.

원호 나 원래 첫눈에 반하고 그런 거 잘
없는데. 넌 좀 달라⋯
서버 (곤란한 표정)
박규일 새끼⋯

천막들 사이로 걸어가는 규일.
그때 득출이 물풍선이 한가득 든 바구니를
들고 나타난다.

득출 (한가운데에 바구니 내려놓으며) 맘에 드는 사람 맞추기~

득출이 먼저 물풍선을 들어 지나가던 학생을 맞춘다.
이를 시작으로 서로 물풍선을 던지고 놀기 시작하는 인파들.
물풍선들이 터지면서 옷이 젖어 몸매가 드러나는 학생들도 있다.
그 가운데로 들어가 사람들의 몸을 찍는 규일.
그런 규일의 얼굴에 물풍선이 날아든다.
퍽!
충격에 들고 있던 물병 떨어뜨리는 규일. 물병 주우려 허리를 숙이는데, 어라, 어지럽다.

C#3 천막 뒤편 / 저녁

걷고 있는 규일의 뒷모습.
술에 취한 듯, 갈지자로 휘청거리며 이리 치이고 저리 치이는 규일.
마침내 규일의 앞모습 보이면… 입에서 하얀 거품이 조금씩 흘러나오고 있다.
컥, 컥, 소리. 무릎이 푹 꺾이자 이상함을 감지한 주변 사람들이 둥글게 피한다.

주변인1 뭐야~ 왜 저래
주변인2 그러니까 술 좀 작작 처먹지

규일의 귀에는 모두 윙윙거리는 노이즈로 들릴 뿐.
저쪽 간이 의자에 시선이 가는 규일. 헐떡헐떡

거기로 간다.

C#4 강당 근처 / 저녁

밴 도착하고 아이돌 멤버들이 줄줄이 내린다.
홈마들의 카메라가 연신 찰칵찰칵,
팬들의 함성. 거대 망원렌즈 카메라를 들고 멤버들을 찍던 케이, 배율을 높여 밴 뒤로 보이는 규일을 본다.

– 플래시백. 3화 S#12 〈메두사의 머리〉 연극 장면. 고개를 푹 숙인 채 앉아 있는 메두사.

연극 속 메두사처럼, 고개가 푹 꺾인 규일이 간이의자에 앉아 있는 게 보인다.
나무에 매달린 거울에 규일의 모습이 일그러져 비친다.

케이 (나지막이) 똑똑히 봐…

작전이 성공했음에, 미소 짓는 케이.

케이 (카메라에서 눈을 떼지 않고 호들갑!) 와 너무 예쁘다아!

C#5 천막 뒤편 / 밤

앉아 있는 규일을 향해 빠르게 다가가는 카메라. 시점의 주인공은 미애(여, 20대 초)다. 규일은 이미 절명한 듯, 입에서 침이 떨어지는데, 어느새 가까이 다가온 미애.

미애의 손을 보면, 식칼이 들려 있다.

미애 제 영상… 지워주세요…
박규일 …
미애 제발… 지워 달라고요…

규일이 대답이 없자 미애의 눈에 분노가
감돈다.
미애, 작심한 듯 칼을 규일의 배 가까이 댄다.

미애 대답해… 아니면 찌를 거야…
대답하라고…

미애가 눈을 질끈 감고 규일의 배를 찌른다.
아무런 저항 없이 푸욱, 들어가는 칼. 규일은
아무 반응이 없다.

미애 …왜… 왜…

일단 한 번 칼이 들어가자, 흥분하는 미애.

미애 왜! 왜 그랬어! 어떻게 사람이
그래!! 어떻게!!! 지워 달라고 했잖아!

칼에 손이 베여, 미애의 피가 흐른다. '꺄악!'
비명소리. 소란. 웅성웅성.
미애가 튕겨져 나오듯 떨어진다.
칼 내던지고 피 묻은 손 내려다보다 도망치기
시작하는 미애.
'꺄아아아악-' 비명소리 퍼져간다. 미애,
달려가다 자빠진다.

C#6 강당 근처 / 밤

비명소리에 다들 당황. 저쪽 너머로 도망치는
사람들이 보인다.
케이, 예상치 못한 상황에 당황스럽고 화가 나
표정이 굳는다.

24. MEK / 밤

작은 CCTV 송출 화면 속, 미애의 소동이
보여진다. 건욱의 얼굴이 일그러진다.

25. 대학 캠퍼스 / 밤

모여든 구경꾼들 사이에 케이의 모습이 보인다.
경찰이 피범벅이 되어 울고 있는 미애를 끌고
가고 있다. 쳐다만 보고 있는 케이.

홈마1 (흥분하여 케이에게) 저거 찍어요!
방송국에 팔면 돈 줘요!

순간, 미애와 케이의 눈이 마주친다.

26. MEK 앞 / 밤

건욱과 대호, 보안 직원이 회사 앞으로 나온다.

보안 직원 진짜 안 가?
건욱 예, 급한 일이 생겨가지고.
보안 직원 (대호에게) 그럼 우리끼리 가지 뭐

다소 정신없어 보이는 건욱. 대호가 그런
건욱을 따로 불러 세운다.

대호 괜찮아? 무슨 일 있어?
건욱 (저쪽을 보고 뭔가 발견) 어? 아니 괜찮아.
대호 …나 까는 거 아니지?
건욱 이따가
대호 어?
건욱 이따가 전화해도 돼?

피식 웃으며 건욱 어깨를 툭 치고 가버리는
대호. 건욱은 그런 손길이 못내 아쉽다.

27. MEK 앞 차 안 / 밤

조수석에 올라타는 건욱.

케이 (멀리 가는 대호를 보며) 오올~
귀여운데~ 소개 안 시켜줘?
건욱 그냥 회사 동료거든.
케이 네가 나를 어떻게 속여. 어? 설마
내가 부끄러?

건욱이 케이를 심각하게 보다가, 먼저
웃어버린다.

건욱 내 일 신경 끄고 니 일이나 잘하지.
좀 빡쳤지?
니 원래 계획대로 안 되면 개빡치잖아
케이 아~니? 내가 언제? 나는 항시
평정을 유지하는 사람이야. 죽일라고

했던 놈은 죽고, 뒤처리도- (건욱이 주는
USB를 받아 들며) 깨끗하게 됐는데,
내가 빡이 왜 쳐?
건욱 하기사 뉴스 보니까 그 여자애가 다
불었다대? 자기가 했다고.
그럼 부검도 대충 할 거고 걔가 한 짓
되는 거니까 땡큐네

그 말에 흔들리는 듯한 표정을 짓는 케이.

케이 그러게. 좀만 더 참지… 괜한 짓을
해갖구…
(눈물 글썽이면서) 걔 불쌍해서 어떡해?
건욱 오바한다 또
케이 (더 울먹이면서) 진짜야… 걔가 너무
불쌍하고… 안 됐구… (고개 폭 숙인다.)
건욱 (약간 동요하는 듯하다가) …멍청하지.
케이 (고개를 팍 들면서 파하하 웃는다.) ㅋㅋㅋ 내
말이!
건욱 (따라 웃는다.) 우리가 다 알아서 해줄
건데
케이 내가 다 알아서 하지
건욱 그래도 조심은 하자
케이 그래도~_~ 조심은 하자~_~ 어우
잔소리! 가! 애인한테 가!
나이 드니까 쫄보 돼?

케이가 뒤로 몸을 조금 뺀다.

케이 옛날에도 쫄보긴 했지. 그 쉬운 걸
못 해가지고 나만 보고 있었잖아?

(산소 호흡기를 떼어내는 손시늉) 진짜, 쉬운
거였는데.
건욱 까불지 마. 그때도 지금도 닌 내
없으면 안 됐어.
케이 뭐? (ㅋㅋ) 야 내려!
건욱 차비 없다! 집까지 태워줘!!
태워줘어어!

28. 몽타주

- 취조실. 밤. 앉아 있는 미애. 앞에서 형사가
뭐라뭐라 하는데 입 꾹 다물고 있다.
- 케이의 집. 밤. 잠 못 드는 케이.
축제 때 경찰에 잡혀가는 미애가 찍힌 사진을
보고 있다.
- 조사B팀 사무실. 밤. 이불 속에 파묻혀 형체도
안 보이는 구경이.
- 한강변. 새벽 러닝 나온 건욱. 시선을 좌우로
돌리며 몸을 풀다 대호를 발견하고 씩 웃는다.
달리기 시작하는 두 사람. 함께 달리는 대호의
반려견 '다롱이'. 싱그럽다.

29. 사우나 앞 / 아침

먼저 나온 대호가 머리 털며 나오는 건욱에게
커피 내민다.

대호 제대로 안 말리면 감기 걸려.
건욱 (머리 대충 털며) 나한테 잔소리해주는
사람 처음인데
대호 어? 잔소리?

건욱 아침 먹고 가도 출근 안 늦겠지?
이것도 달리기 진 사람이 쏘는 거 맞지?

순간, 뒤에 있던 전광판 화면이 흔들리더니
이상한 인형극이 송출된다.
평소 같지 않은 기괴한 영상에 대호의 시선도
자연히 돌아간다.

대호 …저게 뭐야…?
건욱 (그걸 쳐다보다가, 이해가 되기 시작하며)
아잇…

30. NT생명 건물 로비 / 아침

옷 빼입은 직원들 바쁘게 출근하는 가운데,
이불 빙빙 두른 채, 편의점 봉지 들고 갈아만든
배 마시고 있는 구경이.
직원들의 시선이 한 곳으로 모인다. 힐긋힐긋
구경이를 쳐다보는 듯싶은데, 아니다.
보험회사 건물 밖으로 보이는 전광판. 구경이,
사람들 시선 따라 창가로 다가간다.

구경이 …?!

거대 전광판에 나오는 것은 대학 캠퍼스
CCTV 화면.
규일이 대학 캠퍼스에서 다리가 풀려
휘청거리던 모습부터 비척비척 벤치에 앉는
데까지. 앉자마자 고개를 푹 숙인 규일은
미동이 없다.
계속 해서 반복적으로 (돌림노래처럼) CCTV

화면을 보이더니 시끄러운 노래와 함께
조악한 인형극 애니메이션이 나온다.
인형 캐릭터들이 서로의 말을 반박하며, "No! I
did it!" "No! I did it!" 을 반복한다.
- 같은 화면이 나오고 있는 대로변 광화문,
홍대 등등.
아냐! 내가 했어! 아냐! 내가 했어! 아냐! 내가
했어! 아냐! 내가 했어!

31. (교차) 조사B팀 사무실 - 주차장 / 낮

나제희 (통화 중인) 어딜 간다고?

- 주차장 바쁘게 걷고 있는 구경이.

구경이 (통화 중) 박규일 만나러.
나제희 (생각하다가) 그 사람 캠퍼스
살인사건 피해자 아냐? 죽었잖아.

경수, 그 말 듣고 재빠르게 검색, 전광판에 뜬
동영상 본다.

나제희 (동영상 보며) 왜 갑자기 형사 행세야.
맡은 사건이나 합시다.

구경이, 차 찾았다!

구경이 이게 (덜컥덜컥) 맡은 사건이라는
강렬한, 응? (덜컥덜컥) 아유. 이걸 왜
잠가놔.
나제희(E) 저게 케이 짓이라고?

구경이, 안 열리는 거 알면서 계속 문
열어보는데, 갑자기 문이 열린다.
어떻게 알았는지 차 키 가진 산타가 갈아입을
옷까지 가지고 등장했다.

구경이 왜 이렇게 늦게 왔어!
산타 (억울)
구경이 삼한대학병원 부검실로.
나제희(E) 다짜고짜 간다고 선배한테
문을 열겠어? 그 쪽에 전화해줘?
구경이 아니. 이건 일단 우리만 파보자. 쟤
(산타)가 할 수 있을 거 같아.
산타 ?!
나제희 (전화 툭 끊긴다.) 뭘 믿고 이렇게
직진이야.
경수 저거 땜에 케이라고 생각했나 봐요.

칠판에 쓰여 있는 케이에 대한 정보.
'사고사, 자연사, 자살로 위장, 살인 사건으로
보이지 않게 만든다. 죽은 사람들은 크든 작든
죄를 지었다. 그 죽음을 원한 사람이 용의자가
되지 않게 만든다.'

나제희 (그중 하나에 주목) 그 죽음을 원한
사람이 용의자가 되지 않게 만든다.
저 정도로 거기까지 간다고?

32. 컨테이너/ 낮

건욱이 성난 얼굴로 케이가 모은 연극 대본
컬렉션을 상자에 쓸어 담고 있다.

건욱 왜 안 하던 짓을 하는데

케이 오바 하지 마! 뭘 이렇게까지 해~

건욱 지금 잡혀 있는 애가 진범 아니라고 니가 광고해 준 거다. 아예 자수를 하지 감방 가서 푹푹 썩고 싶으면! 경찰이 니 못 잡을 거 같냐?

케이 어. (천진난만한 목소리로) 어떻게 죽였는지 방법도 모를 거 같은데~? (상자 들고 나가려는 건욱 잡는) 그거 좀 냅두라고~

건욱 인제 이것도 다 '정거'다!

케이 이게 왜 '정거'냐? DNA도 아니고 흉기도 아니고 뭣도 아닌데? 대가리 좀 쓰세요

건욱, 우물우물 하다가 할 말이 없다. 실실 웃고 있는 케이 보자 더 화가 올라온다.

건욱 우리 위험하게 만들지 마라… 니 자꾸 이래 나오면, 더는 못 도와준다

케이 도와줘? 니가아? 나를?

건욱, 무시하고 문 쪽으로 나가려는데, 목에 날카롭고 차가운 게 닿는다. 멈칫.

케이 거기까지 해. 나 시험하지 말고.

긴장한 건욱, 칼날이 파고들지 않게 천천히 상자를 내려놓는다. 그제야 손을 떼는 케이. 보면, 칼이 아니라 머리핀이다. 케이, 컹컹 웃으며 머리핀을 툭 던진다.

건욱 니 진짜!

콧노래 부르며 대본 든 상자를 진열장으로 가지고 가는 케이.

건욱, 그런 케이를 노려본다.

33. 삼한대학병원 부검실 앞 복도 / 낮

부검실 앞에서 카드 찍고 문 열리는 부검 조수. 팍! 누군가 부딪힌다.

조수 뭐야?

보면, 미남자 산타. 산타의 미안한 표정 보고 성내려던 게 쏙 들어가는 조수.

조수 아… 여기가 좀… 미끄럽죠?

구경이, 그런 조수 뒤에서 문을 쏙 열고 들어간다.

34. 삼한대학병원 부검실 안 / 낮

시신을 살피고 있는 부검의. 시신은 보이지 않는다.

부검의 깨끗한데…

부검의, 메스 달라는 듯 손 내밀면 손 위에 쥐어지는 소세지.

구경이 그러게… 깨끗하네.

부검의, 소세지 보고 구경이 본다.

부검의 누구세요?
구경이 경찰 (뒷말을 흐리며) 이히오… (말 똑바로) 술이 아무리 취하고, 자고 있었대도. 팔이고 손목이고 방어흔 하나 없잖아요?
부검의 담당 형사가 바뀌셨나? …당신 경찰 맞아?

구경이, 옆에 있던 메스를 쥐고 부검의에게 달려든다.

부검의 으악!!! (도망치는)
구경이 한 뼘이나 작은 여자애가 칼을 들고!

부검의, 놀라서 구경이를 밀치고 방어 자세를 취한다. 뒤로 밀려나는 구경이.

구경이 (다시 달려가 부검의의 배를 노리는) 자기를 막 찌르려고 하는데!

부검의가 비명을 마구 지르며 배를 보호하려 감싸 쥔다.

부검의 그걸 꼭 실습을 해야 압니까?
구경이 (그제야 메스 내리며) 남자가 의식이 조금이라도 있었으면 오히려 당하는 건

여자애 쪽이었을 거야. 한 번도 제대로 못 찔렀을걸.

부검의의 비명을 들은 부검 조수와 산타가 들어온다.
산타 들어오자마자, 시체 보고 - 조수의 몸 위로 쓰러진다.

조수 뭐야! 괜찮으세요?
부검의 그 사람도 형사야?
구경이 (산타 신경도 안 쓰고) 자상은 몇 개라고요?
부검의 (어쩐지 순순히) 여섯 개요.
구경이 약물 검사는?
부검의 아직 거기까지 안 갔습니다. (반신반의) 어느 서 누구시라고요?
구경이 (소세지 씹으며) 당신은 누구신데?
부검의 나? 나 부검의 시죠.
구경이 (박규일 소지품 뒤적이면서) 그럼 이 분은 누구실까나?

구경이, 박규일의 모자를 들어보면, 반짝 - 초소형 카메라의 렌즈가 보인다.

구경이 (흥분!) 동작 그만! 지금 중요한 거 나왔어! 다들 움직이지 마!

구경이, 모자에서 카메라 분리하면 - 드러나는 USB 포트. 모두 집중!

35. 박규일의 불법 촬영 동영상 화면(3초 컷)

구경이의 얼굴을 배경으로 빠르게 재생되는 화면 - 규일이 축제 당일 찍은 것. 흔들거리는 인파들 사이… 주점으로 들어가는 모습… 감자튀김 나오고… 등등. 잠깐씩 멈춰지며 강조되는 이미지. '감자튀김' '비눗방울' 그리고… 카메라 쪽으로 물풍선이 날아들고, 동영상 멈춘다.

구경이 (사운드 선행, 대학생 말투로) 안녕하세여-!

36. 캠퍼스 / 낮

캠퍼스 폴리스라인 쳐진 곳. 축제 현수막 아래 학생회 전화번호. 통화 중인 구경이. 산타는 리스펙 하는 표정이다.

구경이 (대학생 말투로) 축제 때, 물풍선 할 때 지갑을 잃어버려서요… 근데 그건 주최가 어느 과였어요? (사이) 아… 물풍선은 프로그램에 없었다구요?

상대가 대답하기도 전에 전화 끊어버리는 구경이. 경수가 잰걸음으로 달려온다.

구경이 왜 빈손이야? 아직이야?
경수 거기서…

구경이(O.L) 아니 검사지 하나도 못 빼돌리면서 이 팀에 왜 있는 거지?
경수 (짜증! 울 참고 암기한 것을 외운다.) 아트로핀, 클로르페니라민, 리도카인이 제일 많이 나왔고요 나머지는 플루티카손 푸로에이트. 아주 미량 나온 것들은 네르니졸, 일프리좀, 스피부론 등입니다 (으쓱)
산타 (AI보이스) 와 정말 대단하네요!
구경이 확실해?
경수 검사지는 안 내주려고 해서 바로 다 외웠어요. (아는 척) 독약 성분은 딱히 없는데요
구경이 (경수 무시하면서) 김정남이 말레이시아에서 죽을 때, 여자 두 명이 김정남 얼굴에 뭘 발랐어. 맨손으로 그걸 만진 여자 둘은 멀쩡했는데, 김정남은 10분 만에 죽었지.
경수 각각은 안전해도 섞이면 치명적인 약물이라는 거군요

- 구경이의 재구성.
원호와 규일이 주점에 앉아있다. '한영지 어딨냐?' 감자튀김 먹는 규일.

구경이(V.O) 네르니졸은 기름에 섞이지

주점에서 나오는 구경이의 눈앞에서 비눗방울이 터진다.

구경이(V.O) 일프리좀. 가벼워서

떠다니다가 어느 점막에건 달라붙기 쉽고.

주점들 사이를 걷는 구경이. 구경이 앞에 물풍선 바구니 든 득출이 지나쳐 간다. 곧 구경이의 앞에서 물풍선 싸움이 벌어진다.

구경이(V.O) 스피부론은 약간의 비릿한 냄새만 빼면 그냥 맹물 같거든?

구경이의 머리를 향해 날아오는 물풍선.

경수 (흥분) 그 세 가지가 섞여서 독약이 된 거군!
구경이 (찬물) 그 셋으로는 부족하지~ 하지만? 여기에 아르젠타늄을 더하면 충분해져. 소염제랑 같이 쓰면 부검에도 안 나오고,

- INS. 부검실에 있던 박규일의 소지품들 사이에 비염 스프레이약 보인다.

경수 스프레이약! 소지품에 있었어…
구경이 약물 검사에도 성분 나왔잖아. 하여튼~ 달달 외우기만 할 줄 알지.
산타 (AI보이스) 어떻게 자기가 원하는 곳에 사람을 딱 불러 낸 거죠?

구경이, 발에 밟히던 물풍선 잔해를 들어 올린다.

구경이 빅 픽처를 그렸네

37. MEK 보안회사 조정실 / 낮

근처 제자리에 앉아서 초조함을 숨기고 있는 건욱.
나제희가 대호와 축제 날 CCTV를 확인 중이다. 물풍선 바구니를 내려놓는 득출이 보인다.

나제희 이 사람이요! 이 사람 팔로잉 해주세요.
대호 (긴장하여 한숨 쉬는) 얼굴이… 잘 안 보이는데…

대호, 다른 공간 CCTV 화면 띄운다. 하나, 둘, 셋…

나제희 여기요!

체크무늬 남방을 입고 걸어가는 득출이 보인다.
다음 화면으로 넘기는데 검은 화면 뜬다.

대호 응? (버튼 조작하는데 계속 검은 화면)
나제희 왜 이래요?

대호, 대꾸 안 하고 그 다음 CCTV 화면 띄운다. 득출의 체크무늬 남방이 보인다.

대호 여기 가네요

대호가 학교 정문의 CCTV화면을 틀려고

하는데, 또 블랙이 뜬다. 더 초조해지는 건욱.
대호가 보기에도 이상하지만, 보안 뚫린 티
날까 봐 화면을 다른 데로 돌린다.

나제희 잠깐만요. 거기도 파일 없는
거예요? 아까도 그랬잖아요.
대호 정문이니까 어차피 밖으로
나갔겠죠. (거리 CCTV 띄우는) 어디 있나…

화면 속에 체크무늬 남방이 보이지 않는다. 눈
가늘게 뜨는 나제희. 긴장하는 건욱.

나제희 저기다! 와 나 바로 찾았어! 대박!
(냉정 되찾고) 선샤인 고시원…

나제희가 가리킨 검은 반소매 티를 입은
득출이 어느 고시원 건물로 쑥 들어간다.

대호 어떻게 알아요? 저 사람인지?
나제희 신발이 같잖아요. 빨간색. 협조
감사합니다. (일어서며) 근데 아까 그 이빨
빠진 화면들은 삭제된 건가요?
대호 아… 그게… 워낙 데이터가
많으니까요. 이러고 또 멀쩡하게 재생될
수도 있고요.

의심스러워하는 나제희의 얼굴. 불안한 눈빛을
감추지 못하는 건욱.

38. 고시원 복도 - 득출의 방 / 낮

문 열리고, 득출의 빨간 신발 보인다. 득출,
수상한 기운에 재빨리 문 닫는데
구경이가 경수를 밀어서 경수 몸이 문
사이에 낀다.

경수 아야!!!!!!!!

Cut to.
득출, 스파이더 캐쳐를 구경이들 쪽으로
펼치고 있다. 벽에 딱 붙은 구경이와 경수.
너무 좁아서 산타는 반투명유리로 된 화장실
안에 들어가 빼꼼 눈만 보인다.

득출 (위협하며) 거기 딱 붙어 있어.
넘어오면 쏜다.
경수 (손 들고) …자기 학교 축제도 아닌데
왜 갔어요?
득출 나도 자유의지가 있다! 가고 싶어서
갔는데 왜!
구경이 영장 갖고 와? 고향 계신
부모님한테 전화부터 돌려? 똑바로 말
안 해?
경수 물풍선은 왜 가지고 갔는데요?
득출 (쭘쪼그라들어서) 그냥. 누가
부탁했는데. 대학생들 노는데… 갖다
주라고…
구경이 누가 부탁했지?
득출 …모르지, 나는.
경수 부탁이면, 대가로 뭘 받았겠네. 얼마

주던가요?

득출 아닌데!!! 대가 그런 거 없이 그냥
도와준 건데!!!

구경이 그으냥?

- 플래시백. 2화 S#18. 재영이 구경이에게 전한
음성 변조 목소리
'다음에는 저를 도와주셔야 돼요'

산타가 (아까부터) 화장실 유리문을 툭툭 치며
뭘 가리키고 있다.
구경이가 뒤늦게 보면, 창틀 위에 놓인 작은
'괴물인형'!

- 플래시백. 2화 S#15 산타가 재영의 딸 선미와
놀아줄 때…
똑같이 생긴 괴물인형을 가져오는 선미.

구경이 (!!, 경수에게 작게) 밀어붙여, 잘하고
있어

경수 (우쭐) 누구야, 누가 시켰어! 모를
리가 없잖아!

득출 (우물우물) 영장 못 치잖아요. 물풍선
갖다 놓은 거 밖에 없는데…

경수 그 물풍선 때문에 사람이 죽었어!
네가 그 살인 용의자라고!

득출 무슨! 그 여자가 찔러 죽인 거 다
아는데! 총무님!!! 총무님!!!!!!!!

경수 누구 말하는지 아네? 너 딱 걸렸어.

구경이, 경수가 열 내는 사이 살금살금 창틀

위에 있던 괴물인형을 낚아챈다.
일어나려다 침대에 자빠진 구경이. 득출이
스파이더 캐쳐로 구경이 머리칼을 잡아챈다.

득출 절로 가!

소란스러운 소리에 달려온 고시원 총무.

총무 뭐야? 여기 외부인 출입금지예요!
경수 저희가 물어볼 게 있어서 왔습니다
총무 그만 괴롭혀요! 안 그래도 힘든
시간 보낸 친구예요. 나가세요!
구경이 (뭔가 생각하는) 예예~ 갑니다~
(나가는)

머리 다 헝클어진 구경이, 어안이 벙벙한 팀을
데리고 밖으로 나와 계단으로 내려간다.

구경이 어차피 장기말이야. 케이가
누군지는 모를 거야.

39. 득출의 방 / 낮

숨을 몰아쉬며 허겁지겁 카메라 찾아 멀어지는
구경이 무리 사진을 몰래 찍는 득출.
경수가 차에 올라타고, 차가 출발한다. 득출,
멀어지는 차를 보며 안심.
서둘러 컴퓨터 앞에 앉아 게임에 접속한다.
차에 탄 척 위장했던 구경이가, 골목에서 슬쩍
모습을 드러낸다.

구경이(V.O) 케이한테 데려다 줄 수는 있지.

40. 거리 / 저녁

득출이 종이가방을 들고 재빨리 걷는다.
걸으면서도 연신 주변을 두리번두리번
첩보 영화라도 찍는 듯. 이윽고 지하철역으로
쏜살같이 내려가는 득출.

41. 지하철역 / 밤

누군가를 기다리는 득출. 그를 보고 있는
제3의 시선! 구경이와 산타다.

구경이 어미를 잡으려면 새끼를
풀어줘야 하는 법. (델리만쥬 씹는다.)
산타 (작은 AI 보이스) 정말 구리타분하네요
구경이 (대수롭잖게) 압박 들어갔으니까,
어미 찾아 갈 거… 숙여!

후드를 쓴 여자가 득출에게 다가온다.
케이인가? 잔뜩 몸을 숙이는 구경이와 산타.

구경이 보여?

여자의 얼굴이 잘 보이지 않아, 몸을 숨기며
산타의 반대쪽으로 이동하는 구경이.
뭔가 대화를 하는 듯한 득출과 여자. 산타가
초인적인 힘을 발휘하여 귀를 연다.
커지는 산타 귓구멍 줌 인!

여자 디씨오칠공 님이세요?
득출 예, 예엡!

얼굴 드러나는데 우리의 케이가 아니다. 그냥
젊은 여자다.
득출이 주섬주섬 종이가방에서 작은 카메라를
꺼낸다.

득출 보시면 작동 잘 하고 기스도
없습니다…

득출이 카메라를 꺼내서 이리 저리 찍어본다.
산타 쪽을 향하는 카메라 렌즈!
헉! 더 잘 들어보려고 고개를 빼고 있던 산타가
순간 고개를 숙인다.
구경이, 아무리 봐도 중고 거래로 보이는
만남을 보고 낭패다, 하는 얼굴.
여자에게 돈 받고 돌아서는 득출. 득출과
여자가 반대방향으로 멀어진다.
구경이가 여자를, 산타는 득출을 쫓는다. 전화
통화를 하며 지하철 기다리는 여자.

여자 어. 방금 카메라 샀어. 여행 준비 다
했어?

구경이, 어느새 스리슬쩍 여자 옆에 와 서 있다.

여자 브이로그 찍고 실버 버튼? 골드는
가야지~ (뭐야, 이 사람…)

여자가 구경이에게서 한 걸음 떨어진다.

구경이 다시 따라붙고.

여자 따라서 지하철에 올라타는 구경이. 여자, 힐끔거리다 문 닫히기 직전 내린다.

문 닫히는 지하철. 헉! 절망하고 문 창문에 붙어서 여자 쳐다보는 구경이.

여자 (통화 상대에게) 어, 아니야. 이상한 사람 있어서… 다음 거 타려고.

42. 거리 / 밤

바쁘게 걸어가는 득출. 산타가 뒤쫓고 있다. 그 발걸음 그대로… 고시원으로 들어가는 득출.

산타 (AI 보이스) 바로 집으로 들어갔어요

43. 지하철역 / 밤

구경이 (산타 문자 확인하는) 이럴 리가 없는데…

구경이가 탄 지하철이 출발하기 시작한다. 창에 붙어 여자를 뚫어져라 보는 구경이.

여자 (그런 구경이 이상하게 보며) 잠깐만… 문자 하나만 보내고…

여자, 가방에 넣었던 카메라 꺼내는데, 가방 속에서 득출의 것과 같은 괴물인형이 떨어진다!! 괴물인형 캐치한 구경이! 하지만

지하철이 너무 빨리 멀어진다.

여자가 카메라를 켜서 방금 득출이 찍은 사진을 어디론가 전송한다. 전송 완료.

여자 (통화 상대에게) 응, 누가 뭐 부탁한 게 있어가지고.

여자가 보낸 사진 속에는, 선명하게 찍혀 있는 구경이와 산타의 얼굴.

44. 피트니스 센터 / 밤

사진을 들여다보고 있는 케이. 득출이 찍은 구경이 얼굴을 확대해서 본다.

케이 경찰도 아니고… 보험조사관이 왜…?

케이가 사진을 옆으로 밀어서 산타의 얼굴을 확인한다.

정연 (불쑥) 누구야! 잘생겼다!!!!
케이 (화들짝 핸드폰 숨기는)
정연 뭘 숨기냐! 이름이 뭔데? 몇 살이야?
케이 또또 이러신다!
정연 운동하러 와서 그것만 붙들고 있는 이유가 있었네.
다시 봐 봐. 다른 사진은 없어?
케이 아직 그런 사이 아니야
정연 어머머! 그런 사이이이? 그럼 무슨 사인데?

케이 (빙글빙글 웃으면서) 얘가 나 좋다고
쫓아다니는 사이?
정연 좋을 때다!
케이 (잠시 짱구 굴리다) 하도 만나주세여
주세여 해서 먼저 가야겠네.
정연 어머! 이 시간에? 만날 사람도 없는
이모는 땀이나 빼야지.
너무 늦게 다니지 말고!
케이 아~ 예 예!

케이, 나가다가 이모가 러닝머신에 올라가
집중하고 있는 걸 살피고 탈의실로 들어간다.

45. 휘트니스 센터 탈의실 / 밤

케이, 능숙하게 정연의 사물함을 열어
지갑을 뒤진다.
밖에서 누가 들어오는 소리에 잠시 긴장…
했다가 보험회사 출입증 찾아내는 케이.

46. 경찰서 앞 / 밤

- INS. 득출의 '괴물인형'을 손에 쥔 산타가
보험회사로 들어간다.

구경이(V.O) 산타가 들고가는 거, 중요한
단서일지도 몰라.

구경이 (통화 중) 끓이든 분해하든 술에
담그든 해서 뭐든 찾아내.
나제희(E) 선배는 어딘데?

구경이 나는… 갈 데가 있어서.

구경이, 올려다보면 경찰서 앞.

47. 경찰서 안 / 밤

유치장에 돌아누워 있는 미애. 앞에 놓인
국밥에는 손도 안 댄 채다. 구경이가 들어선다.

경찰 어떻게 오셨어요?
구경이 (유치장 안의 미애 발견하고 가짜변호사 명함
준다.) 쟤 변호사예요.
경찰 예? (곤란) 아무리 변호사 시라도
접견시간이 따로…
구경이 법적으로 보장된 변호인 접견권
방해하시는 거예요? 시끄럽게 한 번 가
봐요?
경찰 (에잇…) 빨리 끝내세요!
구경이 (국밥보고) 저거 다 식었네. 새로 좀
시켜주세요. 두 그릇!

48. 경찰서 안 접견실 / 밤

후룩후룩 국밥 먹는 소리가 들린다.
보면, 국밥을 허겁지겁 먹고 있는 것은
구경이다.

구경이 소주가 있어야 되는데… (미애 더러)
안 먹니?

미애, 한 숟갈도 뜨지 않고 가만히 앉아있다.

구경이 그럼 국물 좀. (미애 국밥 가져다 국물 붓는) 깍두기를 너무 많이 말았더니 짜네

미애 아줌마 변호사 아니죠

구경이 말 할 줄 아네

미애 왜 그랬는지 물어보러 왔어요?

구경이 둘 다 아니야

미애 ?

구경이 변호사도, 왜 그랬는지 물어보러 온 것도 아니라고

미애 …

구경이 왜 그랬는지 말고 다른 거 하나 묻자. 누가 널 도와준다고 한 적 있어? 지금 도와줄 테니까 나중에 빚을 갚으라거나, 다음번엔 자길 도와야 한다거나…

미애 …아무도 없었어요.

구경이 아직 너한텐 안 왔구나… (사이) 너 도와준 사람, 하나는 있다.

미애 네?

구경이 누가 박규일 죽은 거 자기가 한 짓이라고 광고하고 있어. 위험 감수하면서까지 네가 살인자가 아니란 걸 알리고 싶었던 거지.

미애 (동요하는) 제가… 제가 찔렀잖아요

구경이 사람 죽이는 게 얼마나 어려운 지 아니? 너 손 다 상했잖아.

미애가 붕대를 칭칭 감고 있는 스스로의 손을 만져본다.

구경이 칼로 사람 찌른다고 그렇게 푹푹 안 들어가. 특히나 너같이 근육 없는 애는. 기껏해야 제일 깊은 상처가 4.2cm. 그것도 급소는 피해 갔고.

미애 그러면… (울먹이기 시작한다.)

구경이 어, 너 사람 안 죽였어. 죽어 있는 사람을 찌른 거야.

미애, 눈물이 터진다.

구경이 이런 경우는 살인 미수니, 사체 훼손이니? 변호사 불러서 적극적으로 변호해. 그 새끼가 얼마나 나쁜 놈이었는지 떠들고, 너는 죽일 마음 없었다고 해. 심신 다 망가지고 제정신 아니었다고. 운 좋으면 너무 늙기 전에는 나오겠지.

미애 (울면서) 그래도 제가 찔렀잖아요

구경이 맞아. 그 칫값은 평생 치를 거야.. 그건 어쩔 수 없어. 그래도 니가 살인자는 아니야.

미애 (구경이의 말에 진정하기 시작하는) …그 사람은 누구예요? 저 도와준 사람.

구경이 살인자. 죽일 놈들만 골라 죽이는 살인자.

미애 ? 나쁜 사람이에요?… 좋은 사람인가…

구경이 (일어나며) 그 사람이 도와 달라고 찾아오면 연락해.

미애 제가 왜요?

구경이 잡아야 되니까…

미애 유일하게 내 생각해 준 사람이 그

사람인데, 제가 어떻게 배신해요.

구경이, 무심코 넘기려다가 또렷해진 미애의 눈을 보자, 환기되는 과거의 기억.

케이 (과거 목소리 사운드 선행) 경찰 쌤이라면 어떻게 할 거예요?

49. 과거. 고등학교 연극부실 / 낮

과거 취조 장면 이어서 -

구경이 뭘?
케이 안 들키게 사람 죽이려면요.
구경이 그걸 경찰인 나한테 물어보는 거야?
케이 그냥 재밌잖아요. 생각하는 거.
구경이 일단은 그 대상이 어떤 사람인지 파악하겠지. 평소에 뭘 먹는지 어딜 가는지…
그리고 그 상황에 가장 자연스런 죽음을 생각할 거야. 살인으로 안 보이게.
케이 오… 역시 다르다 달라. (눈 반짝)
구경이 그리고… 내 손으론 안 할 거 같다. 모습을 보이면 언젠간 들킬 테니까.
케이 그럼 어떡해요?
구경이 나를 절대 배신하지 않을 사람을 찾아서 공범으로 만들어야지.
케이 절대 배신하지 않을 사람을… 만들 수가 있어요?

구경이 없지. 그래서 난 사람 안 죽여.
케이 에이 뭐야~

50. 경찰서 안 접견실 / 밤

구경이 절대 배신 안 할 사람…

구경이, 깨달았다.

51. 보험회사 지하 주차장 / 밤

아무도 없는 을씨년스러운 분위기. 무거운 쓰레기통 굴러가는 소리만 들린다.
산타가 쓰레기 처리장에 쓰레기통을 밀어 놓고, 돌아선다.
삐이이이------! 갑자기 텅 빈 주차장에서 울리는 자동차 도난 경고음.
산타의 시선이 뺏긴 사이, 산타의 등 뒤에서 부스럭- 하며 일어서는 형체.
산타가 뒤를 돌아보면, 언제부터 있었는지 처리장에 청소 직원 - 케이가 우두커니 서 있다.
기묘한 아우라. 서서히 산타에게 다가오는 듯… 긴장된 상황!

———————— 〈3화 끝〉 ————————

4화

"...후회할 때는

옆에 아무도

없을 거야."

1. 보험회사 로비 / 밤

청소 직원 유니폼 입은 케이가 출입증 찍고
로비 통과한다.
엘리베이터 앞에 서서 **빽빽한** 층별 안내도를
올려다보는 잠시, 마침 지하에서 올라오던
엘리베이터 문이 열리고 경수와 산타가 내린다.
한걸음 떨어져 산타를 쳐다보는 케이의 시선.

경수 (산타에게) 이렇게 계속하다간 골병
난다고…

경수와 산타가 로비 빠져나간다.

2. 조사B팀 사무실 / 밤

불 꺼진 사무실, 플래시 불빛으로 비춰 보이는
수북한 사건 자료들.
팀원들의 책상을 하나씩 비춰보며 신상을
살피던 케이, 갑자기 웃음이 터진다.

케이 아하하하학! 내 전담반 생긴 거야?
대박! (이어지는 웃음)

3. 회사 앞 / 밤

경수와 함께 걸어가던 산타.

경수 우리 회식은 안 하나? 그럼 우리
둘이라도 브로로서…
산타 !! (갑자기 우뚝 선다.)

경수 왜? 좋아서?
산타 (사무실을 돌아본다.)
경수 뭐 놔두고 왔어? 칠칠맞네… 그럼
나 먼저 간다!

산타, 오케이 사인하고 회사 건물로 다시
돌아간다.

4. 조사B팀 사무실 / 밤

책상 밟고 올라가 도청 장치를 설치 중인 케이.
키가 모자라 아슬아슬.
복도 쪽에서 발걸음 소리 들린다. 긴장하는 케이.
철컥- 사무실 문이 열리고 산타 들어오는데…
사무실 안은 고요하다.
불 켜고, 정수기에서 물을 한 컵 받아 화분으로
가는 산타.
'1일 1회 꼭! 물주세요!' 적혀 있는 화분에
조심스레 물을 붓는다. 이거였니 산타…
산타가 나오려는데 대형 쓰레기통이 나와
있다. 갸웃. 그걸 밀고 복도로 나오는 산타.

5. 보험회사 지하 주차장 / 밤

주차장 한쪽 편 쓰레기 집하 장소에 자신이
밀고 온 쓰레기통 놔두고 돌아서는 산타.
그때 주차 되어있던 차 중 하나에서 보안
경보음이 울리고, 귀가 먹먹해진 사이 -
쓰레기통 검은 봉투 안에서 케이가 기어
나온다.
앞에서 걸어가던 산타가 뒤를 돌아보면,

멀리에 청소 직원 옷을 입은 케이가 보인다. 마스크를 쓴 케이가 서서히 산타에게 다다른다. 아무렇지도 않게 스쳐 지나가는 케이. 산타, 언제나처럼 공손하게 인사하는데 이상한 느낌을 받는다.
정확히는 냄새. 산타의 벌름거리는 코로 클로즈업.

- INS. 산타가 청소 용역 직원들에게 간식 드리며 예쁨 받는 사이 들리는 대화.

직원1 향수 뿌려봤자 저녁 되면 쓰레기 때매 향이 싹 달아나!
직원2 안 뿌리는 게 나아. 섞이면 썩은내 나더라.

다시 지금. 벌름거리는 산타 코. 이건 갓 뿌린 상쾌한 향수 냄새.
산타가 곧바로 고개를 들어 보는데 케이는 이미 멀찌감치 입구까지 나가 있다.
산타가 살짝 망설이다가 케이를 따라가기 시작한다.

케이 (산타가 따라오자 잰걸음으로) …뭐야.

재빨리 주차장을 빠져나가는 케이. 산타가 놓치지 않고 쫓아온다. 빠른 음악 시작되며,

6. 추격 몽타주

- 케이가 눈에 보이는 가까운 지하철역으로

들어간다. 따라 들어가는 산타.

- 케이, 개찰구 찍었다가, 산타가 들어오는 거 보고 바로 나와서 반대편으로 다시 올라오는데… 산타의 체력이 지지 않는다. 점점 운동회 달리기스러워지는 추격전.

- 밤의 대로로 나온 케이. 속도를 높이는데, 산타, 지지 않고 달리기 시작한다. 금방 케이의 뒤까지 따라잡는 산타. 케이, 차들이 달리는 도로로 뛰어든다. 요리조리 차를 피해 건너가는 케이를 보고 아연실색하는 산타. 케이가 길을 건넌 뒤 고갤 돌리니, 조금 떨어진 횡단보도에 초록불! 맹렬하게 횡단보도로 달려 길을 건너는 산타.

- 먹자골목. 쑥 나타난 케이. 어느새 청소 직원 유니폼은 벗었다. 고깃집, 국밥집 지나 취객들 피해 가며 쏜살같이 빠져나간다. 이쯤이면 따돌렸겠지? 싶어서 뒤를 슬쩍 봤더니 골목 끄트머리에서 고개를 쑥 내는 산타.

케이 와, 징하네

산타가 먹자골목 본격 진입하는데 마침 고깃집 연탄 나오고 - 그걸 피하려다 국밥집 사장이 내버리는 육수에 정통으로 옷이 젖고.. (윽) 정신을 못 차리는 사이 취객이 이 쑤시고 던진

이쑤시개가 볼에 날아오고 (윽2)
동네 개가 싸고 간 개똥까지 엉겁결에
밟으면서 (윽3)
산타에게는 너무나 극한의 상황. 정신이
혼미해진 사이, 케이가 숨을 좀 돌리려
길을 가는 척하다가 눈에 보이는 건물로 쑥
들어간다.

7. 건물 옥상 / 새벽

옥상까지 겨우 올라온 케이가 숨을 헐떡인다.

케이 운동선수야 뭐야

땀을 억수로 흘리는 케이. 마스크 내리고 겨우
숨을 쉬면서 건물 아래를 슬쩍 보는데,
쿵… 옥상 문이 열리는 소리.

케이 어어?

꾸궁… 몰골이 엉망진창인 산타 등장. 재빨리
다시 마스크 올려 쓰는 케이.
산타, 옥상을 훑다가 케이를 발견한다.

산타 (잠시 멈추라고 팔 뻗는데-)

팍!
그대로 날아와 옆 벽에 꽂히는 쇠꼬챙이.
산타의 볼에 맺히는 핏방울.
산타가 놀란 눈으로 보면, 해가 뜨려 밝아오는
하늘, 그 하늘 배경으로 -

케이가 난간 너머로 몸을 던진다. 뒤늦게
쫓아가 난간 너머를 보는 산타.
착지한 케이가 절뚝이며 일어나 출근길 인파
속으로 몸을 숨긴다.

8. 동영상 화면

케이가 유포한 동영상 뒷부분. 캐릭터들이
서로의 말을 반박하며,
"No! I did it!" "No! I did it!" "No! I did
it!" 을 반복한다.
아냐! 내가 했어! 아냐! 내가 했어! 아냐! 내가
했어! 아냐! 내가 했어!…

화면 정지. 빠져나오면, 케이블 토론 프로그램.
고담(남/40대)이 발언 중이다.

고담 IT전문가 입장에서 말씀드리면, 이
영상은 웹에 업로드 된 것이 아니라
전광판에 연결된 서버에서 바로
송출됐다는 점에서 상당히 숙련된
해커가 개입했을 가능성이 큽니다

자막. 법무법인 정의로운사회를위하여 대표,
(주)피스랩 대표

고담 그것보다 주목해야 할 건
메세집니다. 사실 '진범'은 따로 있다.
현장에서 체포된 그 어린 여학생은
어쩌면 또 다른 피해자라는 겁니다.
다른 패널 (흥분하며) 방금 발언은 상당히

위험한-

화면 바뀌고, BJ가 신나게 떠들고 있는
유튜브 영상.

BJ샘시 진짜 어렵게 모셨습니다
당시에 현장에 계셨는데… 일단 저희
미미남 채널이 특종을 잡았다고 할 수
있겠는데… 피해자 친구분 나오셨어요

침통한 얼굴로 꾸벅 인사하는 원호.

BJ샘시 친구분 주장은, 이거예요, 포와로
님 3개월 구독 감사합니다, 그러니까
칼에 찔리는 사건이 벌어지기 전에 이
분이 약간 이상 행동을 보였다…
원호 휘청거리고, 사람들 사이로 막
들어가고…
BJ샘시 이거 이상합니다. (갑자기) 오천 원!
충격! 쇼크! 대혼란!
(다시 이어서) 물론, 술을 드셨어요.
드셨는데… 휘청거렸다… 이거
이상합니다.
잠깐 이 이야기를 해드릴게요, 호주에
타맘 슈드 사건이라고 있습니다-

9. NT생명 지하 사무실 / 낮

나제희 이런 인터넷 쓰레기까지 다 봐야
할 필요 있어요?

사무실에서 영상자료들 굳이 큰 화면으로
틀어 놓고 보고 있던 구경이.
과자 봉지 바닥에서 부스러기 찍어 먹는다.

구경이 원래 진짜 맛있는 건 거기 있어,
저기 씨 찾았니?
경수 저기 씨 아니고 경수요
구경이 아직도 못 찾았어?

경수가 새로운 화면을 띄운다.

경수 동영상에 사용된 애니메이션은,
2003년에 시애틀 지역 방송에 나왔던
애니메이션이고요. 제목은 "The way to
ABC"입니다.
구경이 어 속속들이 말해봐

경수가 재생하면, 커다랗고 털이 긴 인형 탈
캐릭터들이 나와서 벌이는 애니메이션.
(일종의 세서미 스트리트 같은 캐릭터들.
레퍼런스 : Don't hug me I'm scared)
The way to ABC 라는 글자가 익살스럽게
화면을 가득 채운다.

경수 미취학 어린이들을 위한 단순한
애니메이션이고, 여기 빨간 곰 같이 생긴
애가 애니, 노란 도마뱀처럼 생긴 애가
보니, 그리고 검은색 애가 신디…
구경이 필요한 거만 말해, 필요한 거만~
경수 (혼잣말궁시렁) 언제는 속속들이 다
말하라고…

구경이 (귀찮다는 듯 손사래) 징징댄다 징징대~

얼굴 구긴 경수가 해당 에피소드를 재생한다.

경수 이번 괴영상에서 나왔던 에피소드는 바닥에 핫케이크 떨어져 으깨진 걸로 시작합니다. 누가 떨어뜨린 거냐 가지고 서로 막 싸워요.

화면 속. 보니, 신디, 애니가 으깨진 핫케이크 놓고 서로 싸운다.

구경이 저기 씨야 그래서 핫케이크 떨어뜨린 게 누구였는데?
경수 경수라고요!
구경이 (화면 보고) 빨간 게 경수니?
경수 아뇨! 제 이름이 저기 씨가 아니라 경수라구욧!

뻘하게 보는 구경이.

구경이 그게 지금 중요해?
경수 … (소리치고 나니 약간 쭈굴) 셋 다 범인이 아니었어요.
나제희 뭐야 그게?
경수 싸우고 있던 애들을 찍고 있던 카메라가 범인이었어요. 정확히는 카메라를 든 애요, 이름은 디디.

화면을 보여 준다. 보니 신디 애니 세 명이 싸우고 난 다음,

처음으로 되돌아가는 화면.
고정되어 있는 줄 알았던 카메라가 흔들리더니 카메라 든 캐릭터 디디가 핫케이크를 떨어뜨리는 모습 보인다.

구경이 (디디를 유심히 보면서) 오 소름
나제희 애들 보는 거 맞아? 심오하네

경수가 사무실 불 켠다.

구경이 (눈부셔 끔뻑끔뻑하며) 동영상이 주는 메세지랑 이 애니 내용이 통하네.
나제희 그게 왜?
구경이 피의자를 보호하려고 급하게 전광판 해킹해서 동영상을 올렸어. 그 와중에 딱 맞아떨어지는, 우리나라엔 잘 안 알려진 애니메이션을 골랐지. 일부러 찾은 게 아니라 자연스런 생애 주기 속에서 이걸 접했을 가능성이 크다는 거야.
경수 2003년에 시애틀에서 미취학 아동이었던 사람이라구요?
나제희 그럼 지금 20대쯤일 거 아니야. 너무 어린데?
구경이 어우. 나 눈이 너무 침침하네…

구경이가 더듬더듬 책상을 뒤져서 커피에 위스키를 타려고 하는데, 빈 병이다. 다른 병 찾다가 없는 걸 알고 위스키 향이라도 맡으려 커피를 위스키병에 타는 구경이.

경수 (그런 구경이 보며) 진짜 저렇게까지…

그때 우당탕탕 사무실로 들어오는 누군가.
밤새 추격전을 벌이고 꼬질꼬질한 채로
들어온 산타다.

경수 어? 산타 씨 언제 나갔었어? 방금
전까지 같이… (갸웃)

나제희 (코를 막으며) 아유, 이게 무슨 냄새…

경수 (산타 얼굴을 봤다가 기겁하여 자빠진다.) 산타
씨! 얼굴에!!!

구경이 ?

경수 …땟국물이…!

산타, 아랑곳 않고 구경이 앞으로 걸어가
얼굴을 가까이 대고 책상을 쾅! 친다.
처음 보는 박력 넘치는 모습.

산타 (자막으로) 어젯밤에 누군가 사무실에
침입했었습니다! 케이가 틀림없습니다!

산타의 박력 때문인지 말의 내용 때문인지
소스라치게 놀라는 세 사람.

10. 보험회사 관리실 / 낮

CCTV 화면을 보고 있는 산타와 구경이.

- 산타와 경수가 회사에서 나갔다가, 조금 뒤
산타가 다시 로비로 돌아온다.
- 빨리 감기. 지하주차장에서 청소 직원 한
명이 퇴근하고, 산타가 따라나가는 모습.

산타가 손가락으로 청소 직원을 가리킨다.

경비원 그냥 평범해 보이는구만. 내가
어제 밤부터 지금까지 계속인데,
(하품하는) 수상한 사람은 없었다니까
그러네.

산타 (억울한 강아지 얼굴)

구경이 저 사람 들어오는 모습 좀 돌려
볼까요?

구경이 요청 따라 돌아가는 화면. 그런데…

경비원 아이구. 여기서 어떻게 찾아?

화면상으로는 비슷해 보이는 청소 직원들이 쉴
새 없이 들락날락하는 모습.
다들 마스크를 쓰고 머릿수건을 둘러서 누가
누군지 알아보기가 불가능하다.
산타가 쫓던 사람을 특정할 수 없다. 무수히
많은 청소 직원들의 잔상.

11. 조사B팀 사무실 / 낮

구경이 나랑 다니더니 의심만 늘었나 봐~

산타, 너무 억울해서 입을 떡 벌린다.

경수 에이. 그래도 사람이 감이란 게
있는데 아무렴 아무 죄도 없는 사람
쫓았겠어요? 그리고 잘못한 게 없으면
왜 도망가.

구경이, 벌떡 일어나서 경수에게 달려간다.
으어어어- 도망가는 경수.

경수 …도망가지네요, 알겠습니다

구경이, 에구구 하며 의자에 앉고.

나제희 산타 씨. (코막고) 지각 한 번은 봐줄
테니까 괜히 거짓말하지 말고 그냥
씻고 와. 이 사무실에 둘이나 냄새가 날
순 없어.
구경이 (천진) 왜 둘인데?

케이가 사무실 천정에 설치해 놓은 도청기로
익스트림 클로즈업. 소리 이어지며…

12. 한강변 컨테이너 / 낮

케이가 꽂고 있는 이어폰을 통해 나오는
나제희의 목소리.

나제희(E) 안 씻은 게 부끄럽다고
거짓말까지 할 건 없잖아?
경수(E) 산타 진짜 삥친 거야?
구경이(E) 됐어.. 원래 하던 일이나 하자.

케이, 킥킥대고 웃는다.

13. 조사B팀 사무실 / 낮

사무실 천장 하나가 뜯어져 있고, 그 위를

올려다보고 있는 팀원들.

경수 (입모양으로) '오케이?'

나제희, 고개 끄덕이고. 산타가 구석에서 물이
든 양동이를 가져온다.

구경이 어마마. 산타 씨 또 청소한다 또.
스트레스 받았구나.
경수 깨끗한데…
나제희 (소리 지른다.) 산타 씨!!

나제희의 다급한 목소리와 달리 산타가
침착하게 책상을 밟고 올라가
천장 위 도청기에 물을 끼얹는다.

- INS. 케이의 컨테이너.

나제희(E) 거기까지 물을 뿌리면 어떡…!
치지지지지직-

케이가 듣고 있던 도청기가 치직거리더니
소리가 완전히 없어진다.
인상 쓰며 이어폰 빼는 케이. 그래도 이 정도면
만족.

도청기를 양동이 속으로 퐁당 빠뜨린 산타.

13-1. 찜닭집 / 낮

데이트하고 있는 선남선녀. 여자가 치즈

찜닭을 와구와구 먹고 있다.

여자 음~ 진짜 맛있다.
남자 (걱정스러운 눈빛으로) 천천히 꼭꼭 씹어
먹어.

여자가 치즈로 찜닭을 둘둘 말아 또 한 입 먹는데,
입에 뭐가 걸린 듯 살짝 인상을 쓴다. 입에서
꺼내는 것은 프로포즈 반지다.

여자 (감동받아) 자기야…!
경수 의심스러운데-

경수가 도청 감지기를 TV에 갖다 대고 있다.

경수 잠시 (확인하고) 클리어.

경수, 옆 베이블로 가서 열심히 감지 중.
그 풍경 배경으로 반쯤 경수 무시하며
앉아있는 구경이, 나제희, 산타.

나제희 그래서 사무실을 옮기지 말자고?
구경이 갈 데도 없으면서 또 또
나제희 한 번 털린 사무실인데
유지하겠다고.

산타가 현란한 손놀림으로 치즈 둘둘 말아
닭고기를 싸고 나제희 입에 물려준다.

나제희 (찜닭 먹느라 말 못하는)
구경이 보안을 강화하는 게 나아. 지금

갑자기 옮겨 봤자 티만 나.
경수 (자리에 앉으며) 여기는 안전한 거
맞아요? (컵이며 그릇 아래를 살피며,
겁에 질려) 이제 제 얼굴이랑 이름이랑 다
알 텐데…
구경이 저기 씨 죽을 짓 했어?
경수 네?
구경이 그럼 됐어. 죽을 짓 안 한 사람은
안 죽일 거야. 산타 씨도 멀쩡하잖아.
경수 그래도… (의심스러운 눈으로 찜닭 보며)
저거는 누가 확인을 해봤나…?

그러는 사이, 산타가 이번에는 밥 위에 양념
뿌리고 계란 노른자 샥- 갈라서
슥슥 비벼 경수 입에 물려준다.

경수 (우물우물 먹느라 말 못하는)
구경이 겁들은 많아 가지고. (먹는 경수와
나제희 보고) 독은 없나 보네. (찜닭 먹는)
경수 (구경이, 찌릿 째려보고) 그놈이 우리가
'시애틀의 20대' 어쩌고 한 거 다
들었겠죠?
구경이 심어 놨으니까 들었겠지.
산타 (AI보이스) 여. 자. 예. 요.
나제희 뭐?
구경이 확실해? 얼굴 못 봤다며.
산타 (AI보이스) 확실해요. 여자였어요.

구경이, 뭔가 생각하는 표정.

나제희 어린 시절을 시애틀에서 보낸

20대 여자? 말이 돼?

14. NT생명 보험설계사 사무실 / 낮

정연 옆의 동료가 슬쩍 정연 쪽으로 몸을 기댄다.

동료 그만 튕겨라! 갔다 왔다고는 하지만 얼굴 반반해, 직업 좋아.
정연 또 또!
동료 뭐가 이렇게 까다로워! 조카 키우면서 미혼모 취급 받는 거 싫어서 그래? 총각 만나고 싶다 이거야?
정연 그런 거 아니고요. 나는, 한눈에 딱 오는 그런 스타일. 느낌 빡 찌릿찌릿 알죠? 그런 게 있어 줘야 된다니깐요.
동료 나이 좀만 더 들어봐라, 지나가던 남자가 니 쪽으로 방구만 껴도 찌릿찌릿 할거다
정연 어우! 진짜야!
동료2 (출입기록 확인하다가, 정연에게) 어젯밤에 회사 왔었어?
정연 응? 나? 나 어제는 바로 밖에서 퇴근했는데.
동료2 출입기록 찍혀 있는데? 에러 났나?

정연이 출입기록을 확인한다. 자기의 출입증이 사용된 기록이 남아있다.

동료 되게 비싸게 굴어 하여튼. 전화 왔네, 자기 애인.

정연, 울리는 핸드폰 보면 '울예쁜이'

정연 (불안한 눈으로) 응, 애기. 오늘도 연습해? (사이) 그래. 이경아 있잖아… (말 참고) 아니야, 밥 잘 챙겨 먹으면서 해… 으응~

15. 케이의 학교 강당 / 낮

영조 뒤주, 뒤주를 갖고 오너라!

연극 연습이 진행 중인 강당. 사도세자.

사도 (관원들에게 양팔을 잡힌 채) 놔라! 놔!!!

관원들이 뒤주를 가져온다. 사도를 뒤주에 넣는 관원들.

케이 저언~하아~ 아-니-되-옵-니-다-

너무 어색해서 도저히 묻히지 않는 케이의 목소리. 무대 위에 있던 연기자들 모두 놀라 케이를 쳐다보고, 사도도 들어가다 말고 고개를 내민다.

연출 (눈을 질끈 감으며) 잠깐, 잠깐! 쉬었다 할까?
케이 벌써 쉬어요? 괜찮은데?

엎드려 있는 신하 역의 배우들이 모두 일어나 꿇었던 다리를 스트레칭 한다.

케이도 일어나려 상체를 일으키는데… 케이의
눈에 객석에 반짝이는 무언가가 보인다.
객석에서 케이 쪽을 찍고 있는 누군가의
핸드폰. 폰을 들고 있는 건… 구경이다!
동공 커지는 케이, 일어나려다 말고 두 다리
앞으로 쭉 뻗고 앉아 다리 두드린다.
구경이에게 눈인사하는 케이.

*- 플래시백. 4화 S#7 절뚝거리며 멀어지는
케이의 뒷모습 보는 산타.*

구경이(V.O) *오른쪽 다리를 다쳤다고?*

케이 보며 이리 오라는 듯 손짓하는 구경이.

케이 (자신의 다리 가리키며 입모양으로)
쥐. 났. 어. 요.

구경이, 끄응 하며 객석에서 일어나 무대
쪽으로 다가간다.

케이 여긴 어쩐 일이세요? 설마 저 보러
오신 거예요?
구경이 너 되게 못하더라.
케이 (앙탈) 으 으응 (입 빼루퉁)
구경이 나한텐 그런 거 안 통한다.
케이 그래도 솔직하게 말해주신 분이
경찰 쌤뿐이네요
구경이 친구 없어?
케이 응… 없나? 그게 중요해요? 쌤이 더
잘 알 거 같은데.

구경이 어릴 때 미국에서 살았지? 그럼
친구 사귀기 힘들었겠네
케이 장 쌤이 말해 줬어요?
구경이 미국 살 때 그 애니메이션도
봤니? 얼마 전에 뉴스 나왔던…
케이(O.L) 아 그거, 그거 어떻게 된
거예요? 너무 이상하더라!
구경이 …어젯밤엔 뭐 했어.
케이 쌤 나한테 관심 디게 많다. (볼 감싸며)
부끄러워라
구경이 너 지금 내가 물어본 거에 대답
하나도 제대로 안 했다

케이가 자리에서 일어난다. 주시하는 구경이.

케이 (무대 걸어가며 구경이에게 시선 고정)
아바마마! 소자의 죽을죄가
무엇이옵니까? 어찌 저를 연유 없이
그저 '죽으라, 죽으라'만 하십니까? 소자
바란 것은 오직…!
오직…! (연기톤 사라지며) 뭘 바란 거지?
쌤은 뭘 바래요?

절뚝이는 듯하더니, 멀쩡한 케이의 걸음걸이.

구경이 (의심병이 도졌나…) 니가 제대로
대답하는 거?

케이가 무대 아래로 가뿐히 내려오며 손목
꺾는 제스처를 한다.

케이 미국에서 산 거 맞는데 그 만화는
모르고요. 어제는 연기 연습했어요.
그리고… 친구 없는 거 맞아요. (사이)
어떨 땐 막 그냥 속에 있는 이야기 다
하고 싶은데, 할 사람도 없고 그래요…
구경이 이모 있잖아
케이 이모는 친구랑 다르죠! 우리 이모는
제가 보살펴 줘야 되는 사람이고… 무슨
말을 하면 놀랄 수도 있어요. 아! 장성우
쌤은 이야기 진짜 잘 들어줬는데.
그쵸?
구경이 …너는 참 선을 잘 넘어.
케이 쌤이랑 친해지고 싶어서요. (시계
보고) 어? 딱 그 시간이다!

케이가 구경이 손을 잡고 창가로 잡아당긴다.
구경이 움찔, 하며 일단 창가로 따라간다.

케이 (창가에 서서 손 놓아주고) 눈 감아 보세요
구경이 (의심하며 주변을 두리번거린다.)
케이 빨리요!
구경이 (감는 척하고 실눈 뜬다.)

휙! 커튼을 걷는 케이. 마법처럼 주황색 석양이
극장을 채운다.
구경이 얼굴에 와 닿는 빛.

케이 이 시간 되면 빛이 딱 들어와서
예쁘거든요. 빛을 마실 수 있을 거 같고.
(흠-하)

구경이, 따라서 숨을 한 번 쉬어 본다. 살짝
긴장이 풀린다.

구경이 (정색) 간다

잠깐 이렇게 쉬었던 게 부끄러워진 양 쌩하니
나가는 구경이.
남겨진 케이는 창틀에 겨우 몸을 기댄다.

케이 (들릴듯말듯) 안녕히 가세요…

구경이 나가자 케이, 식은땀이 흐르고 있다.
품에 있던 진통제를 물 없이 씹어 삼킨다.
의상을 들어 올리자, 발목에 부목으로 대었던
나무 작대기와 천이 보인다.
퉁퉁 부어오른 발목. 신음하는 케이.

케이 (혼잣말) 가만히 놔두면 안 되겠네 이
여자

16. 인형 병원 / 낮

병원장 응, 그 아이요~ 지금 잘 쉬고
있어요.

경수와 산타가 병원장의 시선 따라가 보면,
방석 위에 앉아 있는 '괴물인형'
인형 앞에는 빨대 꽂힌 요구르트 하나 놓여
있다.

병원장 건강검진 부탁하셔서 봤는데,

아빠가 얼마나 잘 보살폈는지 아―주
건강해요.
속 안에도 전―혀 오염이 없고 뽀송하고.
경수 안에 솜 말고는 아무것도 없었나요?
보통 인형이랑은 다른 재질로
만들어졌다거나.
병원장 전―혀요. 애가 슬프면은 뭉치거나
벌레 같은 게 생길 수도 있는데 아―주
건강하더라고요. 그래서 서비스로 정신
재활 좀 해드렸어요.
경수 ??? 정신… 그… 어떤 특별한 점은
없었다는 말씀이시죠?

산타, 어느새 괴물인형 손바닥에 올려놓고
쓰다듬고 있다.

병원장 왜요~ 직접 낳은 애인데 얼마나
특별해.
경수 낳아요?
병원장 병원장 이십 년인데 요런 애는
첨 봤어. 직접 디자인 해가지구 손수
만들었잖아.
그럼 직접 낳은 거지. 안 그래요?

17. 조사B팀 사무실 / 밤

'괴물인형' 사진 붙이는 경수 손.

경수 안팎으로 다 뒤져 봤는데 평범한
재료들로 만들어진 거고요,
손수 다 만들었다는 게 그나마 특이한데

인형 한두 개씩은 만들어 보잖아요?
산타 (의외라는 눈빛)
경수 (큼) 근데 조사관님은 어디 가셨어요?

나제희, 평소답지 않게 허둥지둥 가방에 짐을
담고 사무실을 빠져나가고 있다.
탁 부딪혀서 차 키를 떨어뜨리는 나제희. 경수,
의아한 듯 나제희 보면서 차 키 주워준다.

경수 (의아) 팀장님?
나제희 (정신없이) 알아서 마무리하고
퇴근들 해…

나제희 허둥지둥 나가버리고, 적막한 사무실.

경수 이 사무실엔 나만 일해?

산타가 고무장갑 낀 손 번쩍 든다.

18. 대학로 카페 / 밤

대학로 카페 파라솔 석에 의자 두 개 붙여 놓고
널브러져 있는 구경이.
하하호호 옆 테이블 대학생들과 상반된 분위기.

구경이 (누워서 세상을 보며 중얼중얼) …이렇게
의심만 해가지고…
인생을 어떻게 사니…

중얼거리는 구경이 눈앞으로 누군가 획― 다시
반대 방향으로 획― 지나간다.

뭔고- 해서 고개 들어보면-
시야에 들어오는 울먹울먹 콧물 눈물 흘리고
있는 10대 여자애.

여자애 (울먹거리면서) 저 죄송한데요 제가
언니를 잃어버렸는데 핸드폰 한 번만
빌려주실 수 있을까요? 언니랑 같이
왔는데 없어져 가지구… (울먹울먹)

구경이, 무심결에 주머니에 있던 핸드폰
주려다 - 멈칫.

구경이 잠깐만. 뭐 하려고?
여자애 예? 언니한테 전화해 보려고…
구경이 언니 전화번호를… 외운단
말이야? 의심스러운데? 왜 하필 나야.
이 주변에 도움 청할 사람 이렇게 많은데
왜 나한테 왔지?
여자애 예에에?
언니 수연아!!!
여자애 (휙 돌아보고) 언니!!!

여자애, 울면서 언니에게 달려간다. 언니는
얼마나 동생을 찾아 헤맸는지 목이 다 쉬었다.
아기처럼 품에 쏙 안겨 우는 여자애. 언니는
멀리서 구경이에게 감사 인사를 한다.

언니 (목 다 쉬어서) 감사해요! 감사합니다!

구경이… 의심 때문에 지쳐서 한숨 쉬고
테이블에 있는 밀크티 마시는데 -

울리는 전화기.

구경이 (전화 받는) 네.
여자 목소리 (Off sound) 조사관님…?
저예요…

흔들리는 구경이 눈동자.

19. (교차) 재영의 집 앞 - 학교 계단 / 밤

벌벌 떨며 전화하고 있는 윤재영.

윤재영 그쪽에서 도와 달라는 연락이
왔어요…

- INS. 과거. 윤재영의 새 집. 낮. 밥 하고 있는
윤재영. 전체적으로 살림살이 나아진 모습.
방금 유치원에서 돌아온 선미가 손 씻고 있다.

윤재영 오늘은 유치원에서 뭐 배웠어?
선미 아까 만들기 시간에 펑 해가지고
미영이가 깜짝 놀랐는데…

선미의 쫑알거림을 배경으로 선미의 가방
열어보는 재영.
학습장을 꺼내는데 쪽지 하나가 떨어진다.
펼치는 재영의 눈이 흔들린다.

선미 (화장실에서 나오며) 깜까미도
목욕했오!

선미가 내밀고 있는 괴물인형.

- 전화를 받고 있는 구경이의 모습과 교차.

윤재영(E) 혹시 우리 선미한테 무슨 일이 생길까 봐 거절을 못 하겠어요…
저는 이거 해야 돼요… 근데…

윤재영 도와 달라고 말씀드릴 분이 조사관님 밖에 없어요… 저 어떡하죠?

20. 조사B팀 사무실 / 낮

구경이 윤재영 씨한테 지금까지 온 메세지는 하나야.
산타 (AI보이스) 모레 아침 10시 인천역 1번 출구
구경이 로 나오라는 거. 가지고 가야 될 물건, 만나야 될 사람 이런 선 나 없고 일단 윤재영이 나타나면 다음 지시를 내리겠지. (묘하게 흥분)
경수 다음 지시라… 누굴 또 죽이는 거겠죠?
구경이 뭐가 될 진 모르지만, 케이의 톱니바퀴를 눈앞에서 볼 수 있는 기회야.

나제희가 뒤늦게 사무실로 들어온다. 평소와 다르게 머리도 단정치 못하다.

구경이 (살짝 망설이다) 너는 어째 이제서야 나타나니
나제희 오면서 경수 씨 통해서 들었어. 케이가 확실한 거지?

구경이 (미간을 찌푸리며) 확실…
나제희 (한숨 쉬며) 51% 이상?
구경이 이라고 할 수 있겠지. 빚을 없애 준다고 했으니까 (의심스럽게 나제희 본다.)
나제희 그래, 그럼 (전화기를 집어 드는데 구경이가 턱하니 손을 잡는다.) …어?
구경이 동작 그만 밑장 빼기냐
나제희 뭐야?
구경이 어디다가 전화하게?
나제희 연락한 게 케이고, 인천역에서 다음 지시를 내린다고 하면, 그 장소에 케이가 있을 거란 소리잖아. 주변 감시하고 의심스러운 사람 추려내고. 우리 인력으로 되겠어?
구경이 눈치챌 거야. 이건 우리만 알아야 돼
나제희 이건 또 뭐하는 판단이야?
구경이 말 니온 김에-

구경이가 경수에게 핸드폰 내놓으라는 식으로 손을 내민다. 얼결에 내미는 경수.
산타도 핸드폰 주면 힐긋 보고 통에 집어넣는 구경이. 나제희에게도 손을 내밀며.

구경이 우리 다 털린 거 알지. 앞으로는 더 철두철미하게 정보 단속해야 돼.
이 팀만 알아야 되는 건 이 팀만 알자 이거야. (나제희가 폰을 주지 않자)
내놔, 클린한지 보게
나제희 뭐하는 짓이야.
구경이 왜 늦었니?

그 때, 나제희 전화가 울린다. 곤혹스러운 얼굴.

구경이 누구야?

나제희 사적인 거야

구경이 니 사 내가 다 아는데.
용 국장이야? 벌써 연락했어?

나제희 아니야

구경이 내놔 봐

나제희 (전화가 계속 울리자 벌떡 일어서서 전화를 받는다. 이내 달라진 목소리 톤으로) 왜? 열 좀 내렸어? (수화기 너머로 언뜻 들리는 준준 목소리. '나나가 깨서 자꾸 엄마를 찾는데 어쩌냐') …
지금은 못 가요. 알았어, 끊을게…

전화 끊은 나제희. 사무실에 내려앉은 어색한 분위기. 나제희가 먼저 핸드폰을 구경이에게 넘긴다. 구경이가 받으려고 하자 손 치우며,

나제희 윤재영을 살인의 도구로
쓰겠다는 거잖아.
민간인더러 살인에 동참하라는 거라고.
누군지도 모르는 피해자랑 윤재영, 그 두
사람 보호하는 게 우선 아니야?

구경이 용 국장 쪽 사람 불러서 케이가 다
눈치채면. 그땐 윤재영이나 그 딸이나
안전할까?

나제희 케이가 눈치챘다는 보장이…

구경이 (말자르며) 그럴 가능성이 높지.
걔는 너보다 똑똑한 거 같으니까.

경수 조사관님!

구경이 다른 방법 있니?

경수 지금이라도 경찰에 알리면…

구경이 그게 되겠어?

나제희 (구경이에게) 오히려 누가 죽기를
바라는구나. 그렇지?

구경이 뭐?

나제희 누가 죽더라도, 케이 잡을 단서가
나오면 그걸로 됐다는 거잖아?
어쩜 이렇게 하나도 안 변했냐 사람이.
아무도 못 믿으니까 혼자 해결할 거라고
나서고, 같이하는 팀원들도 못 믿어서
감시하고. 퍼즐 하나 풀겠다고
당하는 사람은 생각도 안 하고 헤집어
놓는 거. 그때랑 똑같아.

구경이, 싸늘해지는 표정. 가슴에 비수가
날아와 꽂혔다.

21. 과거. 학교 교실 / 낮

파리한 장성우가 앉아있고, 드륵 문이 열리면
젊은 시절의 경찰복 입은 나제희가 굳은
표정하고 있다.
나제희와 장성우가 눈빛을 잠시 주고받고,
뒤이어 들어오는 젊은 구경이.

Cut to.
교실에 앉아 취조 아닌 취조를 하고 있는
구경이. 장성우는 감정이 지워진 듯한 얼굴.

구경이 …집에서 할 이야기는 아닌 거
같아서. (저쪽에 있는 나제희를 의식하고) 서에

가서 할 것도 아니고. (한결의 사진을 내밀며)
그냥 당신 얘기를 듣고 싶어서 그래.
나한테는 솔직하게 말해줄 수 있잖아.

장성우가 구경이를 빤히 본다. 분노, 슬픔,
사랑, …파도가 일렁이듯 감정들이
한꺼번에 장성우의 얼굴에 스쳐지나 갔다가,
마치 빛이 꺼지듯 - 모든 게 지워진다.
그 표정을 보자 숨이 멎는 구경이.
나제희는 그 광경을 보며 덜덜 떨다시피
하고 있다.

*- 플래시백. 2화 S#24 장성우의 장례식장에서
무너지는 구경이. 오열하는 나제희.*

22. 조사B팀 사무실 / 낮

나제희 다시는 그런 실수 안 하게,
의심하다 누구 다치지 않게 해달라고
내가 얼마나 빌었는지 알아 선배?
최소한 나는 그때랑 달라졌어. 다시는
그런 실수 안 해.
구경이 내가 죽였어.
경수, 산타 …?!
나제희 몇 년 동안 처박혀서 찾은 답이
그거야?
구경이 그래, 성우 씨 내가 죽인 거
같아. 근데 왜, 왜 죽었을까? 믿었던
사람이 자기를 더러운 인간으로 보는
게 억울해서 그래서 죽었을까? 근데
그게 아니면? 내 남편이 더러운 짓 하던

인간이라서, 내가 그걸 다 밝혀내기 전에
죽은 거라면? 난 옛날로 돌아가도
똑같이 의심할 거야. 그럴 수밖에 없어.
나제희 (질려서) …형부가 불쌍하다.

구경이, 나제희를 쳐다보며 말한다.

구경이 (의심하는 눈빛) …너 내 남편이랑
무슨 사이였니?
나제희 뭐?
구경이 나나는… 누구 애니?

벌떡 일어나는 나제희.

나제희 선배 아무도 못 믿는 거 알아.
근데, 평생을 통틀어도 나보다 선배 편인
사람 없을설? 후회할 때는 옆에 아무도
없을 거야.

쌩 하니 나가는 나제희.
그때까지 숨죽이고 구석에 찌그러져 있던
경수와 산타, 이제야 숨을 내쉰다.

구경이 저기 씨야, 윤재영한테 우리가
돕는다 그래.
경수 저희… 고 하는 건가요?
구경이 이제까지 뭐 들었어?

23. 공원 / 낮

산책 나온 귀여운 강아지들에게 둘러싸여 있는

대호. 건욱이 그런 대호를 흐뭇하게 본다.
전화가 울리지만, 케이인 것을 확인하고
꺼버리는 건욱.

대호 (전화끊는건욱보고) 나 몰래 숨겨놓은
애인 있는 거 아니야?

건욱 스팸이야. 내가 애인이 어딨어?

대호 (내가있는데? 하는 손짓)

건욱 몰랐는데… 되게 (장난) 들이대는
스타일이네?

대호 (어색한사투리로) 마! 삐지는
스타일이기도 하다.

건욱 그래 하는 거 아이다~

대호 (사투리이야기 나온 김에) 어디지?
경상도야?

건욱과 대호가 공원을 산책하며 이야기한다.

건욱 나기는 경상도에서 났는데, 제일
오래 산 건 봉백. 아빠가 거기서 학교
수위 하셨거든. 돌아가시기 전까지.

대호 아. 미안.

건욱 죽어도 되는 인간이었어. 술 먹고
엄마 패고. 뻔한 인간.

대호 술 땜에 돌아가신 거야?

건욱 (잠시 멈췄다가) 어 (사이, 콜라 흔들며)
그래서 내가 안 마시잖아.
그러니까 같이 술 안 마셔준다고 삐지기
없다

대호 (어색한사투리) 알았다 한 번 봐준다

건욱 괜히 내 얘기 해서 우울해졌네.

대호 나는 너 얘기 들어서 좋은데? 더
듣고 싶어.
(사이) 우리 바다 좋은 데로 여행이나
갈까? 바다 보이는 호텔 하나 잡아
놓고…

건욱 (얼굴 달아오르는)

대호 (그런건욱놀리며) 너 왜 얼굴
빨개지냐? 호텔 잡아 놓고 딱! 아침에
다롱이랑 해변에서 조깅 딱 한다고. 뭔
생각했어?

건욱 그만해애! 점심시간 20분
남았는데, 햄버거?

대호 햄버거 말고 뭔가…

건욱의 전화가 또 울린다. 작게 한숨 쉬고 소리
끄는데, 뒤에서 휠체어를 탄 케이가 휙 건욱을
앞지르더니,

케이 어어어!!! 비켜!!!

쾅당! 대호와 부딪혀 넘어진다.

케이 아야야 어떡해. 괜찮으세요?

대호 아야… 괜찮으세요? (휠체어 보고 어쩔
줄 몰라 하는)

케이 이거가 익숙하지가 않아 갖구…

건욱이 후다닥 뛰어가서 대호를 부축한다.
그걸 쏘아보는 케이.

건욱 (대호에게) 괜찮아, 괜찮아?

대호 어어, 나는 뭐. (케이에게) 다친 데 없으세요? (휠체어 세우고 케이 부축하는)

케이 네, 없어요.

대호의 부축을 쳐내고 일어나서 휠체어에 앉는 케이. 건욱이 '이게 뭐하는 짓이냐'는 투로 케이를 쳐다본다.

케이 (입모양으로) 전화 안 받아?

건욱 (대호에게) 괜찮으신 거 같으니까 가자. 점심시간 늦겠다.

대호 어? 어?

건욱 괜찮으시죠? 예예

대호 데리고 재빨리 자리 피하는 건욱.
뒤에 남은 케이는 입이 불퉁하게 튀어나온다.
다시 전화를 거는 케이.
이번에는 전화를 받는 건욱. 멀리서 슬쩍 뒤돌아보는 건욱의 모습이 보인다.

건욱 제가 지금은 통화가 좀 힘든데요…

케이 앞으론 전화 제때제때 받어어 나 외롭게 하지 말구-

건욱 네네, 알겠습니다.

전화 끊는 건욱의 뒷모습 보는 케이.

24. 주차장 - 차 안 / 낮

시동도 걸려있지 않은 차 운전석에 멍하니 앉아있는 나제희.

움직이려 하지만 몸과 마음이 천근처럼 무겁다.
주차장 저쪽에서 뭔가 찾는 경수 보인다.
지금은 엮이고 싶지 않은 나제희, 좌석 뒤로 제껴 눕는다.
다가온 경수가 화들짝 놀라며 창문을 부술 듯 손바닥으로 두드린다.

경수 어!! 어!! 어떡해!! 팀장님!! 팀장님!!!

Cut to.
캐리어에 커피 네 잔.

경수 뭘 좋아하시는지 몰라서 여러 가지 사 왔습니다

나제희 응. (잡히는 대로 들어 한 모금 마시는 나제희)

경수 밀크티 좋아하시는구나. 기억해 두겠습니다.

나제희 좋아하지는 않는데

경수 단 거 싫어하시면 놔두세요, 제가 마실게요.

나제희 아니 싫어하지도 않아.

경수 …구경이 님이 뭐 좋아하는지는 제일 잘 아시면서 정작 본인은 모르시네요

나제희 …

경수 왜 그렇게 조사관님한테 잘 해주세요? 존경하고 좋아했던 경찰 선배인 건 다 알겠는데, 솔직히 구경이 님이 팀장님한테 너무 하잖아요.

혹시 남편분 일 때문에 그러시는 거예요?

나제희 뭐?

경수 남편분 그렇게 되신 건…
잔인한 말이지만 솔직히 구경이 님
때문이잖아요.
나 팀장님이 그때 옆에서 막지 못해서
미안한 마음이 들 순 있겠지만…
그래도 나 팀장님이 이런 대접받을
이유는 없다고 생각합니다!
이제 참지 마세요!

나제희 (잠잠히 듣고 있다가 시동 켠다.) 안
내리니?

경수 … (주제넘었나 싶어서 눈치)

나제희 (경수 보며) 몰랐는데 나 이거
좋아하네. 앞으로는 이걸로 사와.

경수 (안심, 상쾌) 옙!

경수 내리자 출발하는 나제희의 차.

- INS. 과거. 봉백. 젊은 시절의 나제희와
구경이.

나제희 형부가 그 학생이랑 그 날 같이
있는 걸 봤다는 사람이 있어.

구경이 … (의심스러운 눈빛)

나제희 객관적으로 보면 지금 형부는
용의자야.
다른 사람한테 조사 맡기는 거보다 내가…

구경이 아니, 내가… 내가 해야 돼.

앞 씬 과거와 이어져, 교실에 있는 장성우

나제희. 젊은 구경이가 교실로 들어간다.

운전대 잡고 있는 나제희, 창문을 내리고,
이리저리 덮치는 바람을 그대로 맞는다.

25. 병원 병실 / 낮

8인실 병실에 들어온 나제희. 보는데, 베드가
비어 있다. 놀란 눈.

Cut to.
1인실 있는 복도로 걸어가는 나제희. 복도에
아무도 없는데 -
병실 앞에 종준이 나와 있다.

나제희 아빠 어떻게 된 거야?

종준 어어…

종준 시선 따라 안을 보면, 아늑한 1인실. 나나
옆에 있는 - 용 국장.
나나는 물고기 인형을 안고 잠들어 있다.

용 국장 여기가 낫죠? 조용-하고.

나제희 어떻게 여기까지…

종준 이놈이, 감사하다고 말부터
나와야지. (용 국장에게) 제가 자식 교육을
모자라게 시켰습니다. 감사합니다.
선물도 사 오시고 말이야…

종준이 받아 놓은 '선물'이라는 걸 슬쩍 보는
나제희.

음료수 박스 안에 언뜻 보이는 현금 다발.

용 국장 무슨 말씀이세요~ 똑 부러지고 얼마나 열심히 일을 잘하는데. (눈치 주며) 요새 연락이 조금 뜸해서 무슨 일 있나 했더니…
애 아프면 엄마 마음이 그렇지?
나제희 신경 써 주셔서 감사합니다.
용 국장 감사는 무슨. 우리가 알고 지낸 지가 벌써… (날짜 가늠해보면서) 음, 꽤 됐는데. 나온 거라고는 달랑 인형 하나라서 문제지. (웃으면서 묵직하게) 우리는 일이 결과가 있는 걸 좋아하니까. (일어서자)
종준 모셔다드려!

병실 밖으로 나온 용 국장과 나제희.

용 국장 연락 기다리고 있어요.

김 부장이 잡고 있던 엘리베이터에 용 국장 탄다.
그제야 멈춰 있던 옆 엘리베이터가 열리며 사람들 쏟아져 나온다.
'이게 왜 멈췄어?' 갑자기 다른 병실 문들이 열리고 환자와 간호사들 오간다.
용 국장이 병원에 머무른 동안, 모든 것이 멈춰 있었다는 사실을 깨닫는 나제희.
용 국장이 사는 세상이 새삼 놀랍다.

26. 사무실 / 밤

바닥을 슥 훔치는 산타의 걸레질. 그 위에 또 과자 부스러기가 떨어진다.
그러면 또 슥 바닥을 훔치는 산타. 구경이가 과자를 입으로 쑤셔 넣으며
프로젝트 화면에 뜬 인천역 주변 지도를 보고 있다. 어떤 사건이 일어날지 가능성을 점치고 있는 듯. 계속 떨어뜨리는 부스러기를 보다 구경이의 옆에 털썩 앉아 발 밑에 걸레를 두고 부스러기가 떨어질 때마다 바닥을 훔치는 산타.

구경이 안 가니?
산타 (AI보이스) 조사관님은요?
구경이 …
산타 (AI보이스) 씻고 주무셔야 내일도..
구경이 귀찮아. 기라.

산타, 벌떡 일어나서 간다. 곧 구경이의 어깨를 덮는 이불.
다시 구경이 옆에 앉는 산타.
구경이가 그런 산타에게 잠시 눈을 두었다가 다시 화면을 본다.

27. (교차) 병실 - 조사B팀 사무실 / 밤

불 꺼진 병실. 잠든 나나를 내려다보는 나제희.
나나의 숨에 따라 오르락내리락하는 담요 위에 손을 올려본다.
나제희, 결심한 듯 핸드폰을 꺼내 '구경 선배'에게 전화를 건다.

- 사무실. 여전히 모니터 보고 있는 구경이, 폰 액정에 '제희' 이름 뜨자 스스럼없이 받는다.

구경이 (아무 일 없었다는 듯) 좀 늦었네. 나나는?
나제희 자. 어디까지 진행됐어.
구경이 내일 일찍 윤재영 먼저 만나기로 했고 동선 짜 놨어.
나제희 그래, 고생했네. 이제 내가 지시해. 위험해진다 싶으면 개입할 거야. 아무도 안 죽고 케이 잡아야 되는 거라고.
구경이 원래 그럴 생각이었어- 빅 픽처를 그려 놨거든

구경이의 얼굴 뒤로 모니터 속 인천역 내부 도면이 보인다.

28. 인천역 / 낮

인파 속에 초조해 보이는 재영의 모습이 나타난다.

- 조금 전, 재영이 공중화장실에 들어간다. 비어 있는 칸으로 들어가자 이미 안에는 구경이와 나제희가 있다. 굳이 왜 같이 있는지 좁아터져서 서로 바짝 붙어있는 모양이 우스꽝. 재영에게 신속하게 도청기와 위치추적기 달아준다.

나제희(V.O) 케이가 우리 사무실을

털었으니까, 우리 얼굴 신원 다 파악됐다고 봐야 돼. 무슨 일 벌어질지 모르니까 얼굴 내미는 짓은 하지 말자고.

나제희의 목소리 위로 인천역 근처 곳곳에 변장하고 숨어있는 팀원이 보인다. 근처 건물 2층에서 인천역 입구를 내려다보고 있는 구경이. 역 앞 관광안내소에서 지도 보는 척 흘긋거리는 산타. 인천역 건너편 차 안에는 나제희와 경수가 일종의 본부를 차려서 재영의 동선을 확인하고 있다.

경수 (O.S, 무전으로) 타겟 움직여요.

구경이가 있는 건물과 가까워지는 재영.

구경이 왜 일로 오지? 알아차렸나?

재영, 건물 앞에 있는 월미도 바다열차 역 안으로 들어간다. 뒤따라 들어가는 산타.

29. 월미도 바다열차 역 / 낮

월미도 바다열차를 타는 재영.

나제희 (Off sound) 너무 작아. 타지마.

- 설레는 얼굴로 따라서 타려다 아쉬워하는 산타.

- 바다열차 선로가 보이는 역 앞에서 천천히
움직이는 바다열차를 올려다보는 구경이.

- 모노레일 안. 재영이 사람들을 훑어본다.
다들 평범해 보이는 가운데…
할머니 한 명이 재영을 뚫어져라 쳐다본다.
?… 잠시 긴장한 사이,

할머니 새댁, 여기서 내리소.

- 이 말을 도청기 통해 들은 나제희, 눈이
커진다.

할머니 남편이 핸드폰 잃어버렸다고, 말
전해달라 했는데. 새댁 아니어?
윤재영 … 아!… 맞아요, 감사합니다.

- 산타와 구경이가 바다열차 선로를
올려다보며 차로 도로를 달린다.
- 그 뒤를 뒤따르는 나제희와 경수가 탄 차.

30. 월미도 놀이공원 입구 / 낮

바다열차에서 내리는 재영과 할머니.
구경이의 지시 하에 산타는 테마파크 쪽으로
향하는 할머니를 따라간다.
구경이는 거리를 유지한 채 월미도 공원을
걷는 재영을 따라간다.
재영이 근처에 있는 동상 밑에 덩그러니 놓인
종이가방을 본다.
주변을 살피다가 가방을 집어 드는 재영.

구경이 뭐야, 뭐가 들어있는 거야

재영 시점. 종이 가방 안에는 생수 한 병과 피처
폰이 있다.
피처 폰을 열어보는 재영. 내용을 확인하고
눈동자가 떨린다.

윤재영 아…

구경이 시점. 재영이 문자를 확인하더니, 몸에
달린 도청기, 위치추적기를 떼어낸다.

구경이 왜 저러는 거야?

차 안 시점. 당황하는 경수와 나제희.

경수 협박 받고 있나 봐요
나제희 눈치 챈 거 같아.
경수 저 생수는 뭐죠?

갑자기 엄청나게 의심스러워 보이는 생수.
재영이 작심한 듯이 생수를 들고 공원
안쪽으로 더 들어간다.

31. 월미도 공원 - 월미도 테마파크 안 / 낮

구경이 무슨 지시 받았는지, 확인 가능해?
나제희(O.S, E) 아니, 내용은 못 봤어.
구경이 저 물병에 뭐가 있는 거 같은데…
경수(O.S, E) 독약? 박규일 때처럼?
구경이 산타 쪽은?

- 왜인지 걸음이 엄청 빠른 할머니를 계속 따라가고 있는 산타.
할머니, 아주 익숙한 걸음으로 성큼성큼 계단을 올라가더니 관람차에 올라탄다.
산타가 당황하여 관람차를 본다. 금방이라도 무너질 것처럼 삐걱- 삐걱-
소리를 내고 있다. 안전제일주의자 산타가 눈으로 빠르게 스캔하는데,
안전 점검 날짜는 흐릿하게 지워져 있고 심지어 나사가 빠진 것처럼 보인다.
이미 할머니가 탄 관람차 올라가기 시작하고, 눈 딱 감고 관람차에 올라타는 산타.

산타 (울먹) 흐아앙!!

뿌연 창 너머 울먹이는 산타의 얼굴.

- 한 편, 재영이 든 물병만을 주시하며 걷고 있는 구경이.
점점 주변에 사람이 많아진다.

구경이 타겟… 타겟을 찾아야 돼.
나제희(O.S, E) 윤재영을 말려야지!
구경이 여기서 그만두면 안 돼…
경수(O.S, E) 저거 진짜 독극물이면 어떻게 해요?

그 때, 재영이 물병 뚜껑을 딴다. 벌벌 떨고 있는 윤재영.
- 관람차의 산타. 벌벌 떨면서도 몇 칸 다음에 있는 할머니를 보려 하는데… 잘 안 보인다.

어떻게든 볼 수 있는 각을 만들어보려 창문 쪽으로 더 달라붙자 끼이- 소리를 내며 기울어지는 관람차 칸.

산타 으헝헝…

마침 각도가 맞아 주머니에서 뭔가 꺼내는 할머니가 보인다.

산타 …하…?

할머니, 주머니에서 꺼낸 것은 초콜릿이다.
씹어 먹으며 풍경 보는 할머니.
동시에 쿠궁──, 하고 멈추는 대관람차.

- 쿠궁── 소리 이어지며, 윤재영이 물병을 든다.
주변을 훑는 구경이의 눈에 들어온 것은 바로 옆에서 물을 뿜고 있는 사자상…
그 물이 어디로 흘러가는지 보니, 구불구불 조성된 물길을 타고 족욕장으로
흘러가고 있다. 족욕장 안을 보는 구경이,
아이들이 물장구를 치고 놀고 있다.

구경이 (반사적으로) 안 돼!!

재영이 물병에 든 물을 붓는다. 구경이가 족욕장으로 달려간다.

구경이 나가세요!! 전부 나가!!

족욕 즐기던 사람이 갸우뚱 하자 구경이가
아예 신발 신고 족욕장 들어가서
미친 사람처럼 행패 부린다.

구경이 다 나가!!

'뭐야, 뭐야? 미쳤나봐' 하면서 사람들이
우르르 빠져나간다.

- 멈춘 대관람차에서 보이는 족욕장에서
난리법석 중인 구경이.
산타, 그런 구경이 보며 섬섬옥수 손가락을
창으로 뻗으며 그리움의 손길을 보낸다…

온몸이 젖어서 헉헉거리는 구경이. 재영
보면, 재영은 전혀 동요하지 않은 모습이다.

구경이 ?!

재영이 물병을 들어서 남은 물을 마신다. 통—…
바닥에 떨어지는 빈 병.

구경이 속았어

재영, 멀쩡하다. 구경이, 재영에게 허겁지겁
다가가 피처 폰을 빼앗아서 본다.
재영이 아까 받은 피처 폰의 문자 메시지.
[아무도 안 죽어요]

구경이 …왜?
윤재영 저는 시키는 대로만 했어요

- 쿠궁- 다시 운전되는 관람차. 나오는
안내방송.

방송 잠깐 전력 공급 문제가 있었습니다,
아무 문제 없으니까 즐겨~주세요.

역시 멀쩡한 산타. 여전히 할머니는 초콜릿
씹으며 관람 중일 뿐.
산타의 시선으로 아래를 보면, 어린 여자애가
윤재영 쪽으로 가는 게 보인다.
선미가 달려와서 윤재영의 품에 안긴다.
안도하는 윤재영.

32. 차 안 / 낮

구경이(O.S, E) 왜 쓸데없는 짓을 했지…?
경수 아직 모르죠, 아무 짓도 안 하는
척하고 또…
나제희 어쩌면…

말을 하다가 멈추는 나제희. 살짝 삑사리 나는
고음의 목소리가 난다.

경수 어? 팀장님 목소리가.. (점점 목소리가
이상해지며) 어..? 내 목소리는 왜?
나제희 (헬륨 먹은 목소리) 이게 뭐지?
경수 (헬륨 먹은 목소리) 이거 그거 같은데,
헬륨 가스…

경수와 나제희가 동시에 알아차리고
서로를 본다.

문 밖으로 나가려고 하지만 잠겨서 열리지
않는 문.

경수 (헬륨 먹은 목소리) 아니, 이게 왜!!

나제희가 창문을 열려고 하지만 작동하지
않는다.
빠져나가려고 안간힘 쓰는 두 사람.

나제희 (헬륨 먹은 목소리, 구경이에게) 선..배!

헐떡거리다가 정신을 잃는 경수와 나제희.

33. 주차장 / 낮

달려온 산타와 구경이. 차가 있어야 할 자리에,
아무것도 없다.
구경이가 나제희에게 전화를 걸어보지만 받지
않는다.

구경이 처음부터 윤재영을 이용해서
누굴 죽일 생각이 아니었어. 자기를 쫓지
말라고 경고한 거야, 내 사람을 해쳐서…

절망적인 표정의 구경이.

구경이 나한테 고통 주는 방법을 알아…

34. 인천 어딘가 / 낮

어둠 속에, 폰 화면에 뜬 '구경 선배' 전화 화면

보고 있는 케이.

케이 빙고.

35. 뒤주 안 - 컨테이너 안 / 해 질 녘

경수 히익!

숨을 몰아쉬며 깨어나는 경수. 몸부림치는데,

나제희 (비명) 아야!

아주 좁은 뒤주 안에 손이 뒤로 묶인 경수와
나제희가 등을 맞대고
'구겨 넣어져 있다'

경수 팀장님!!! 괜찮으세요?
나제희 귀 안 먹었어… 아야…
경수 여기가 어디죠? 얼마나 지났지…?
아야…
나제희 일단 나가서 생각하자

불편하게 구겨진 상태로, 묶인 손목을
풀어보려는 나제희.

나제희 이거, 당겨볼 수 있겠어?
경수 팔에 쥐가 나서… 해 볼게요…

제한된 공간에서 손가락을 꼼지락거리는
나제희와 경수.
손가락들이 얽히고 매듭의 끄트머리가 풀리기

시작한다. 극적으로 손이 풀리고,
경수가 움직일 수 있는 팔을 움직여보다
핸드폰을 집는다.

경수 어! 폰 있다.

폰을 들어 보는 경수. 불빛으로 내부 구조를
훑는 경수.

나제희 (틈을 발견하고) 여기… 여기가 열릴
거 같아…

금세 땀으로 흥건해지는 두 사람. 안간힘을
다해서 뚜껑을 미는 두 사람.

- 밖에서 본 모습. 창문이 없는 좁은
컨테이너에 뒤주 하나가 놓여 있다.
뒤주 뚜껑이 들썩들썩 하더니 토해지듯
나제희와 경수가 튀어나온다.
헉헉 거리는 두 사람.

경수 이게… 이게 뭐야…

뒤주를 벗어나자 나제희의 발에 차가운 물이
닿는다. 아직 알아차리지 못하는 경수.

경수 여기가 어디야?

그 때, 경수가 쥐고 있던 전화기 울린다. 발신자
구경이. 재빨리 받는 나제희.
경수가 컨테이너 내부를 훑지만 문은 열 수

없게 막혀 있고 창문도 없다.
어느새, 바닥에 깔려 있던 정도의 물이
발목까지 차올랐다.

나제희 (전화받고) 선배… 우리 갇혀
있는데… 물이 점점 차올라.

36. 주차장 / 밤

나제희와 통화하며 머리를 쥐어뜯는 구경이.

구경이 거기가 어디냐고!!!

산타가 어디서 훔쳐 온 오토바이를 부와앙
타고 구경이 앞에 나타난다.
재빨리 올라타는 구경이. 달려가는 오토바이.

37. 전망대 / 밤

케이 (배율 좋은 망원경으로 구경이 모습을 보다가
조롱조로) 어우 멋있다
새박사 그렇지?

케이, 벙쩌서 돌아보면 옆에 서 있는 각종
깃털을 달고 있는 새박사.

케이 예?

새박사, 케이가 보고 있던 망원경을 보며 -

새박사 방금! 맥아더 장군 코끝을 스치고

지나간 게! 바다직박구리.

케이가 망원경 통해 보자 정말로 거기에는
자유공원 맥아더 동상이 있다.
새박사가 케이 보고 있는 망원경을 휙! 휙!
틀면서 -

새박사 세 시 방향 방울새 11시 방향
동박새! 그리고 이 소리는…!
(귀에 손 갖다 대며 눈을 감고)
딱딱따라딱딱딱… 청딱따구리예요.

케이가 망원경에서 눈을 뗀다. 어질…
새박사가 케이에게 불쑥 휴지를 내민다.
'우리 새 지키기 모임 - 우리새키' 라고
적혀있다.

새박사 다음에는 모임에 꼭 나오시도록
해보세요.
케이 (적당히 받아주려고) 예… 예…
새박사 쨱째잭! (격렬하게 혀를 튕기며)
호롤로롤로!

새박사, 새들을 부르며 자리를 옮긴다.
케이가 다시 망원경에 눈을 대고, 구경이를
찾으러 휘적휘적 움직여 보는데 -
눈에서 사라진 구경이.

케이 어디로 가셨어…

다시 케이를 톡톡 두드리는 손길.

케이 (귀찮아하며) 예예, 쨱쨱쨱! 만세…
갈게요 갈게

다시 톡톡.

케이 아 모야?

돌아보면, 순경 둘이 케이에게 경례하고 있다.

케이 …?
순경 어… 잠깐 손에 그거 좀 볼 수
있을까요?
케이 예? 갑자기 왜요?
순경 제보가… 들어와서요… 그냥
잠깐만 보여 주면 되는데…

케이가 손에 들고 있는 건, '우리새키' 휴지뿐.
순순히 휴지를 내미는 케이. 순경이 비닐을
열어보고 표정이 굳는다.

순경 서로 같이 가 주셔야겠습니다
케이 아니 갑자기 뭐예요?!

순경이 휴지 안에 들어있던 걸 보여준다.
휴지에 둘둘 말려 있는 대마초 두 까치.

케이 제 거 아니에요!
순경 일단 가서 이야기합시다

순경에게 끌려가는 케이.
근처에 장기 두는 할아버지들이 그 모습을

주의 깊게 본다.

Cut to.
바닥에 널브러져 있는 깃털들. 옷을 말끔하게
다르게 입은 새박사.

새박사 됐어요

옆을 보면, 모자를 푹 눌러쓴 건욱.
건욱이 흘리듯 돈뭉치 쥐어 주고 자리를 뜬다.

38. (교차) 컨테이너 안 - 바닷가 / 밤

- 컨테이너 안. 무릎까지 찬 물.
경수가 쾅쾅쾅! 컨테이너를 두드려보고 있다.
꿈쩍 않는다.
나제희가 컨테이너의 끝에서 끝으로 걸으며
걸음을 세고 있다.

나제희 (전화로) 버려진 컨테이너일 거야.
창문 없는 거 보면 화물용 같고.

- 바닷가. 산타와 함께 단서를 찾고 있는
구경이. 지도 펼치고, 주변 뒤지며

구경이 (전화로) 아무리 빨리 싣고 달렸어도
멀리는 못 갔어. 반경 30km 이내.
바다 한가운데 컨테이너니까 눈에 띌
거야. 바다는 맞지?

- 나제희, 말 듣자마자 차오르고 있는 물

찍어서 먹어본다.

나제희 맞아. 짜.

끼이- 하면서 살짝 기울어지는 컨테이너. 물이
더 차오른다.

경수 (거의 울면서) 우리 바다 위에 떠 있는
거죠…
나제희 서해잖아. 물이 차오르고 있는
거야. 만조 되면 여기는… (낮은 천장
쳐다보는)
경수 물 꼴락 차요? 우리 죽어요???

- 다시 구경이 쪽

구경이 기지국 조회는 아직이야?

산타가 절레절레 고개를 젓는다.

구경이 만조 시간까지 두 시간…

39. 경찰서 / 밤

케이 오해라고 다 말씀드렸잖아요, 저
이제 가도 되는 거 아니에요?
경찰 현행범이에요, 지금.
케이 아니, 나 너무 억울한데… 이거
(울먹이면서) 오핸데…

옆의 경찰이 와서 속닥인다.

경찰 잠깐 기다리셔야 돼. 김순경, 여기 여기.

케이 어? 저 나갈 수 있는 거예요? 집에 데려다 주실 거예요?

순경이 케이를 데리고 간다. 밖으로 나가는 줄 알았더니…
가는 곳은 - 유치장. 유치장 철창을 보고 더 울먹.

케이 저 진짜 억울해요!! (혼잣말) …재밌는 구경 다 놓치겠네

40. (교차) 바닷가 - 컨테이너 안 / 밤

온통 새카매진 바다. 떠 있는 배의 불빛만 간간이 보인다.
산타 뒤에 탄 구경이가 그런 바다를 살펴보고 있지만 컨테이너는 보이지 않는다.

구경이 대체 어디야. 어디 있어!!

- 컨테이너 안.
뒤주를 밟고 붙어 올라서 있는 나제희와 경수.
이미 물이 목까지 차올랐다.

경수 저희 이렇게 죽나 봐요.
나제희 뭐하는 거야 선배… (핸드폰 들어올린 채로) 배터리도 얼마 안 남았네.

그때 나제희의 눈에 반짝 꼬리를 치고

지나가는 게 보인다. 나제희, 잠수한다.

경수 팀장님!

잠수해서 물고기를 향해 핸드폰 불빛을 비추는 나제희.
푸하, 다시 위로 올라온다.

나제희 검정망둑이다. 기수어야!
경수 네? 그게 무슨…
나제희 (다급하게 구경이에게 전화하며) 우리 나나가 물고기를 좋아해서…
경수 ???

- 바닷가 달리는 중인 구경이, 산타.

구경이 (전화 받는) 어!
나제희(E) 선배 여기 바다가 아ㄴ….

전화 끊어진다.

- 컨테이너 안의 나제희와 경수.

나제희 바다가 아닌데…

전원 꺼진 핸드폰을 보고, 서로를 쳐다본다.

경수 어떡해요, 팀장님…
나제희 정신 똑바로 차려, 경수 씨…우리 이렇게 안 끝나.
구경이 나제희, 제희야!!!

바닷가에 울려 퍼지는 구경이의 절규.

───────── 〈4화 끝〉 ─────────

1. 바닷가 / 밤

나제희(E) 선배 여기 바다가 아….

전화 끊어진다.

구경이 나제희, 제희야!!!

구경이, 전에 없던 흔들리는 모습. 덩달아
불안해지는 산타.

구경이 (산타의 등짝을 후려치는) 정신 똑바로
차려!

구경이의 등짝 스매싱 때문에 산타의
오토바이가 휘-청한다.

구경이 정신 똑바로 차리라니까!

어이없는 표정의 산타.

Cut to.
해안 도로 갓길에 세워진 오토바이.

구경이 바다가아… 바다가아… (깨달은)
아-아니야! 바다가 아니었던 거야.
(산타보며) 다른 가능성이 있니?
산타 (AI보이스) 바다가 아주 커. 바다가
아니바다. (다른 가능성 없다는 듯 고개 흔드는)
구경이 짜다고 했지, 바다가 아닌데.
밀물이 차오르고.

산타 (AI보이스) 바다가 아닌데 밀물
썰물이 있어요?
구경이 바닷물과 민물이 섞인 곳이야.
물은 짜고, 밀물 썰물도 있지만 바다는
아니지. 그래서 우리 눈에 안 보였던
거야. 근처에 기수호가 얼마나 있지?
지도! (지도 살피며 바로 핸드폰으로 119 누르는)

산타, 허겁지겁 구경이 앞에 지도 켠 핸드폰
들이민다.

구경이 (전화에 대고) 호수에 있는
폐컨테이너에 사람 둘이 갇혀 있어요..
위치는…

구경이가 보는 지도 속, 반경이 시선으로
좁혀진다.

구경이 작전 지역에서 멀리는 못 갔어…

구경이의 시선으로 빠르게 줌인 되는 두
군데의 호수!

2. 컨테이너 안 / 밤

물에 잠긴 채,
뒤주의 위 뚜껑(나무판자)을 컨테이너의 경첩
사이에 밀어 넣어 사이를 벌리고 있는 경수.
곧 잠시 위에서 숨을 쉬고 온 나제희가 힘을
보탠다. 입에서 공기 방울들이 튀어나오고…
사람 하나 나갈 수 있을 정도로 틈이 벌어졌다

다시 줄어들었다 한다.
나제희가 판자와 몸으로 틈을 받치며 경수에게
나가라고 턱짓한다.
경수가 도리도리 고개를 젓는다. 나제희가
험상궂은 표정을 짓는다.

나제희 (빨리 안 나가면 우리 다 죽어!)

망설이다 좁은 틈으로 간신히 빠져나가는 경수.

3. 호수 수면 위 / 밤

경수, 물 위로 튀어 올라 가쁜 숨을 몰아쉰다.
얼마 남지 않은 컨테이너에 발을 디디고
나제희가 올라오길 기다리는데…
기다리는 나제희는 보이지 않고 겨첩을 고정할
때 사용했던 나무판자가 떠오른다.

경수 (울부짖는) 팀장님!!!

경수, 다시 물속으로 들어가려는 데, 손전등
불빛이 경수를 비춘다.

경수 여기요! 빨리요!!!!

경수를 향해 접근해 오는 구조대 배. 배에
구경이가 타 있다.

경수 (울먹) 팀장님, 나 팀장님이 밑에…!

구경이, 망설임 없이 물속으로 뛰어든다.

구조대원 아 안 돼요!

구경이 따라 들어가는 구조대원. 벌벌 떨며
기다리는 경수.
잠시 뒤, 수면 위로 피 흘리는 나제희를 끌고
올라오는 구조대원.

경수 팀장님! 팀장님!

곧바로 어푸푸하며 맥주병처럼 수면으로
떠오르는 구경이.
앰뷸런스 소리 -

4. 응급실 / 새벽

응급실 침대에 누워있는 경수. 산타가
이곳저곳을 살피는데,
저체온증에 타박상을 입은 경수는 안색이
푸르고 상태가 좋아 보이지 않는다.

경수 (헐떡이며) 나 팀장님은요?

몸도 덜 마른 구경이가 담요 뒤집어쓴 채
곧바로 경수 침대 쪽으로 걸어온다.

경수 나 팀장님은요! 괜찮으신 거예요?

경수가 몸을 억지로 일으키려고 하자, 산타가
경수를 눕힌다.

산타 (AI보이스) 수술실에 있어요. 목을

다치셨어요.

구경이 (나제희의 상황에는 관심도 없다는 듯이

경수를 붙들고) 봤니?

경수 (뭘?)

구경이 납치당할 때, 봤냐고. 제대로 말해.

간호사 (지나가다가) 지금 안정 취하셔야

돼요!

구경이 (무시하고) 저기 씨 머리 좋다며.

어떻게 움직였는지부터 냄새나 소리,

기억나는 대로 다 말해.

경수 (버럭) 지금 이게… (이를 갈면서)

중요하신 거죠

구경이 케이의 실행범, 어쩌면 케이랑

직접 접촉한 거잖아. 기회야.

경수 …

구경이 …무슨 생각인지 알겠는데,

이러고 있는 시간도 아까워. 잡을 거야,

말 거야.

경수, 힘겹게 입을 뗀다.

경수 (여전히 구경이를 원망하는 눈빛으로)

팀장님이랑 차에 있었는데,

먼저 목소리가 달라졌어요-

- INS. 경수와 나제희, 가스가 유입되는 걸

알아차리기 무섭게 정신을 잃는다.

경수(V.O) 창문을 열어보려고 했는데 안

열렸구요, 바로 정신을 잃었어요.

- INS. 파편적인 이미지들. 차 문을 열면 축

처진 경수와 나제희.

- 어디선가 떨어지는 경수. 닫히는 뒤주의 문.

덜컹거리는 몸.

경수(V.O) 처음 나왔을 때, 무슨 큰

나무상자 같은 데 있었어요

- INS. 컨테이너 안에 놓인 커다란 쌀 뒤주.

경수 어떻게 저랑 팀장님을 차에서

컨테이너까지 옮긴 건지…

말을 너무 많이 한 경수가 몸을 가누지 못할

정도로 기침을 한다.

구경이가 그런 경수를 잠시 보더니, 옷을

갑자기 들추어서 경수의 맨 옆구리를 본다.

산타 !!?

커다란 멍 자국. 찔리거나 긁힌 피부 표면의

상처가 아니라 어디선가 떨어져 생긴 멍이다.

좀 더 들추자, 뭔가에 쓸린 자국.

경수, 갑작스러운 체온 변화에 푸에취, 푸에취,

재채기를 시작하고.

산타가 구경이 손을 탁 때리고 경수 옷을 다시

만져준다.

구경이 혼자라도 옮길 수 있었어.

- INS. 구경이의 상상.

한 인물이 경수의 축 늘어진 몸을, 선물
포장하듯이 광목천으로 둘러싼다.
천을 차 밖으로 당겨, 아래로 떨어뜨린다.
1m 정도 아래에 있는 열려 있던 뒤주에 그대로
떨어지는 경수의 몸.
천에 쓸린 상처. 아래로 떨어지며 생긴 멍.

경수 (숨을 고르며) 그랬다 쳐도, 갯벌
한가운데 있는 컨테이너에는요?
구경이 갯벌 한가운데 버려진
컨테이너가 있었다면…
너네 둘이면 150kg도 안 될 테니까
중장비를 쓸 필요도 없지

- INS. 구경이의 상상.
뒤주를 뒤에 싣고 갯벌을 달리는 ATV 한 대.
멀지 않은 곳에 폐컨테이너가 뻘에 박혀 있다.

경수 뭐가 어떻게 됐다는 건데요!

구경이 대답 않고 응급실을 나간다.

경수 (뒤따라 나가려는 산타 옷깃 잡고) 팀장님…
우리 팀장님 좀…

산타가 끄덕이며 경수 손을 한 번 잡아준다.

5. 갯벌 근처 ATV 대여 업체 / 이른 아침

갯벌 달리고 있는 ATV를 탄 관광객들. 신나
보인다. ATV 물 세척하고 있는 직원.

굼뜬 직원 (인기척을 느끼고) 어-서-오-세-요

전혀 ATV를 탈 관광객으로는 안 보이는
구경이와 산타의 모습.

Cut to.
장부 펼쳐 놓고 컴퓨터 켜 놓고 앉아있는
굼뜬 직원.

굼뜬 직원 (엄청나게 느린 손놀림으로) 언제…
언제요?
구경이 (작게 한숨)

산타가 재빠르게 키보드에 손을 대고, 탁탁탁
검색 조건을 입력한다.
대여-반납 시간을 조회해서 나제희와 경수를
실어 날랐을 시점과 겹치는 시간대를 추출,
화면에 쭉 대여하러 온 사람들의 모습이
CCTV 화면으로 뜬다.

굼뜬 직원 저희가… 저희가 대여할 때…
저희가 대여할 때는… 신분증.
그 신분증 조회를 다 하거든요.

옆의 장부에 신분증 복사본들.

구경이 (힐긋 보고) 어차피 위장 신분일 거야.
굼뜬 직원 …근데… 진짜… 진짜 경찰
맞으신 거 맞아요?

산타와 구경이 말이 없이 화면을 뚫어져라

본다. 한 명 한 명의 실루엣을 훑어보다가

굼뜬 직원 (자기도 따라서 보다가, 갑자기 빨리 말하는) 아! 이분, 아직 반납을 안 하셨네

구경이가 보면, 체구는 작지만 배가 나온 중년 남자가 ATV 빌리는 모습.

굼뜬 직원 (어디론가 전화를 걸어 빠르게 말한다.) 여기 다이나믹인데요, 저희 큐브 빨강이 하나가 미반납입니다. 주변에 수배 좀 부탁드립니다.

화면 속 남자. ATV를 빌리고, 가게 앞을 떠나 사라지는 것까지 보여지는데…
ATV를 타기 전 양 손목을 꺾는 제스처를 하는 남자.

구경이 잠깐만, 다시.

손목을 꺾는 제스처를 다시 한번 돌려보는 구경이.

구경이 (따라 하면서) 이거… 본 적 있어.

의아해하는 산타. 직원에게 도착하는 알람.
('자유공원 3C구역에 있음')

굼뜬 직원 저는- 이거 좀 찾으러… 가겠습니…

이미 밖으로 나가고 있는 구경이와 산타.
직원에게 빨리 오라고 손짓한다.

6. 인천 도로 / 낮

멋있는 자세로 ATV를 타고 가는 구경이와 산타.

7. 전망대 / 낮

널브러져 있는 ATV. 직원이 바퀴에 낀 뻘을 보고 쯧쯧거린다.

굼뜬 직원 이런 식으로 타고 말이야
사람들 양심 참. 이모, 고마워요
매점 주인 그래~ 양심들이 없다~

ATV가 여기 있다고 알려준 매점 주인, 갑자기 훅 들어오는 구경이 얼굴에 놀란다.

구경이 (매점 주인에게) 이거 타고 온 남자, 어디로 갔는지 봤어요?
여기 근처에 CCTV가… (주변을 빠르게 훑고) 없네. 뭐 샀어요?
매점 주인 요 앞에 세우고 화장실 가는 거까지는 봤는데, 그 다음에 놔두고 간 거지 뭐

구경이, 돌아보니 화장실이 있다. 앞에 있는 커다란 쓰레기통.
머리를 굴리던 구경이가 쓰레기통을 뒤지자 바둑 두던 노인들이 구경이를 돌아본다.

산타도 으윽, 하며 쓰레기 함께 뒤진다.

노인1 어제오늘 별꼴 다 보네
노인2 바둑 구경보다 이게 낫다야
구경이 (귀쫑긋) 무슨 구경 하셨는데요?
노인1 다 큰 아줌마가 쓰레기 뒤지는
구경하고 있지
구경이 (삐직) 이거 말고요
노인2 어제는 다 큰 가시내가
남자화장실에서 나오는 구경했지.
노인1 남자화장실에서 여자가 나오길래,
세상 요지경이다 했는데 나와서가 더
구경이었지
구경이 무슨 구경?
노인2 (목소리를 낮추며) 갑자기 어디서 남자
둘이 우르르 오더니, 경찰입니다, 그래.
그러고 그 가시내 잡아갔어.
노인1 (앞다투어) 내가 들어보니까― 마약
어쩌고 하더라고. 요새 애들 겁나?

산타, 쓰레기통 안에서 묶여 있는 커다란 검은
비닐봉지를 발견한다.
의심스러운 음악. 산타, 무서워하면서 그걸
천천히 풀어본다.

구경이 혹시… (핸드폰을 내밀며) 그 여자애,
애였어요?

화면을 멀리했다가 가까이했다 하며 사진을
보는 노인2.

노인2 (산타를 가리키며) 이거는 저 짝
사진인디?

화면을 획 돌려보면, 사진이 넘어가서 산타의
사진이 보여지고 있다.
구경이가 몰래 찍은 사진이다. 산타는 이 사실
모르고, 검은 비닐봉지와 씨름 중.

구경이 (태연한 척 다음 사진으로 넘긴다.) 말고,
이 사람.

노인 1, 2가 사진을 뚫어져라 본다. 긴장된
분위기. 구경이가 침을 삼킨다.
산타가 검은 비닐봉지를 풀어내자, 안에서
나오는 것은 - 사람 몸통?
산타 놀라 나동그라지자 구경이가 다가와
봉두를 뒤진다. 사람 몸통처럼 생긴 것은
뱃살 위장용 실리콘. 그리고 중년 남자가 입을
법한 옷가지.

노인1,2 맞어
구경이 (쳐다보면)
노인1,2 (화면 내보이며) 그 가시내 맞어.

- 아까 보았던 화면 속 중년 남자가 손목 꺾는
제스처.
- 구경이의 기억 속, 강당에서 본 누군가의
손목 꺾는 제스처.
손목에서 카메라 올라가면, 송이경의 얼굴.
- 핸드폰 사진 속 이경의 얼굴.

구경이 !!

- 플래시백. 강당에서 연극 연습하던 케이, 구경이 앞에서 태연하게 일어서 걷던 모습.

구경이 하…

- 플래시백. 병원에서 마주친 케이.

케이 어? 장성우 쌤 와이프분? 경찰 쌤!

구경이 다 알고 있었어. 알면서 접근한 거야.

- 플래시백. 과거 취조 장면.

케이 안 들키게 사람 죽이려면요.

구경이 그 꼬맹이가…

- 플래시백. 과거 취조 장면.

구경이 일단은 그 대상이 어떤 사람인지 파악하겠지…
…그리고 그 상황에 가장 자연스런 죽음을 생각할 거야. 살인으로 안 보이게.

구경이 그대로 살인을 저지르고 있었다…

산타에게 구경이의 상기된 얼굴이 보인다.

단순히 범인을 알아냈다는 것을 넘어서, 마침내 알아낸 사실이 구경이를 더 흥분시키는 느낌이다.

산타가 구경이의 핸드폰을 들여다본다. 핸드폰 속 케이의 얼굴이 보인다. 디졸브 되며 -

8. 경찰서 유치장 / 이른 아침

제집 안방 마냥 퍼질러 침 흘리고 자고 있는 케이의 얼굴.
이른 아침이라 아주 조용한 경찰서. 슥 -
유치장으로 창살 사이로 들어오는 손.
케이 반사적으로 눈을 번쩍 뜨고 보는데, 박하사탕 한 개.

케이 (비몽사몽) 이게 아침밥에…
(건욱임을 알아보고) 어?
건욱 양치 못 하니까 입 냄새 나잖아.
케이 (벌떡 일어나 창살에 붙어) 야!
건욱 그러게 왜 내 말 안 듣고 혼자서 쓸데없는 짓을 하노 하기는.

멱살 잡으려 창살 밖으로 손 확 내뻗는 케이.
건욱이 놀리듯 두 손 들고 떨어진다.

건욱 워워~ (쉿! 쉿!) 고생 좀 해 봐라

건욱이 재빨리 경찰서 빠져나간다. 창살 사이로 고개 들이민 케이, 부들부들.

케이 지금 니가 하는 짓이 쓸데없는

짓이야. 알아?

9. 병원 병실 / 낮

병실로 절뚝이며 걸어오는 엉망인 경수.
수술 후 의식 없는 나제희 앞에 멍하니 서 있는
종준의 모습이 보인다.

경수 저… (뭐 물어보려다 종준이 넋이 나간
모습이라 대신에) …팀장님 괜찮으실
거예요.
종준 예?… 예에… 혹시… 우리 애가 뭘
잘못했나?

경수가 넋이 나간 종준의 어깨를 잡아 침대 앞
의자에 앉힌다.

경수 아뇨. 범인 잡으려다가 그런 거예요.
아니에요.

그 때, 병실의 전화가 울린다. 종준이 전화를
받는다.

종준 여보세요? 예? (경수에게 전화기를
건네면서) 바꾸라는데?

경수 전화 받으면, 수화기 너머에서 구경이
목소리 들린다.

구경이(O.S, E) 움직여. 가만히 있지 말고,
지금 할 수 있는 걸 하자.

경수 예…? 예!

경수, 전화기 든 채로 나가다가 선에 걸려
삐끗한다.

10. (교차) 인천 해안가 - 차 안 - 병원 / 낮

빠르게 걷고 있는 구경이. 답지 않게 거의
달리는 중. 옆에 있는 산타도 마찬가지다.

구경이 송이경. 도림대학교 연극부.
이모는 너네 보험회사 직원 정정연.
봉백여고 다녔고. 미국에서 자라다가
한국 넘어와서 이모 손에서 컸어.
송이경에 대한 최대한 많은 정보가
필요해.

- 병원 로비의 컴퓨터 앞에 앉아 전화기 끼고
키보드 두들기는 경수.

경수 찾아서 우리가 프로파일링한
케이랑 대조해보란 말씀이시죠?

경수가 보고 있는 화면에 가득 떠 있는,
송이경에 대한 자료들.
SNS, 연극부 활동 사진, 졸업 사진. 정연의
인사기록… 등등.

- 차에 올라타는 구경이.

구경이 우리가 아는 케이는 시애틀에서

자랐어. 송이경 살았던 데가
시애틀이었는지, 거기서 무슨 일이
있었는지도 찾아봐.
경수 (Off sound) 조사관님은 어디 가세요?
구경이 송이경 잡으러.

네비게이션에 '인천해양경찰서'. 시동 거는 산타.
- 경수가 화면에서 옛날 뉴스 기사들 보다가
눈이 커진다.

경수 어?! 시애틀!

11. (교차) 경찰서 - 구경이의 차 안 / 낮

조사받는 케이. 잔뜩 억울한 표정.

케이 (울먹이며) 근데 저 진짜 무서워요..
누가 진짜 저 괴롭히려고 이런 거 같아요
경찰 확인은 해야 되니까요. 미국 국적자는
아니시고 현재 주소지는 서울 00구 맞죠.
케이 네
경찰 가족 누구한테 연락할까요?

- 교차. 경수가 보낸 기사 읽는 구경이.

경수(O.S) 이것도 아셨어요?

- 교차. 경찰서.

케이 이모요. 연락 받으면 우리 이모 많이
놀랄 텐데 어떡해 으앙

경찰 부모님은, 두 분 다 돌아가셨고요?

케이, 그 말에 지금까지의 우에엥 하던
표정과는 조금 달라진 눈빛.

- 교차. '한인 부부 총격사건, 5세 아이 실종…'
헤드라인이 눈에 들어온다.
차에 실려가던 구경이가 문득 옆을 보면 - 옆
차의 차창 너머로 보이는 어린 여자아이.

사운드 선행. 보이 그룹의 댄스 팝 나온다.

12. 이경의 과거 - 15년 전, 미국 캠핑장 / 낮

차 뒷좌석에 앉은 5살 이경. 디디 인형을
만지작거리고 있다.
댄스 팝 음악 흘러나오고, 옆 차창으로 보면
평화로운 숲의 모습.
그러나 이내 음악 사이로 싸우는 소리가
웅웅거리며 들려온다.

이경 모 왜 여기까지 와서 이래! 제발
그만 해 여보!
이경 부 이런 식으로 나 무시하는 게 하루
이틀이야? 넌 니가 잘났다고 생각하지?
(영어로) 건방진 년!

흥분하던 이경 부가 차 문을 벌컥 열고
대시보드 서랍을 뒤지면 손에 잡히는 권총.

이경 부 (이경을 보며) 여기 가만히 있어!

이경 부, 권총 들고 차 문 닫고 가버리고,

이경 모 (멀리서) 미쳤어! 당신 미쳤다고!

이경 모의 비명과 이경 부의 분노에 찬
고함소리가 차에서 점점 멀어진다.
차에 갇힌 이경. 들려오던 노래 끊기고, 갑자기
적막에 빠지는 차 안.
순간 차창 밖으로 커다란 그림자가 나타났다
사라진다. 고개를 돌려보면, 저 쪽 숲의
어두운 곳에서 뭔가 부글거리는 소리가 난다.
반쯤 어둠에 걸친 듯한 '검은 괴물'의 형체.
손에 있던 인형이 검어지고, 거대해지고,
뒤틀린 듯한 모습.

이경 가?

달칵, 차 문이 열리고 이경이 주저 없이
거기서 뛰어내린다.
숲으로 천천히 걸어가는 이경. 이경이
쳐다보면, 마치 어둠이 이경을 빨아당기는
듯하다.
검은 괴물이 숲으로 더 깊숙이 들어간다.

이경 가도 돼?

숲으로 하염없이 들어가는 어린 이경. 뒤이어
탕! 탕! 하는 두 발의 총성.

13. 현재. 차 안 / 낮

경찰(V.O) 송이경 씨 가족 되시죠? 서로
나오셔야 할 거 같은데요…

불안한 얼굴로 운전대 잡고 달리는 정연. 끽!
보행신호 못 보고 뒤늦게 브레이크 밟는다.
길 건너던 사람이 욕을 뱉고, 정연 역시 깜짝
놀라 몸을 바들바들 떨고 있다.

방송(V.O) 레이크우드 지역 캠핑장에서
한인 남편이 아내를 총격 살해하고
스스로 자살시도를 한 끔찍한 일이
발생했습니다…

정연이 라디오를 보는데 꺼져 있다. 그러나
깃기에 생생한 뉴스 소리.

14. 정연의 회상 - 15년 전, 미국 캠핑장

방송(V.O) 이들은 지역 병원에서 의사로
활동하던 것으로 확인돼 한인 사회에
큰 충격을 주고 있습니다. 한편, 현장에
함께 있었던 부부의 5세 딸이 여전히
실종상태…

조수석에서 떨고 있던 젊은 정연. 차에서 내린다.
카메라는 차 안에 남아 차창 밖 풍경을 비춘다.
수색하는 사람들의 손전등 불빛이
밤의 숲을 훑고 있다. 비까지 내리며 한층
을씨년스러워지는 분위기.

고개를 젓는 경찰관. 주저앉는 정연의 모습.

경과.
아침. 떠나는 수색팀들. 며칠간 자지도 먹지도
못한 파리한 정연이 놀라서 막아선다.

정연 뭐예요? 왜 가는 거예요?
일주일밖에 안 됐는데!!! 백인 애가
아니라서 그래요? (수색팀 붙잡고 나동그라지며)
언니!! 제발 우리 이경이만 살려줘…
제발…!! (까무러친다.)

경과.
밤. 차에서 반쯤 기절한 상태로 자고 있던 정연.
이상한 공기가 느껴져 잠에서 깬다.
차에서 천천히 내려 숲 쪽으로 가보는 정연.
사람들이 웅성웅성 모여 있고,
밝은 조명이 비추는 곳에서 한 주민이 담요에
싸인 이경이를 안고 나온다.
조명 때문에 거룩해 보이기까지 하는 풍경.

정연 이경아…

정연이 이경을 건네받아 껴안는다. 품에 안긴
이경은 너무나 멀쩡한 모습.

정연 (사운드 선행) 진짜 기적 같은 애예요.
우리 이경이…

15. 과거. 아동 신경정신의학과 / 낮

아동 신경정신의학과 상담실에 앉은 손
닥터와 정연.

손 닥터 어린아이가 숲에 일주일 동안
혼자 있었잖아요, 근데 생채기 하나
없었고…
탈수 증세도 없었다고 하고. 이경이는
여전히 기억이 안 난대요?
정연 예… 그러니까 기적이죠! 저는 우리
언니가 지켜 줬다고 생각해요

손 닥터 테이블 위에 놓인 사진을 다시 본다.
미국에서 찍은 이경의 가족사진.
그런데… 모든 사진에서 이경 부의 얼굴이
새까맣게 칠해져 있다. 사진이 뚫릴 정도로.

정연 (사진 의식하고, 초조하게) 어린애니까
아무렇게나 낙서하고 그런 거겠죠?
손 닥터 (신중하게) 최근에 불장난했다는 건-
정연(O.L) 그것도 그냥 옆집 할아버지 댁
놀러 갔다가… 애가 라이터를 갖고 논
모양인데.. 별일은 없었어요! 불이 막 난
건 아니고요…
손 닥터 이경이가 그 할아버지랑 평소에
어떤 관계였나요?
정연 그냥 인사 잘하고, 할아버지도
귀여워하시고 그랬어요… (망설임)

- INS. 과거 회상

'아름이를 찾아주세요' 골든 리트리버의
사진이 찍힌 '강아지 찾습니다' 전단.
누가 버린 듯 바닥에 가득 뿌려져 있는 전단지.
그걸 내려다보는 7살 이경.

이웃 어떻게 이러실 수 있어요! 당신들이
사람이야?! 아름이 제 가족이라고요!

공터의 소란. 솥을 걸어 놓고 영감 몇이 불을
피우고 서 있고,
이웃 사람이 악을 지르고 있다.
이경이 보면, 끓고 있는 솥. 바구니에 담겨
튀어나와있는 노란색 개털.

할아버지 사람이 개랑 가족이라네 살다
살다
정연 (멀리서) 이경이? (이경에게 다가오는) 뭐
봐?

주저앉아 엉엉 우는 이웃과 담배 피우며 슬슬
사라지는 할아버지들. 놀라는 정연.

이경 이모, 저 아저씨 왜 울어?
정연 할아버지들이 나쁜 행동을 해서,
마음이 아야 하신 거야. 가자, 가자.

이경, 시선을 떼지 못하는데… 정연이 이경을
잡아 끈다.

- INS. 할아버지 자고 있는 사이에, 옆에서 간식
먹던 이경.

놓여있던 라이터를 장난감처럼 만지작거린다.
부싯돌 부딪히며 불꽃이 확- 일어나고,

(회상 끝, 경과)
7살 이경이 상담실 의자에 앉아있다.

손 닥터 이경이 왜 불장난한 거야?
이경 죄송합니다
손 닥터 이경이한테 할아버지는 어떤
사람이야?
이경 할아버지? 이모가 그랬는데
할아버지 나쁜 행동 해서 아저씨 막 울고
그랬어요.
손 닥터 그러면, 나쁜 행동을 하는 사람을
보면 우리 이경이 기분이 어때?
이경 …
손 닥터 (삭송 모션을 시늉하며) 화가 나? 기뻐?
슬퍼?
이경 음… 깜깜해요
손 닥터 깜깜해?
이경 응
손 닥터 기분이 깜깜해? (웃으면서) 말을
예쁘게 하네 이경이가.

이경이가 손 닥터를 올려다본다. 정확히는, 손
닥터의 뒤를 본다.
'검은 괴물'이 손 닥터 뒤에 우뚝 서 있다.

이경 (손가락으로 가리키며) 깜깜해.

불안한 얼굴로 어린 이경의 뒷모습을 보고

있는 정연.

16. 현재. 경찰서 / 낮

정연 이경아?

새카맣던 눈동자에 다시 빛이 들어오며 금세
생글한 얼굴로 돌아보는 케이.

케이 (어린아이처럼) 이모오오!

17. 경찰서 앞 / 낮

경찰서로 헐떡이며 들어가는 구경이. 저 쪽에
앉아있는 젊은 여자의 뒷모습이 보인다.

구경이 송이경!!!

구경이가 여자의 어깨를 낚아채는데, 돌아보면
다른 사람이다.

경찰 어떻게 오신 겁니까?
구경이 송이경 찾으러…

구경이, 포기하지 않고 앉아있는 모든
사람들의 얼굴을 확인한다.
덩치 큰 남자도 돌려보고 앉아 있는 형사들도
돌려본다.
누구라도 이경이 될 수 있다는 듯이.

경찰 그분 귀가 조치했는데…

누구시라고요?
구경이 송이겨어엉…!

18. MEK 보안회사 조정실 안 / 낮

화면 속. 길가에 정차한 정연의 차.
케이가 차에서 내려서 이모에게 빠빠이를 크게
하더니, 휙 어디론가 가버린다.
정연의 차가 출발하고 케이의 모습이 화면에서
사라진다.

건욱 (혼잣말) 조신하게 집에나 들어가지
어딜 또 싸돌아 다녀

몸 일으키는 건욱. 그 때, 시야에 들어오는 다른
화면. 경찰서 앞 CCTV다.
경찰서 앞으로 모습을 보이는 구경이.

건욱 (구경이 발견하고) 미친!

경수 (사운드 선행) 박규일 캠퍼스 사건
당시에, 송이경도 거기 있었어요

19. 병원 / 낮

경수가 키보드에서 손을 떼고, 화면을 보고
있다. 믿을 수 없다는 눈빛.

- *INS. 송이경이 찍힌 다른 홈마의 사진.*

경수 통영 김민규 사건 때, 그때 학교

축제였는데– 연극부 활동에서 다
빠졌고요

날짜와 연극부 활동사진을 비교해보고 있는
경수.

경수 케이의 살인이 벌어진 곳에
송이경이 있었거나, 있을 수 있었어요.

20. 경찰서 앞 / 낮

경찰서 앞에서 케이가 어디로 향했는지 가늠해
보는 구경이.

구경이 그때 봉백에도 있었어

21. 괴기 병원 / 밤

경찰 구경이가 병실 복도에 서서 의사와
이야기한다.

의사 급성알콜중독 맞고요, 계속
의식불명이십니다. 가족들한테는 말씀
못 드렸는데 오래 못 버티시지 싶네요.

수긍한 구경이, 돌아서는데 – 교복 입고
들어오는 건욱(19세)과 스쳐 지나간다.

22. 병실 안 / 밤

건욱 왜 안 죽고 살았노.

수위 이불을 덮어주던 건욱의 얼굴이
일그러진다.
건욱이 수위의 목을 조르려 감싸 쥐지만, 손에
힘이 들어가지 않는다.

건욱 이래 살아있으면 병원비는 누가
내냐고… 제발 엄마 그만 괴롭히라…

바들바들 떨리는 손… 힘이 쭉 빠진 건욱이
털썩 주저앉는다.

케이 (Off sound) 죽여요.

흠칫 놀라 주변을 둘러보는 건욱.

케이 (Off sound) 죽어도 싼 놈 같은데
죽이라고.

창문 쪽 커튼 뒤에 누군가가 있다. 커튼 아래로
내려오는 발끝.

건욱 뭔데?
케이 못해요? 그럼 내가 해 줘?

커튼 뒤에서 들리는 목소리가 신성하게
느껴진다.

건욱 …해줄 수 있어요?

마스크로 얼굴을 다 가린 케이가 커튼 사이로
얼굴을 빼꼼 내민다.

케이의 동그란 눈이 반달 모양이 된다. 침대로 다가오는 케이.

케이 …해도 돼?

건욱, 케이 보다가 고개를 끄덕인다. 밖을 의식하는 건욱.
장갑 낀 케이가 심장박동기를 조작하고, 수위의 얼굴에서 산소 호흡기를 뗀다.
가늘게 이어지던 수위의 숨이 끊어지며 병실에는 정적뿐.
건욱의 눈으로 보이는 케이. 후광이 비친다.
흡사 천사의 모습.
케이가 다시 산소 호흡기를 수위의 입과 코에 댄다.

케이 (장갑을 벗어서 건욱에게 주며) 여기 아무도 없었던 거예여?

케이가 병실을 빠져나가자, 멍하니 있던 건욱이 장갑을 들어 주머니에 쑤셔 넣는다.
고요한 병실에 건욱의 헐떡이는 숨소리만 들린다.

23. 과거 봉백여자고등학교 앞 / 낮

건욱이 하교하는 학생들의 얼굴을 확인하고 있다.
혼자 걷는 케이를 발견하고 따라가는 건욱.

24. 과거 골목길 / 낮

인적 드문 골목길에 다다라 건욱이 케이를 부르려는데, 케이가 먼저 돌아선다.

케이 (울먹이며) 왜 자꾸 따라오시는 건데요…
건욱 너… 맞지?
케이 소리 지를 거예요! 저한테 왜 이러시는데요!
건욱 (의심스러워 주춤) 아닌가…? 미안… 내가 사람을 잘못 보고…
케이 프하하하하!

울먹이던 케이가 돌연 깔깔 웃는다. 거의 숨넘어갈 지경.

케이 오빠 되게 머리 나쁘다~ 굳이 찾아오냐. 죽고 싶어서 환장했나 봐. 진짜!

건욱이 케이가 웃는 걸 보고, 확신한다.

건욱 도와줄게.
케이 뭘를여?
건욱 쓰레기 치우는 거. 혼자 할라면 힘들잖아.
케이 혼자서도 잘하는데

건욱이 머리핀을 건넨다. 케이의 머리에 있는 것과 같다.

건욱 병실 치우다 찾았다. 이런 것도, '정거'잖아.

케이 (약간 놀랍다는 눈빛)

건욱 나는 니가 하는 일이 위대하다고 생각한다. 뭔 일이 있어도 도와줄게. 니가 내 은인이니까.

건욱에게 천천히 다가가는 케이.
건욱, 조금씩 뒷걸음질치다 벽에 부딪힌다.
더 다가가는 케이.

케이 (눈이 반달 되게 웃으며) 이제 못 무른다?

얼떨떨한 얼굴로 끄덕이는 건욱, 서서히 입가에 미소가 번진다.

25. MEK 보안회사 앞 / 낮

잰걸음으로 회사 빠져나오던 건욱, 케이 발견하고 우뚝 선다.
가로수 뒤에 몸을 반쯤만 가리고 숨어 건욱을 노려보고 있는 케이.

건욱 (가로수로 다가가) 야 큰일 났다

케이 (가로수 반대쪽으로 돌며) 큰일은 니가 났지 도라이야. 나한테 이런 짓을 해?

건욱 지금 그게 중요한 게 아니고-

케이(O.L) 위대하다며. 무슨 일이 있어도 도와주겠다매.
내가 얼마나 무섭고 답답했는지 알아?

가로수 뱅뱅 돌며 얼굴을 반쪽만 보여주던 케이를 확 잡는 건욱.

건욱 그 여자가 니 다 알았다. 경찰서까지 따라왔더라. 지금쯤이면 너네 집까지 알았을 수도 있고… (주변 보면서 CCTV급 의식 - 케이 몸 돌려세운다.)

케이 ?!

건욱 그니까 정신 차리라! 이러다 우리 다 깜방 간다! 이모도 다 알고, 내도 회사 짤리고!

케이 (웃으면서) 니 애인도 니가 어떤 사람인지, 다 알게 되고?

건욱의 얼굴이 굳는다.

케이 내가 걱정된 게 아니라, 너가 어떻게 될까 봐 나 신고한 거네?

뭐라 할 새도 없이 케이가 건욱의 목에 걸려 있던 군번줄을 낚아채서,
건욱의 목을 세게 조른다. 목을 파고드는 군번줄.

케이 너한테 소중한 거 생겼으니까 나는 꺼져 달라는 거잖아.

건욱이 케이의 손을 풀어내려 하지만 케이의 손에 힘이 점점 들어간다.
새빨개지는 건욱의 얼굴. 그 때, 군번줄이 투둑 끊어진다. 땡그랑. 튕겨 나가는 이름표.
대호의 군번줄이다. 켁켁거리며 풀려나는 건욱.

케이 (튼어진 목걸이 보고) 약하네. (뒤로 물러서며) 가끔 보면 오빠는 내가 어떤 사람인지 아직도 모르는 거 같애.
건욱 (콜록거리다가) …이제 어쩔 건데?
케이 연락할게. 받아.

두려운 얼굴로, 돌아서는 케이 보는 건욱.

26. 차 안 / 저녁

갓길에 정차된 차. 심란한 표정으로 손 닥터와 통화하고 있는 정연.

손 닥터(O.S) 최근 상담 내용 봐도, 이경이 편안하고 안정된 상태예요. 걱정 마세요.
정연 혹시… (망설이다가) 이경이가, 거짓말을 잘한다는 생각은 안 해보셨어요?
손 닥터(O.S) 예?
정연 (자기가 뱉은 말에 놀라며) 아니에요! 제가 괜히 불안해서 그랬나 봐요. 죄송해요!

정연이 전화를 끊는다. 결연한 표정으로 차를 돌리는 정연.

27. 이경의 오피스텔 로비 / 저녁

오피스텔 입구. 경비원 보고 산타가 어쩌나, 하는데 구경이가 맹렬히 직진! 로비 문 열리자마자 휘청 하며 늘어지는

구경이, 반사적으로 부축하는 산타.

경비원 (반사적으로 부축하며) 왜 이러셔. 왜 이러셔! (곧) 아우 술냄새!!!

양팔을 경비원과 산타에게 걸어- 발이 붕 뜬 구경이. 경비원 가슴 주머니 보면- 마스터키. 구경이, 카드키를 잡아채려는데… 경비원이 의도인지 뭔지 구경이의 공격을 잘 막아낸다.
잠깐의 영춘권 혹은 린디합.

경비원 (구경이의 손 다 쳐내며) 아이고, 사장님 흥이 넘치시네~

안되겠다! 휘청! 하면서 경비원 쪽으로 산타 밀어 넘어뜨리는 구경이.
산타가 경비원 덮친 자세! (순정만화 느낌)
경비원 두근!
그런 사이 구경이가 마스터키 빼내고-
주머니에서 미리 가져온 마스터키 바닥에 던진다.

구경이 우---웩!!!

곧 토할 사람처럼 우다다다 엘리베이터로 달려가는 구경이.

28. 이경의 집 / 저녁

- *INS. 삐빅, 문이 열리는 소리. 이경의 집 열린*

현관문으로 구경이가 보인다.

구경이, 집을 한 번 둘러본다. 평범한 집이다. 문틈을 체크한다.

구경이 트랩이 없다는 건… 피 묻은 칼 같은 건 없다는 거야. 언제 누가 들이닥쳐도 상관없는 평범한 대학생의 집인 거지.

구경이, 냉장고에 붙어있는 이경의 사진을 본다. 한강에서 웨이크보드 타는 모습. 산타가 케이의 책장을 뒤져 본다. 일기장이라도 있을까 해서인데, 놀라울 정도로 아무것도 필기 되어있지 않은 전공책 몇 권이 전부다. 펴 본 흔적도 없다.

산타 (AI보이스) 그러면 여기서 뭘 찾아요?

집 곳곳을 빠르게 훑는 구경이, 화장대로 가 화장품들을 내려다본다.

구경이 우리 눈에만 보이는 게 있을 거야.

산타가 고개 돌리면, 향수 뿌리는 구경이. 치익- 산타의 코 점막에 달라붙는 향수 입자.

- 플래시백. 케이와의 추격전 때, 케이의 냄새를 맡은 산타.

산타, 눈이 커지며 고개를 끄덕인다.

구경이, 물건들 사이에서 진통제 병을 찾아낸다. 반쯤 비어 있다.

구경이 마약성 진통제. 최소 다리라도 하나 부러졌을 때 먹는 거고.

구경이가 진통제 옆에 있는 미니어처 위스키를 슬쩍 품에 넣으려고 하자, 산타가 빼앗아 들어서 지문을 닦고 위스키를 제자리에 둔다. 그 옆에 있는 주머니칼에 시선이 가는 산타, 주머니칼을 능숙하게 펼쳐 본다.

구경이가 케이의 침대에 본능처럼 퍼질러 눕는다. 쿠션감을 느껴보던 구경이, 시선 끝에 들어오는 전등 스위치. 손을 뻗어 스위치를 켜보자 침대 구석 아래쪽이 밝아진다. 빛 아래로 몸을 이끌어 침대 프레임에 기대는 자세를 취하는 구경이.

구경이 스탠드를 여기 뒀다는 건, 여기서 뭘 자주 한다는 건데.

손 닿는 곳을 마구 더듬는 구경이. 아무것도 잡히는 게 없다.

구경이 니가 책을 읽는 애는 아니고. 그럼 여기 앉아서 뭘 했니?

구경이의 손이 침대 밑으로 들어가자, 뭔가

걸린다. 꺼내 보면, 나무로 된 반짇고리.

29. 이경의 집 앞 / 저녁

정연, 이경의 집으로 가는 복도를 걸으며
이경에게 전화를 하지만,
폰이 꺼져 있다는 알림뿐.

30. 이경의 집 안 / 저녁

구경이가 반짇고리를 열자, 드러나는 - 마구
뒤엉켜 있는 '검은 괴물인형' 들.
인형들이 구경이를 올려다보며 끼기기긱 웃는
것만 같다.
구경이 귀에 들리는 기괴한 소음.
동시에, 초인종이 울린다. 놀란 산타가
구경이를 쳐다본다.

구경이 케이는 아니야. 가만있어. 그냥 갈
거야.

한 번 더 울리는 초인종. 얼어붙은 구경이와 산타.
문 앞이 잠잠해지자 잠시 숨을 돌리려는데,
곧바로 삐-삐-삐 비밀번호 누르는 소리.
산타와 구경이가 날쌔게 몸을 굴려 침대 뒤
공간에 겹치듯 숨는다.

정연 경아, 집에 없니?

정연, 평온해 보이는 집 안으로 들어온다.
무엇을 해야 할지 잠시 둘러보다…

손에 잡히는 대로 서랍을 열어보고 부엌
찬장을 뒤져 녹차를 꺼내 향을 맡아본다.
밀가루며 소금이며 꺼내서, 이게 진짜
조미료가 맞는지 맛을 본다.
전부 녹차고 밀가루고 소금이다. 입가에 허연
가루를 묻힌 채로 맥이 풀리는 정연.

정연 (혼잣말) 뭘 찾겠다고… 진짜 빵점
이모다.

정연이 조미료통 다시 넣어 두려는데, 아까
무심코 지나쳤던 현관의 신발들이 눈에
걸린다.
구경이와 산타의 신발. 문득 등 뒤가 의식되는
정연. 핸드폰을 꺼내 112를 누른다.

정연 여보세요? 저… 집… 집에 누가
들어온 거 같아요…
구경이 (등 뒤에서) 이---모님?
정연 엄마. 깜짝이야!

정연이 기겁하며 돌아보면, 방에서 나오는
구경이.

구경이 접니다.

산타가 어느새 정연에게 따뜻한 물을
따라준다. 그사이 폰을 소파로 던져버리는
구경이.
정연이 벌렁거리는 가슴 부여잡으며
자연스럽게 물 받아 마시다가, 이건 또 누구…?

하는 표정으로 물 뿜는다.

경과.
믿음직한 표정으로 걸레질을 하는 산타.

정연 진짜 남자친구라고요? 사진을 보긴
했는데…
(산타보며) 진짜 사귀는 거 맞아요?
구경이 그니까 집 비번도 알려줬죠.
정연 그럼 그쪽은 왜…?
구경이 (두뇌 풀가동) 제가 다리를 놨죠…
그래서… 오늘… 저녁을 같이 먹자네?
그렇지?

산타가 열심히 끄덕끄덕. 손으로 각종
하트모양.

정연 그런 말 없었는데… 근데 왜 저
들어올 땐…
구경이 (말 자르며) 깜빡 잠이 들었어요
정연 (산타와 구경이를 번갈아 보면서) 둘이 같?
이?
산타 (엉겁결에 끄덕끄덕!)
구경이 산타 씨도 좋았구나? 저런~ 근데
얘는 왜 안 오지? 무슨 일이 생겼나?
정연 …친구 만나러 간다고 했어요. 진짜
약속한 거 맞아요?
구경이 친구? 이경이 친구 없잖아요.
정연 있어요. 친구!
구경이 누구? 얘랑 나 말고.

정연이 말문이 막힌다. 산타가 아까 정연이
어질러 놓은 양념통을 다시 정리한다.

구경이 이해해요. 이경이 어릴 때 힘든 일
겪었잖아요…
정연 … (이경이가 거기까지 이야기했나 보구나…)
구경이 같이 저녁 드실래요? 아- 근데
굳이 이모는 안 부른 거 보면… 우리끼리
할 이야기가 있는 것 같기도 하고~
정연 …아녜요, 저는 가볼게요. 그,
조사관님. 우리 이경이 신경 써주셔서
감사해요.
앞으로도… 우리 이경이 도와주세요

정연의 눈을 보는 구경이.

구경이 제가 누굴 도울 사람이 되나
싶네요. …혹시 이경이 거기에
갔을까요?
정연 거기?
구경이 (떠보며) 이경이 잘 가는 곳이요.

정연, 반사적으로 이경의 한강 웨이크보드
사진을 본다. 구경이가 그 눈길을 캐치한다.
그때, 소파에 파묻혀 있던 정연의 전화기가
울린다. 해외에서 온 번호.

정연 (번호 확인하고 표정이 굳는다.) 잠깐만요,
멀리서 온 전화라.

정연이 일어나 옆방으로 가서 전화를 받는다.

구경이가 귀를 쫑긋 세운다.

정연 헬로우?
구경이 (문가에 귀를 바짝 대는)
정연(O.S) 저희 엄마가요? 어머, 어떡해…
의식은 있으신 거예요?
갈게요, 최대한 빨리 갈게요… 우리 엄마
어떻게 해…

정연이 전화 끊고 방에서 나오는데 이미
울먹이고 있다. 정연의 표정을 살피는 구경이.

구경이 (시침뚝) 무슨 일 있으세요?
정연 가족 일이라… 어떡하지… 저
가봐야 될 거 같아요.

정연의 눈물이 진심인 걸 본 구경이가
끄덕인다. 정연 나가는 거 보며 전화하는 구경이.

경수(E) 지금 연락하려고 했는…
구경이(O.L) 한강 개인 소유 컨테이너
중에 송이경이나 정정연 명의로 된 데
있는지 알아봐.
경수(E) …나 팀장님 깨어나셨어요!

31. 병원 / 밤

나제희, 희미하게 눈을 뜨고 있다. 나제희의
목에 붕대가 감겨 있다.
스윽- 가까이 얼굴을 들이미는 구경이.

구경이 (코가 닿을 듯 가까이에서) 듣고 있지?

나제희, 눈동자를 옆으로 돌려서 구경이를 본다.

나제희 뭐하는 거야?
구경이 반응이 없길래, 귀도 어떻게 된 줄
알고.
나제희 그 여자애가 케이고, 곧 해외로 뜰
거라고.

구경이가 몸을 살짝 떼고 나제희 얼굴을
훑는다.

구경이 제대로 들었구나.
나제희 용 국장 쪽에 연락했어? 괜히
헛짓거리 하면 안 되는데.
최대한 티 안 나게 있다가 공항에서
확실히 덮쳐야 된다고.
구경이 팀장이 잘 아네.

구경이, 옆 의자에 쓰러지듯 앉는다.

구경이 그쪽엔 아직 말 안 했으니까, 네가
판단해서 연락해. 니가 잘 알다시피
나는 의심이 많아서… 앞으로 나아갈
수가 없거든…
방황하는 팀원 대신 결정하는 게 팀장이
할 일이잖아…
나제희 (두리번거리며) 나 누워있는 동안
무슨 일이 생긴 거야? 술 떨어졌어?

잠도 안 자고 씻지도 않아서 몰골이 말이 아닌
구경이, 그제야 잠을 청하듯 눈감는다.
산타도 저쪽에 쭈그러져서 잠들어 있다.
눈 감은 채 자신의 온몸을 뒤적뒤적하는 구경이.
나제희, 그런 구경이 뭐하나 보는데… 구경이,
찾았다! 안주머니에서 스카프 꺼낸다.

나제희 이거 뭐…
구경이 너네 아버지 놀라실라.

구경이, 나제희에게 스카프 휙 던지고 자는
자세 취한다.
그런 구경이 보다가… 폰 집어 드는 나제희.

32. 북한산 사찰 / 밤

한갓진 곳에 자리한 절. 약수터 앞에서 물을 떠
마시고 있는 용 국장.
김 부장이 헉헉거리면서 따라 올라온다.

용 국장 김 부장님은 한결 같으셔?
맨날 얌전하게 차려입고 필드에서
내기만 하니까 그르지. 그래서 박 장관
이겼어요?
김 부장 박 장관한테는 제가 (골프채 휘두르는
시늉하며) 이깁니다
용 국장 자랑이다
김 부장 안 그래도 워싱턴 쪽 일이랑
해가지고 국장님한테 꼭 대접할 자리
마련해 달라고…
용 국장 대접은 무슨. (저쪽을 보고) 허성태다.

건실한 얼굴, 용 국장의 첫째 아들
허성태(남, 40대 초반)다.

성태 어머니!

그때 절간 안에서 둘째 아들 허현태가 나온다.

현태(O.S) 엄마!
성태 (다가오는 현태 보고 활짝 웃으며) 너도
약속이 되어 있었나?
현태(O.S) 아니요, 다 잘 되어 가는지
스님한테 물어보러 온 거야. 형님
무탈하시죠?
성태 (입은 웃고 있지만 낮은 목소리) 토깽이가
무탈해야 내가 무탈하지. 너는 어째 잘
지내니?
현태(O.S) 제가 뭐 별일 있겠어요. (건강한
미소 띠며) 엄마! 나 무탈한 거 맞지?

성태가 용 국장 눈치를 본다. 태연한 용 국장.

용 국장 (흐름 끊고) 형제끼리 오랜만에
보시나 봐.
김 부장 (절간으로 들어가며) 찻물 올릴까요?
용 국장 허현태는 괜히 들어오지 말고,
등산하다가 지나간 걸로 해.
현태(O.S) 예! 안 그래도 지금
내려가려고요. 말씀들 잘 나누세요!

성큼성큼 내려가는 현태.
그런 현태 물끄러미 보다 성태와 안으로

들어가는 용 국장.

33. 절간 안 / 밤

김 부장, 성태, 용 국장과 스님이 앉아서 차를 마시고 있다.
후보들 사진을 쭉 늘어놓고 옆에는 사주팔자 적어 놓은 종이 팔락거린다.

김 부장 (노혜지 사진 들이밀며) 노혜지 후보가 뜨고 있긴 합니다? 젊은 층도 좋아하고…
성태 당차고, 매서운 여성이죠. 제가 느끼기에도 바람이 매서울 정도로, 소위 붐-업 되는 그런 후보라고 볼 수 있죠.
스님 바람 한 번 부는데, 그거는 밀어 올려주는 풍이 아니고 초가삼간 태우는 풍이라.
용 국장 잔잔바리는 허성태는 신경 쓰지 마시고. (김 부장에게) 제일 큰 건 뭐야

김 부장이 사진 내밀면, 고담.

김 부장 변호사고 IT업체 피스랩 대표입니다. 도덕성 높고 청렴한 이미지라 출마를 한다고 하면은 대비를 해야 되는 1순위고요
성태 저 친구는 정치 안 한다고 했습니다만…
용 국장 우리 허성태 왜 이렇게 순진할꼬? 그런 사람이 더 무서운 거를 모르셔.

성태 좋은 일 많이 하는 친군데, 아예 영입을 하면 어떨까 했죠.
집 밖에 범은 집 안의 개로 들이라고 늘상 그러셨잖아요
스님 허허… 근데…
용 국장 (쫑긋) 왜요, 뭐가 보이세요?
스님 뭐하는 분인고? 세상에 드러나는 바가 백중의 일도 안 되는 것이―

뗄렐렐렐렐레뤠레레레레레레----! 용 국장 째릿!
적막을 깨는 16비트 벨소리.
허둥지둥 김 부장이 백을 열자 안에는 핸드폰이 열 개 정도 굴러다니고 있다.
어떤 전화가 울리는지 몰라서 뒤적거리고… 분위기가 흐트러진다.

김 부장 허허 이게 참. 어느 거야?
여보세요? 어 아니구나.. 허허. 참나 이게 참.

제일 구형 2g폰 꺼내 받으며 일어나는 김 부장.

김 부장 엄청 중요한 일이어야 됩니다 지금. (듣다가) 아… 그래요? 확실합니까?

34. 거리 / 밤

짐 가방 들고 가고 있는 케이. 정연과 통화 중이다.

케이 할머니 어떡해… 괜찮으시겠지?

(사이) 응. 공항으로 바로 갈게. 아침에 봐~

35. 병원 / 새벽

나제희, 아직 상처들이 선명한데 링거 줄
뽑아버리고, 사복으로 갈아입는다.
마지막으로 구경이가 준 스카프를 둘러매는데,
들어오는 경수.

경수 이러시면 안 돼요
구경이 (어느새 주섬주섬 일어나 내일의 죠 자세로)
몇 시라고?
나제희 아침 7시 20분 AE720편으로
정정연, 송이경 두 사람 발권까지
완료했대.
경수 (강경하게) 팀장님 지금 움직이시면
안 된다구요!
나제희 따라올 거 아니면 비켜, 경수 씨.
이 기회 놓치면 끝이야.

강경하게 무시하고 나가는 나제희. 경수, 어쩔
수 없다는 따라간다.

36. 차 안 / 새벽

김 부장과 함께 이동 중인 용 국장.

용 국장 이제 탈 한 번 봐야지~

37. 인천 공항 곳곳 / 아침

- 공항 라운지.
용 국장이 깔아 놓은 것이 분명한 요원들이
공항 곳곳에 여행객, 면세점 직원, 청소 관리인
등등의 모습을 하고 흩어져 있다.

- 공항 앞 대형 밴 택시. 택시 운전기사
유니폼을 입고 있는 산타.
산타는 조수석에, 구경이는 바로 뒷좌석에
앉아 공항 입구로 들어가는 사람들 보고 있다.

구경이 이거 썬팅 제대로 되어있는 거
맞지?
산타 (끄덕끄덕)
구경이 잡는 건 자기들이 하면 되지
나까지 이러고 있어야 되니

- 상황실의 나제희.

나제희 불평하지 말고 제대로 봐. 변장을
해도 기본 체격이나 걸음걸이는
바꾸기 힘들 거야.

- 창문 닦으면서 공항 내부 들여다보는 경수.
지나가는 사람들 모두가 의심스럽다.

경수 이렇게 넓고 사람이 많은데 여기서
찾을 수 있을까요?

- 택시 안.

구경이 아무리 날고 기어도 결국 갈 데는 한 군데지.

- 상황실. CCTV 보고 있는 나제희. 25번 비행기 탑승구를 주목하고 있다.
용 국장이 들어온다.

용 국장 똑똑히 보구 계셔요? (화면 들여다보고) 아구! 정신 읇어~ 눈이 팽팽 도네. (김 부장이 찻잔 내밀고, 뒤로 앉아서) 자알 봐요! 이번에 놓치면은 그 살인마 아예 미국 가뻐리는 거 아녀! 생각만 해도 무섭네
나제희 말씀드린 대로 케이가 눈치채지만 않으면 잡을 수 있습니다
용 국장 막판엔 어떻게 해?
김 부장 일단 나타나면은, 비행기 타기 전에 티켓에 문제가 있다고 하고 데리고 오기로 했습니다. (나제희에게) 맞죠?
나제희 네. 최대한 조용하게. 이후엔 어떻게 하실 건가요?
경찰에 넘기기엔 증거가 부족한―
용 국장(O.L) 그거는, 우리가 확실하게 잡고 나서 할 이야기겠지?
나제희 믿고 계시잖아요.
용 국장 (다시 웃으며) 그러엄! 우리 나 팀장 엄청 믿지!

- 경수, 짐을 부치고 있는 정연을 발견한다.

경수 정정연 들어왔습니다

- 차 안.

구경이 송이경은?

- 상황실. 나제희, 화면을 보며 -

나제희 아직 안 보이는데-
용 국장 크흠…

- 라운지. 정연이 시계를 보고, 이경에게 전화를 걸어본다. '전화기가 꺼져 있어…'

정연 (혼잣말) 또 또 전화기 꺼 났네..

정연이 어젯밤 이경에게 온 문자를 다시 본다.
[탑승구에서 바로 만나 이모 ㅇㅇ]

- 차 안.

구경이 (유리창 너머 열심히 쳐다보고 있는 산타 보고) 그렇게 쳐다본다고 바로 딱 보이면- 그게 말이 안 되는 거지. 봐 봐라 이렇게 내가 딱 본다고―

구경이가 휙 보는데, 케이처럼 생긴 사람이 지나간다. 작은 체구의 젊은 여성. '어엉?' 자세히 보면, 당연히 케이가 아니다. 진지하게 봤던 게 민망해져서 -

구경이 나오면 그게 짜고 치는 고스톱이지…

라고 말은 하는데, 그 여자가 들고 가는 종이 가방에 시선이 간다.

종이 가방에 그려져 있는 요트 그림. 때마침 틀어 놓은 라디오에서 나오는 음악 소리.

'Let's go to the 한강 Have a good time~'
'더 콰이엇 - 한강 gang'

구경이, 이루 말할 수 없는 찝찝한 기분이 드는데…

서핑보드를 든 몸 좋은 청년이 구경이를 보며 활짝 웃고 있다.

구경이가 탄 택시 옆을 스쳐 지나가는 버스의 광고판이다.

구경이 (의심이 든다.) 저기 씨야, 내가 어제 물어본 건 확인했니?

- 공항 면세 구역. 어느새 면세 구역 안에서 전동 카트 타고 정연 주변 맴도는 경수.

경수 (곤란-속닥) 윈드서핑장 52호 컨테이너가 송이경 이름으로 임대되어 있긴 한데…

경수, 정연 쪽으로 다가오는 한 여성 보고 급히 말을 멈춘다.
지나가며 슥 얼굴 보는데, 케이 아니다. 씁.

- 상황실. 화면에 맴맴 맴돌고 있는 경수를 보는 용 국장. 정연이 시계를 자꾸 올려다본다.

용 국장 안 나타나는 거 아니야? (차 한 모금

마시고) 아우 뜨거! 입천장 홀랑 날리겠네!

김 부장 (뚜껑을 열고 후후 불어준다.)

용 국장 내가 차를 마셔, 김 부장님 침을 마셔? (상황이 점점 마음에 안 들어 탁 내려놓고)

방송(E) 일곱 시 오십 분에 출발하는 AE720편 승객들께서는 지금 25번 게이트로 오시기 바랍니다. 일곱 시 오십 분에 출발하는…

- 탑승구 앞.
정연이 다시 이경에게 전화를 건다. 그런데, 신호가… 간다! 휙 돌아보는 정연.

- 통제실.

김 부장 송이경 핸드폰 켜졌습니다!

김 부장, 패드 내밀면 인천 공항으로 가까워지는 빨간 점이 보인다.

용 국장 (다시 본연의 모습으로 흥분하며) 들어온다, 들어온다! 이거 들어오는 거 맞지?

김 부장 (보고) 네, 맞습니다.

용 국장 모르게 안도의 한숨 내쉬는 나제희.

- 탑승구 앞.

정연 (전화에 대고) 이경아? 다 왔어? 어디야?

- 상황실. 용 국장이 갖고 있던 태블릿의 빨간 점이 공항 안으로 들어온다.

나제희 들어왔어요. 확인됩니까?

- 공항 곳곳. 용 국장의 요원들이 둘러본다. 확인 안 되는 분위기.

- 상황실.

용 국장 지금 나만 못 찾고 있는 거 아니죠?

나제희, 뚫어져라 CCTV 화면 보다가 밖으로 나간다.
라운지 빠르게 걸으며 케이가 나타날 아래층 훑는 나제희.

- 탑승구 앞. 일어선 채 전화 붙잡고 있는 정연.

방송(E) 일곱 시 오십 분에 출발하는 AE720편 정정연 승객님, 송이경 승객님, 지금 빨리 탑승해 주시기 바랍니다. 일곱 시 오십 분에 출발하는…
정연 여보세요?

정연의 전화기 너머로 케이의 목소리가 들린다.

케이(E) 정연 씨! 어떡해! 나 이제 일어나버렸어 우엥 ㅠㅠㅠㅠ 미안해 이모!

- 실시간으로 통화 듣는 용 국장, 김 부장, 나제희. 모두가 얼음.

정연 뭔 소리야!
케이(E) 공항 가서 표 새로 끊어서 바로 따라갈게. 먼저 타고 가. 이모 진짜 미안해…
정연 무슨 일 있는 거 아니지?
케이(E) 아니야… 진짜 내가 죄송합니다! 빨리 갈게, 먼저 가. 이모가 나 때문에 할머니 늦게 보게 되면… 나 진짜 평생 너무 슬플 거 같아.
정연 알았어. 그럼 빨리 와야.. ㄷ..

말을 끝내기도 전에, 전화 뚝 끊어지고. 정연, 주변을 한 번 돌아보고 탑승구로 향한다.

- 통제실. 탑승구로 나가는 정연을 보고 있는 용 국장 팀.
용 국장, 태블릿 보면 지도 속 빨간 점이 움직이지 않는다.

- 라운지. 나가는 정연 보는 나제희, 얼굴이 굳는다.
아래에서 그런 나제희 올려다보는 경수.
나제희 옆을 뱅뱅 도는 공항 안내 로봇. '도움이 필요하면 말씀하세요~'

- 공항 내부. 쓰레기통 안에 버려져 있는 이경의 핸드폰.

- 날아가는 비행기

38. 인천 공항 주차장 가는 길 / 아침

신기방기한 인천공항 인테리어를 배경으로
주차장으로 걸어가는 나제희, 용 국장 일행.

용 국장 (나제희 보고) 표정 펴. 무슨 007 같고
재미는 있었어요.
(얼굴 굳으며) 근데 우리가 재미있자고 한
거는 아니잖아?
나제희 조사해 보겠습니다
용 국장 조사…? 이제 와서?

용 국장, 돌아서서 나제희의 다친 부위를
손으로 꽉 그러잡는다.
나제희, 헉 소리를 내면서 움츠러든다.

용 국장 실패할 거면서 큰소리만 치는
무능한 인간, 나는 그런 게 싫더라
나제희 제가…
용 국장 그만 가만!

옆의 스크린에서 나오는 아침 뉴스. '서울시장
예비후보 여론조사 결과입니다… 허성태
후보가 29.5%로 1위를 달리고 있는 가운데…'
잠깐 시선이 돌아가는 용 국장.
다시 나제희 쪽으로 고개를 돌리는데,
방금과는 전혀 다른 분위기로 - 웃고 있다.
용 국장, 나제희의 옷매무새를 다듬고 머리를
귀 뒤로 넘겨준다.

용 국장 (목소리 부드러워지며) 사람들은
다 능력이 있어요. 내가 가진 능력은?
사람을 잘 본다는 거야. 나제희 씨는
아랫사람 관리만 잘하면 높은 데까지
올라갈 타입이야. 누가 위고 아랜지
확실히 해야지 그러면. 그러라고 나 팀장
부른 거니까.

차 올라타고 가버리는 용 국장과 김 부장.
나제희, 이를 꽉 깨문다.

39. 인천 공항 라운지 / 아침

바닥을 쓸고, 커피를 내리고, 신문을 보던 용
국장의 인원들이 한꺼번에 물 빠지듯 빠진다.

40. MEK 보안회사 / 아침

- 공항 라운지의 모습이 화면으로 빠지면…
전체 CCTV를 조망하고 있는 건욱.

건욱 니 말대로다. 너 잡으러 온 거 맞는
거 같다. 근데…

화면 넓어지면서 더 많은 요원들이 움직이는
게 보인다.

건욱 니 예상보다 훨씬 많이 왔다
케이 (목소리) 몇 명? 다섯 명?
건욱 (화면에서 눈을 떼지 않고) 아니, 그거 열 배.

케이 (활짝 웃으며) 나 되게 중요한 사람인가
봐! 갑자기 막 벅차오르네?
경찰도 아닌 사람들이 막 나를 잡으러
그렇게 왔다고? 야! 내 싸인 받아 놔!

귀에 꽂고 있던 인 이어 벗어 던지고 웃는 케이.

케이 왜 거기 가서 난리냐~ 멍청이들

짐들 몽땅 넣은 더플백을 손수레에 싣고
나가려는데, 1층 입구 쪽에 언뜻 사람 그림자.
케이, 반사적으로 몸을 숨겨 아래를 본다.
익숙한 얼굴… 구경이다.

케이 미쳤네. 나 여기 있을 줄 어떻게 알고?

케이, 숨을까 하다가 1층 입구로 간다. 창문에
얼굴을 갖다 대는 케이.
창 밖에서 안을 기웃거리던 구경이. 둘의 눈이
창을 두고 딱 마주친다!

———————— 〈5화 끝〉 ————————

1. 인천공항. 공항 택시 안 / 아침

'Let's go to the 한강 Have a good time~'
'더 콰이엇 - 한강 gang'
음악 배경으로 서핑보드 든 청년이 멀어져간다.

경수(E) 윈드서핑장 52호 컨테이너가
송이경 이름으로 임대되어 있긴 한데…

구경이, 인 이어 빼며 낑낑대며 운전석으로
간다. 조수석에 있던 산타, ??? 되는데…

구경이 찝찝할 땐 가 봐야지. 지금 우리
여기 있어 봤자 도움도 안 돼.

2. 한강 둔치 곳곳 / 아침

한강 둔치 컨테이너 촌을 각각 누비는
구경이와 산타. 흩어져서 번호를 체크한다.

3. 한강 둔치 컨테이너 / 아침

52호 컨테이너 발견한 구경이. 다가가며 -

구경이 없어라, 없어라, 없어라…
공항에서 딱! 잡았다는 연락이 딱! 오면
좋겠는데…

창 안을 들여다보는 구경이. 안에 딱 자신을
쳐다보는 케이가 보인다.

구경이 아이씨…

창 하나 사이에 두고 서로를 쳐다보고 있는
케이와 구경이. 눈이 마주치고, 텐션이 고조된다.
먼저 그 긴장을 깨트리는 것은, 케이의 밝은 웃음.

케이 (화사하게 웃으며) 어? 경찰 쌤
안녕하세요! 카약 타러 오셨어요?

구경이, 대답 않고 문으로 달려가 손잡이를
돌리는데 - 케이가 맞은편에서 문고리
붙잡는다.

케이 (문을 당기며) 저 보러 오신 거예요?
구경이 (문을 당기며) 공항에 왜 안 갔니?
케이 어머! 제 뒷조사하세요? 왜요?
구경이 왜긴 왜야.

구경이, 아무리 문을 당겨도 열리지 않는다.

구경이 (문 열려 애쓰며) 문 열어. 연쇄 살인마
잡아가야 되니까.
케이 (문 안 열리게 애쓰며) 여기 살인마가
있어요? 무서워~
구경이 언제까지 이럴 거야, 연기도 못
하는 애가.
케이 어쩜 그렇게… 자라나는 새싹을…
짓밟는 말도 잘하셔. (문 열릴락 말락 하는 거
보며) 힘이 꽤 쎄시네요?
구경이 내가 이래 봬도 경찰이었어.
케이 하하. 경찰 쌤은 내가 안 무서워요?

구경이 너 그것도 일종의 자백이다?

케이 아. 들켰으니까 하는 수 없이 죽여야겠다! 쌤 편들 다 공항에 있죠?

순간 구경이의 당기는 힘으로 문 확 열리고, 케이가 옆에 있던 노를 들어 내려친다. 동시에, 구경이가 문을 확 닫아 문에 부딪힌 노가 퍽 하고 부러진다.

케이 엥? 뭐야 뭐야. 뭐예요~?

이번엔 케이가 문을 열려 하고, 구경이가 안 열리도록 문을 민다.

케이 뭐예요~ 잡는다며~

구경이 (필사적으로 몸으로 받치며) 아무래도 내가 불리해. 너는 젊고, 운동도 많이 했고.

케이 모르고 여기까지 왔어요?

구경이 잠깐 신고 좀 하게 기다려라.

케이 미쳤어요? 으아악!

구경이가 갑자기 몸을 피해 문이 확 열리며 케이가 컨테이너 밖으로 나뒹군다. 구경이, 그런 케이를 덮치려 달려가지만, 케이가 멋들어진 낙법을 이용해 자빠지지 않고 바로 일어나 달려드는 구경이를 발로 찬다. 구경이, 재빨리 두 손으로 배는 막았지만 뒤로 나자빠진다. 에구구 - 싱글싱글 웃으며 구경이에게 다가가는 케이. 구경이, 엉덩이로 뒤로 기어 컨테이너 안까지 밀려 들어간다. 일어나라고 턱짓하는 케이.

주섬주섬 일어나는 구경이. 일어나기만 하는데도 삐거덕삐거덕 엉거주춤 난리다.

구경이 어우. 나 아직 준비가 안 됐…

케이, 웃으며 구경이에게 달려든다. 구경이도 형사 하던 가락이 있어 자세는 좀 나오지만… 케이가 때리면 구경이가 아파하며 막고, 구경이가 반격하려 하면 케이가 쉽게 피해버린다. 아무리 봐도 구경이 쪽이 열세한 모양새. 구경이의 얼굴에만 상처가 하나 둘 셋 넷 생긴다.

구경이 경로우대 이런 거 없니?

케이 지금 바 드리고 있잖아요, 옛정을 생각해서.

구경이 아악! 너무 아파!

구경이가 손에 집히는 락카를 케이에게 뿌린다. 치이이익- "아악!" 찔꺼덕. 케이의 얼굴이 초록초록해졌다.

케이 오냐오냐 하니까 나 실명되면 어쩌려고.

얼굴을 닦아내는 케이의 손목에… 찔꺼덩~ 수갑이 달려 있다.

케이 뭐야 이거

케이가 수갑 찬 손을 흔들면 반대쪽 수갑엔
구경이의 손목이 달려 있다.
구경이의 손목이 사정없이 흔들린다. 그 와중에
수갑 열쇠를 밖으로 던지는 구경이.

케이 우와… 경찰 쌤 진짜로 죽고 싶구나!

케이, 구경이를 벽에 밀어붙이고 주먹을 쳐든다.

구경이 (날아오는 주먹에 눈 질끈 감으며, 다급)
너는 나 못 죽여!
케이 (멈칫하는) 에? 왜요?
구경이 나는-- 아니니까.
케이 (미간 찌푸리는) 뭔 소리야?
구경이 넌 죽어 마땅한 인간만 죽이잖아.
살아 있어 봤자 폐만 끼치는 인간.
그래서 나제희도 …저기 씨도 못 죽인
거고.
케이 (피식) 죽기 전에 경찰 쌤이 구한
거죠~
구경이 구할 시간을 준 거지. 너 원래 안
그러잖아. 죽이려고 했으면 완벽하게
죽이지.
케이 어, 감동… 나라는 사람을…
그렇게까지 생각해 주다니… (주먹 내리는)
구경이 (살짝 안심)
케이 그럼 죽기 직전까지만 팬 다음
손모가지만 잘라서 빠져나가야겠다!
구경이 으…!
케이 (둘러보는) 어디~ 보자~ 여기~ 어디~
(찾았다.) 어!

케이, 구경이 질질 끌고 가서 캠핑용 정글도
꺼내 든다.

구경이 컨테이너에 저런 게 왜 있어!

케이, 무시무시하게 생긴 정글도 높이
쳐드는데…
'히이익!' 안으로 먹는 비명소리 들리더니
케이와 구경이의 위에 그물이 던져진다.
케이, 쳐다보면 얼굴 하얗게 질린 산타가
보인다.

구경이 내 편 왔다, 내 편, 내 편. 산타 씨!
여기여기! 내가 잡아 뒀어!

산타, 상처투성이의 구경이와 초록 얼굴 케이
보더니 기겁한다.

산타 으아악!

도망치는 산타… 그러는 동안 케이는
정글도로 그물을 잘라낸다.

구경이 저런 사람이었구나… 그건 또
몰랐네…
케이 수작 부리고 있네.
구경이 ?

케이, 눈 깜짝할 사이에 구경이의 머리를
벽에 박는다. 구경이가 보는 세상이 RGB로
갈라지고 빙글빙글 돈다. 몸을 가누지

못하는 구경이.
그러는 사이 케이가 머리핀으로 수갑을 풀고
컨테이너 밖으로 달려 나간다.
산타와 함께 한강공원 경비대 서너 명이
달려온다.

케이 (세상 선량한 목소리로) 왜 이렇게 늦게
오셨어요~ 안에 있어요, 그 사람.

경비대원들 서둘러 컨테이너로 들어가려는데
산타가 그들을 가로막고 케이를 가리킨다.
이미 패들보드 하나 들고 한강으로 달려가고
있는 케이.

4. 한강 / 아침

날쌘 케이가 패들보드를 강에 띄우고 올라탄다.
엄청 빨리 노를 젓는 케이.
경비대원들도 모터보트에 올라타 고정용 줄을
푼다. 모터보트 부왕- 출발한다. 빠르다!
쑥- 쑥 앞으로 나아가는 케이. 거의 한강
가운데까지 왔다.

경비대원1 강 건너에서 잡아야 될 거
같은데?
경비대원2 어어? 저거 봐라?

케이가 패들보드 노를 던져버리고, 그대로
한강으로 입수.
모터보트가 패들보드 가까이 닿지만, 일렁이는
물결 속에 케이의 흔적은 없다.

경비대원1 빠졌어?

수면을 노려보고 있는 구경이. 어디에서도
케이의 모습이 떠오르지 않는다.

5. 한강 둔치 / 낮

구경이의 수갑을 풀어주는 산타. 시뻘게진
손목을 산타가 들여다보려고 하지만
소매 안으로 쑥 집어넣는 구경이.

구경이 왜 그랬어?
산타 ?!
구경이 지원 바로 불렀어야지. 왜 (그물
보며) 저런 거나 던지고 있었느냐 말야.
산타 (AI보이스) 위험했어요. 팔 짤릴
뻔했다고요!
구경이 짤리면 짤리는 거지. 일부러
놔주려고 한 거 아냐?
산타 (한껏 억울한 표정으로 도리도리, 선량)
구경이 …담부터 그러지 마.

일어서며 휘청, 하는 구경이. 발자국 찍히고
찢긴 구경이 코트 보는 산타.

6. 여자 화장실 / 낮

세면대 앞에서 말하고 있는 김 부장.

김 부장 그 조사관이 갑자기 의심이
들어서 가봤답니다.

(목소리 높이면서) 아무래도 그 조사관이랑
다이렉트로 하시는 게…

화장실 칸 안에서 들리는 물소리에 김 부장이
말을 멈춘다. 끊기지 않는 물소리~
들어오려던 여성들이 세면대 앞의 김 부장을
보며 어머, 하고 놀란다.
손을 흔들면서 '잠깐 들어오지 말라' 며
능숙하게 여자들 돌려보내는 김 부장.

용 국장 (칸 안에서) 으이그!
김 부장 ??
용 국장 (물 내리고 나오며) 이제 와서
조사관이랑 다이렉트로 하겠다고
내치면, 나 팀장이 내 사람이 되겠어요?
기회를 줬으면 믿어도 줘야지.
한 번 실수했다고 내치면 못 쓰죵

용 국장이 손을 씻는다. 척척 가방에서 수건과
핸드크림 꺼내 놓는 김 부장.

용 국장 (손을 털며) 그래서 부장님한테도
내가 계속 주고 있잖아, 기회. (쳐다본다.)
김 부장 (의중을 알아차리고) 전방위적으로
파고는 있습니다. 고담 그 사람이 하는
사업에 조금 문제가 있다는 소문이
들리기도 하고…
용 국장 약점 잡고 털고 하는 거 귀찮은데-
티 안 나게 확 죽여버리는 방법 없나?
김 부장 …!
용 국장 또, 또오! 농담 진지하게 받아서

사람 이상한 사람 만든다, 농담이지~
(사이) 그런 방법 알면 우리가 이렇게
애쓰고 있겠어요?

7. 케이의 컨테이너 / 낮

정글도 휘두르는 경수, 산타가 경수의 칼질에
구석으로 피한다.
케이가 가져 나가려던 더플백을 뒤지는 구경이.
안에서 나오는 건 제본된 연극 대본들.

구경이 (뒤져보면서) 처음부터 공항에 갈
생각이 없었던 거야. 요란하게 사람들
불러 댔던 걸 알아챘을 수도 있지.
그렇게 조용히 하라고 그렇~게
말했건만.

나제희가 들어온다.

나제희 왜 바로 나한테 말 안 했어?
구경이 뭐라고. 뭔가 찝찝-한 느낌이
드니까 한강 가 봐야겠다고?
나제희 출발 전에 팀장한테는
보고했어야지. (구경이 손목을 보는)
구경이 딸랑 딸랑한다고 정신없었던
애한테 내가 무슨-- 아야!

나제희가 구경이 손목에 난 상처를 꾹 누른다.

구경이 아야야! 공항에 나타날 수도
있었잖아!

나제희 아닐 수도 있었고.

구경이 아파! 나도 부상자야!

나제희가 손목 놓고 돌연 다정한 손길로
구경이의 머리칼을 귀 뒤로 넘겨준다.
묘하게 용 국장과 겹쳐 보이는 나제희. 경수,
그런 나제희를 본다.
나제희, 제 손에 묻어나온 그물 먼지 덩어리
탈탈 털어내고.

나제희 몸 쓰는 건 사람들 있으니까 선배는
머리나 써. 그러라고 부른 거야.

구경이 (의심스러운 눈초리로 나제희를 본다 '어째
얘가 좀 달라진 거 같은데?')

택배기사 (Off sound) 택배요!

산타, 쪼르르 나가 택배기사가 주는 택배를
받아 든다. '받는 사람: 송이경'
구경이가 끄덕하자 택배 뜯어보는 산타. 안에서
똑같은 모양의 제본 대본이 한 권 나온다.

경수 잔 다르크? (책 펴보는) 이것도… 연극
대본이네요

구경이 똑같은 제본이네.

나제희 뭐랑?

구경이 케이가 여기서 치우려고 했던
책들이랑.

제본 대본들을 늘어놓는 구경이. 그걸
내려다보는 팀원들.

구경이 이게, 무슨 의미지?

8. 한강 둔치 / 해 질 녘

여러 날이 지난 듯 옷이 바뀐 구경이. 뚫어져라
제본 대본을 보고 있다.
해 질 녘에 바람도 살랑살랑 불고 구경이의
눈빛도 살아있고 아주 분위기가 좋다. 구경이의
머리에 파리 두 마리가 윙윙 날아들기 전까지.
산타, 파리를 훠이 훠이 내쫓고 구경이에게
드라이샴푸를 칙칙 뿌려 머리를 정돈해준다.

산타 (AI보이스) 제발 집에 가서 씻고 보세요.

구경이가 책을 내려놓는다. '메두사의 머리'.

나제희 메두사 보고 돌 된 사람이 여기 있네

구경이 (잠긴 목소리) 뭐 나왔니?

나제희 아니 며칠째 사무실도 안 오길래
걱정돼서 와 봤네요. (제본 대본 훑으며)
연극부라매, 연극하는 애가 대본 둔
거만큼 자연스러운 것도 없는 거 같은데.

구경이 굳이, 요렇게 고오급으로 따로
제본까지 해서 아지트에 둔 게.
의심스러운데.

나제희 의심… (주변을 둘러보고) 케이가 다시
나타날까? 신분 탄로 난 것도, 쫓기고
있다는 것도 알 텐데. 나라면 그냥
숨어있을 거 같거든.

구경이 그건 너고.

나제희 어째 기분 나쁘게 들린다?

구경이 나라면…

형사1 (뒤에서) 구경이 씨?

구경이 (다급하게 휙! 돌아보며) 양념 순살에 생맥 2천. 여기 맞아요!

형사1 (동료 경찰 쳐다보고) 저, 저희는 봉백에서 나왔습니다.

구경이, '봉백'이라는 이름을 듣자 잠시 숨이 막힌다.

9. 한강 편의점 앞 / 저녁

편의점 테이블. 나제희는 멀찍이서 이 모습을 걱정스럽게 보고 있다.

구경이 봉백에서 나를 왜 찾을까

형사1 (형사2와 시선을 맞추고) 오래 근무하셨던 거 압니다. 선배님한테 최대한 예의 지키려고 서로 안 부르고 직접 온 거고요.

형사2가 흰 종이와 펜을 내민다.

형사1 괜찮으시다면…

구경이 내놔 봐.

형사1 예?

구경이 갑자기 필적 검사를 하겠다는 건, 대조해 볼 뭔가 있다는 거지. 내 글씨 내가 잘 아니까 종이 낭비하지 말고 직접 확인할게요.

형사1 저희 수사가 그런 식으로 진행되지 않는 걸…

구경이 정식 수사라고 생각하면, 정식 절차 밟아서 소환부터 하든가

구경이가 벌떡 일어나자, 형사2가 엄해진 분위기를 말린다.

형사2 자초지종을 설명을 드렸어야 되는데―

산타가 뒤늦게 온 양념 순살과 생맥을 내려놓는다.

구경이, 그걸 보고 못 이기는 척 앉아 페트병 따는데 취― 하고 맥주 넘치자 입부터 갖다 댄다.

형사2 (맥주 쭙쭙 마시는 구경이를 보며) 지역 신문으로 투서가 한 장 들어왔습니다.

형사1 자백서죠

형사2 기사화되기 전에 저희가 확보를 했고요. 경찰 명예가 걸린 일이라.

형사2가 비닐 팩에 든 종이를 꺼낸다. '자백서'.

구경이(V.O) 몇 년 전 있었던 교사 장성우의 자살 사건에 대한 진실을 밝히고자 합니다.
장성우는 자살한 것이 아니라, 살해된 것입니다. 그 사람을 죽인 범인은, 아내였던 저 구경이 입니다. 몇 년간의 죄책감을 견디다 못해 이렇게 자백을…

탁, 테이블에 자백서를 내려놓는 구경이.

구경이 죄책감, 진부하네

형사1 본인이 쓰신 게 맞습니까?

구경이 아뇨

형사1 남아있던 기록물과 대조해봤는데 선배님 필적이랑-- (동시에) 비슷합니다.

구경이 (동시에) 비슷해요.

형사1 (살짝 짜증) 그런데 선배님이 쓰신 게 아니라고요?

구경이 아니에요. 여기 히읗 삐침 다른 거 안 보여요?

형사2 (글씨체 다시 들여다보며) 누가 흉내 냈단 말씀 같은데… 굳이 누가 이런 일을 했을까요? 짐작 가는 데가 있으세요?

- 플래시백. 컨테이너 창 사이로 눈 마주치자 싱긋 웃는 케이.

구경이 걔를 잡아야지, 물어볼 수가 있을 텐데. 이러고 한심하게 시간 낭비하고 있으니.

목이 탄다. 벌컥벌컥 맥주 드링킹하는 구경이. 형사1이 그 모습을 보고 짜증 낸다.

형사1 본인이 보낸 게 맞다고 하셔도, 법적으로는 인정되지 않는 자백이니까 그냥 솔직하게 말씀해 주시죠

구경이(O.L) 너 내가 거짓말하는 거 같니?

형사1 불안해 보이시는데요. (구경이가 마시던 맥주를 힐긋 보고) 아까부터.

기록 보니까, 구경이 씨 남편분 돌아가시고-

구경이 맛이 갔다고 써 있겠지. 불안장애, 알콜중독, 극단적 사회 기피. 정신 나간 여자라서 이랬다저랬다 하니까, 자백서 썼다가 아니라고 잡아떼고.

형사1 그런 말씀까진 안 드렸는데요.

구경이 니 눈이 그렇게 말하고 계신데요. 후배님.

형사2 아이고. (워워) 선배님이 안 쓰셨다니까 누가 글씨체 모방해서 조작했다는 가능성 두고 수사하겠습니다. 그런데… 남편분 사망 당시에 대한 확실한 진술은 들어야겠습니다, 선배님.

- 플래시백. 교실, 구경이를 쳐다보던 장성우의 얼굴.

구경이, 숨이 점점 가빠진다.

구경이 이걸 노렸구나

형사2 사건 당일에 어디서 뭐 하고 계셨죠?

구경이 (호흡 가빠지는) …증거 찾고 있었어요.

형사1 무슨 증거요?

구경이 남편을… (숨 크게 몰아쉬고) 남편이 나쁜 사람이라는 증거.

10. 과거. 봉백여자고등학교 교무실 / 밤

교무실, 장성우의 컴퓨터 화면. 아이들 옆에 선

장성우의 사진.

서랍을 뒤지는 구경이. 단서를 찾고 있다.

핸드폰 벨소리가 울려서 보면, '성우 씨'다.

한참을 보던 구경이, 전화를 받지 않고 다시
모니터를 들여다본다.

구경이(V.O) 근데 영원히 모르게 됐죠.

장성우와 가까이 있는 학생들의 얼굴을 유심히
보는 구경이.

연극부 사진들과 단체사진들. 사이에는 어린
케이의 얼굴도 보인다.

장성우가 누구와 가까이 서 있는지, 누군가와
손이 닿아 있지 않은지… 찾는 구경이.

11. 한강 편의점 앞 / 저녁

구경이 아무것도 못 찾고, 학교에서
나가는데. 서에서 연락이 왔어요. 남편이…

형사2 (구경이 안색 살피며) 괜찮으세요,
선배님?

형사1 사망 추정 시간에 학교 밖으로
나가는 건 확인이 됐는데, 저희가 알고
싶은 건-

구경이 (과호흡하며) 의심스러웠어요.
누군가 자살로 위장해서 죽인 게 아닐까.
하지만 남편이 목을 맨 곳은 밀실이었고,
다른 누군가가 있었던 흔적도 없었어요.

말을 간신히 이어가는 구경이. 과호흡하며
상태가 급격히 나빠진다.

구경이 유서는 없었지만 동기가
확실했어요. 사랑하는 사람이 자기를
못 믿고 수사를 했으니까. 얼마나- 살기
싫었을까?

- 인터컷. 빠르게. 장성우의 웃는 얼굴.
원망하는 얼굴. 걱정스러운 얼굴들.

구경이, 숨을 몰아쉬다가 테이블을 밀치며
그대로 바닥으로 쓰러진다.

형사2 선배님!!!

12. 과거. 봉백여자고등학교 강당 / 오후

인터컷, 장성우의 얼굴들 이어서 - 〈햄릿〉
무대를 보고 있는 상기된 표정의 장성우.
햄릿이 삼촌 클로디우스 앞에서 연극을 올리는
부분을 연기하는 고등학생들.
이경이 과장된 행동으로 낮잠 자는 사람에게
다가가는 장면. 객석에서 피식거리는 웃음소리

장성우 (옆에 있는 구경이에게, 속삭) 쟤가 내가
말했던 이경이야. 경이 씨랑 닮았다던.

구경이 전혀. 연기 되게 못하네.

장성우 귀엽잖아. 저거 무대 세트도 다
쟤가 한 거야.

이경이 낮잠 자는 사람의 귀에 독을 흘려
넣는다. 낮잠 자는 사람의 몸이 **뻣뻣해지자**-

이경 (다급한 척) 여기 누가 뱀에 물려
죽었어여!!!!!

- INS. 경비실 바닥에 쓰러진 봉백여고 경비원.
입으로 토사물이 솟구쳐 오르고…
제 토사물에 질식해간다. 연극 무대에서
독살당한 사람의 모습과 비슷하다.

이경이 죽어가는 사람 옆에서 익살스럽게 킥킥
웃는다. 관객에게는 쉿 표시를 하며.
별 생각 없이 그런 이경을 보는 구경이.

13. 한강 둔치 / 밤

눈을 뜨는 구경이, 누군가에게 업힌 채
어딘가로 가고 있다.

구경이 어디 가?

구경이를 업은 사람이 고개를 돌리면, 역시나
산타다. 차에 시동 걸고 있는 나제희.

구경이 병원 말고 컨테이너로. 확인할 게
있어.

우뚝 선 산타, 망설이고 있는 듯. 나제희가 빨리
안 오고 뭐하나는 표정.

구경이 괜찮아, 안 아파.

빙 돌아 컨테이너 쪽으로 향하는 산타.

구경이 더 빨리!

산타, 달린다.

14. 한강 컨테이너 / 저녁

컨테이너에 도착한 구경이, 산타의 등에서
내린다. 당장 보는 것은 제본 대본들.
헐떡이며 땀 닦는 산타. 구경이, 다른 제본
대본들보다 오래돼 보이는 〈햄릿〉을 꺼낸다.

- 인터컷. 과거. 병실. 구경이가 병원 침대 옆에
서 있다.
구경이가 내려다보면, '햄릿' 무대에 있던
'낮잠을 자는 사람' 의상을 입고 있는 수위.

구경이 뱀이 문 걸로 속인 것처럼… 술로
독을 가린 거야. 다른 건…

다른 제본 대본들 보는 구경이. 〈헨젤과
그레텔〉이 보인다.

- 어두운 숲의 김민규(1-2화). 헨젤과 그레텔
같은 의상을 입고 조약돌을 주우며 달려간다.

구경이의 머리가 빠르게 돌아간다. 구경이의
눈에 보이는 〈메두사의 머리〉

- 플래시백. 〈메두사의 머리〉 무대 위. 의자에
고개를 푹 숙인 채 앉아있는 메두사 박규일.

구경이 책 한 권에 살인 하나. 그렇다는 건…

구경이가 배달되어왔던 〈잔 다르크〉를 꺼내 든다.

구경이 다음 살인 방법이 여기에 있을 거야.

구경이 페이지를 마구 넘기며 몰두하다가 돌연 고개를 든다.

구경이 방법은 여기에서 찾으면 돼. 문제는… 누구냐인 건데.

구경이의 눈에 하이라이트가 들어오는 멋짐 모먼트.
그 때, 산타의 손이 쑥 들어와 〈잔 다르크〉 대본을 덮어버린다. 구경이 손이 끼여 아야!

구경이 뭐야. 산타 씨, 뭐해!

산타, 구경이를 휠체어에 주저앉힌다.
과감하게 컨테이너 밖으로 밀고 나가는 산타.

15. 구경이의 집 화장실 / 밤

샤워기 앞에 멍하니 서 있는 구경이. 샴푸에 1, 린스에 2, 바디 워시에 3이 붙어 있다.
바디 워시 짜서 머리에 바르는 구경이.

16. 구경이의 집 거실 / 밤

샤워하고 나오는 구경이.

구경이 (혼잣말 중얼중얼) 케이가 포기할 수 없는 타겟…

깔끔히 청소된 거실. 산타가 식탁에 부침개를 올려놓는다.

구경이 (계속 중얼중얼) 분명히 이 사람은 죽여야겠다고 생각할 만한…

산타, 막걸리와 잔을 턱, 턱, 식탁 위에 올려놓는다.
생각에 빠져 있던 구경이가 본능적으로 막걸리 마시고, 부침개 한 입 먹는다.

구경이 (그제서야 산타를 보며) 언제부터 있었어?

산타가 말없이 구경이가 벗어 놓은 옷을 세탁기에 넣고 돌린다.

구경이 (부침개 한 입 먹으며) 바삭바삭 잘 구웠네.

산타를 쳐다보는 구경이. 문득 생경하다.
언제부터 이 풍경에 익숙해졌지?
전화벨 울린다. 두리번거리는 구경이에게 한 번에 핸드폰 찾아서 갖다 주는 산타.
눈으로는 집안일 하는 산타를 따라가며
나제희의 전화 받는 구경이.

구경이 케이는 완전히 사라진 게 아니야. 숨어도 다음 살인을 끝낸 뒤에 숨을 거야. (막걸리 들이켜고 잔 딱 내려놓으며) 잡을 수 있어.

17. 바닷가 시골마을 / 저녁

낡은 새시 문을 열면 바로 바다가 보이는 어촌의 허름한 집.
띄엄띄엄 있는 가로등이 켜지고, 초췌한 행색의 수용(남, 30대)이 문을 빼꼼 연다.
아무도 없는 걸 확인한 다음에야 나오는 수용.
컵라면에 물을 받는데…
멀리서 사람들이 왁자지껄 떠드는 소리가 들리자 화들짝! 놀라 컵라면을 놓친다.

수용 하… 씨…

쭈그려 앉아서 면발을 쓸어 모으는데, 사람 그림자가 문 앞에 어른거린다.
수용이 겁에 질려서 옆에 있던 부지깽이 같은 걸 집어 드는데,
문 밖에서 툭 물건 던져지는 소리가 들린다.
순식간에 사라지는 사람 그림자.
수용이 조심스럽게 봉투를 열어보자, 비행기 티켓이다. 갑자기 웃기 시작하는 수용.

수용 하하하! 됐어! 됐어!!
나제희 (사운드 선행) 그럼 선배 생각엔, 다음 타겟이 누구라는 거야?

구경이 그걸~ 내가 알면~ 이러고 있을까~
나제희 (스카프를 매만지며) 시작됐네.
구경이 뭐가?
나제희 말할 때 리듬 넣는 거. 노화의 증거야. 할머니들이 물건 찾을 때 그러잖아.

나제희를 째리는 구경이.

나제희 내가~ 먹을~ 려고~ 놔둔~ 육포가~ 어데로 갔나~
구경이 너도~ 나랑~ 마찬~ 가지여~

나제희가 노래를 흥얼거리면서 구경이 책상 서랍을 휙 열었더니,
우수수 튀어나오는 육포 껍질들… 산타가 기겁하며 치우러 온다.

나제희 (구경이 노려보며) 그걸 혼자 다 먹었어?
구경이 사람 새끼가 그걸 어떻게 혼자 다 먹냐. 의심도 병이다 너.
나는 우리 팀원들을 존중하고 존경하고 또…

산타가 다음 서랍을 또 열자.. 거기서도 육포 껍질이 우수수 쏟아진다.

나제희 존중 존경… 마저 말해봐.

구경이 (무시하고 갑자기 진지한 척) 그래서 말인데, 예전에 그런 말을 들은 적이 있지. 문제가 잘 풀리지 않을 때는, 제일 못 풀 거 같은 사람한테 그걸 맡겨보라고…

나제희 그런 허접한 이야기를 누가 했어?

구경이 (덤덤하게) 성우 씨가.

나제희 … (?!)

구경이 반 분위기가 잘 안 잡힐 때, 제일 반장 못할 것 같은- 목소리 작고 친구 적은 애한테 반장을 맡긴다고 그랬어. 그러면 안 보이던 게 보인다고.

나제희 선배는 못하는 거네. 못 미더운 사람 믿어보는 거.

구경이 못~ 미더운~ 사람~

구경이가 회전의자를 뱅글 돌리면서 팀원들을 한 명 한 명 본다.
되게 열심히 딴청 피우고 있는 경수에게 의자를 슝 밀어 가까이 가는 구경이.

경수 (빠직) 또 이런 취급하시는 거예요?

구경이 경수.

경수 제가 못 미덥.. 어? 제 이름 아시네요?

구경이 우리는 지금 케이의 다음 타겟을 찾고 있지. 전적으로 믿어줄 테니까 자유롭게 의견을 펼쳐볼 테야? 오 팀장님?

경수가 마지못해 (사실은 기분 으쓱한 걸 숨기며) 일어선다.

경수 제가 안 그래도 생각한 게 하나

있었거든요.

구경이, 전혀 못 믿는다는 듯 눈을 게슴츠레 뜨고 주머니에서 육포 꺼내 뜯는다. 질겅질겅. 경수가 브리핑 하듯 사무실 앞쪽에 선다. 검은 목폴라에 청바지 입고 어디선가 (어디서?) 나타난 안경을 올려 쓴다. 묘하게 스티브 잡스 착장.

경수 흔히 말하는 범인을 잡는 방법이 뭐죠?

나제희 범인은 범행장소에 꼭 다시 나타난다.

구경이 (두리번) 육포 더 없나?

산타 (손 번쩍 들고 - AI 보이스) 범인이 되어서 행동하라!

경수 (후후후) 하지만 우리의 케이는 지금까지의 살인자와는 다르잖아요 케이가 어떤 속을 가진 인간인지 잘 모르니까, 되어 볼 수도 없고요 구경이 팀원님? 지금 저를 믿고 있는 눈치가 아닌데?

구경이 (건성으로) 믿습니다~

경수 그래서 제 의견은 케이를 중심으로 생각하는 게 아니라, (사건들을 기록한 표에서 중심에 있는 케이를 가리키며) 케이의 손발이 된 사람들의 흔적을 찾자는 거예요. 내가 케이가 되기는 힘들어도 윤재영은 될 수 있을 거 같거든요.

구경이에게 얼굴을 바짝 들이밀면서,

경수 누가 나한테 나쁜 짓을 해서, 내가 누구를 죽이고 싶잖아요?

구경이 (아무것도 모른다는 듯) 저기 씨는 그런 사람이 있어?

경수 (말을 말자) 근데 어느 날 어라? 연락이 오네? 그놈을 죽일 거라고? (윤재영 사진을 가리키며) 혹은, 엄청 죽이고 싶던 놈이 어떻게 어떻게 죽었네?

(미애 사진 가리키며) 그럼 내가 선택받은 거 같고 기분이 우쭐할 거 같거든?

나제희 이번 팀장님은 헛바닥이 기시네

경수 (눈치 받고 허둥지둥) 그래서 제 말은, 우쭐한 사람들 중에 하나는 이걸 어디든 자랑하고 싶을 거란 말이죠. 저라면 그래요.

나제희 주벼에?

경수 에이. 아는 사람한테 대놓고는 못 하니까 은근하게 자랑해요, 은근– 하게.

산타가 그 말을 듣고 컴퓨터 앞에 앉는다. 보드 위에서 붙어있는 사진을 주시하는 산타. 그 가운데서 '괴물인형' 사진을 보던 산타가 그 이미지를 검색창에 넣어본다.

경수 그래서 방법을 찾아야 되는데… (산타 하는 걸 보고) 산타 무슨 좋은 생각? (모니터 보고) 이미지로 검색… 누가 정신 나갔다고 저 사진을 인터넷에 함부로 올리… 어.

나제희 있네. 그런 정신 나간 놈이.

산타가 찾은 화면 들여다보는 조사B팀. 아카이빙 된 이미지라 작고 화질이 흐리지만, 분명히 그 '괴물인형' 이다.

구경이 (산타에게 얼굴을 가까이 대고 의심스러운 눈빛) 어떻게 알았어?

산타 (구경이 얼굴 보고 뭐라 대답하지 못한다.)

경수 트위터에 올라왔던 거네요!

업로드 된 트윗 확인하는 산타. 프로필 사진은 어린 왕자 일러스트. 아이디를 확인한다. '구린왕자(@GOORINWANG666)'

구경이 구린왕자…

'구린왕자'가 올린 트윗들이 쭉 보여진다. 팔로워 두 자리 수의 사적인 계정에는 주로 한 줄짜리 그때그때 기분을 배설해 놓은 것이 전부다.

19. 화면 몽타주

'차라리 죽여'
오늘 들은 말 '너 같은 쓰레기' '한심한새끼' '너는 존재가 자원 낭비' 그게 전부 맞는 말 같다
'왜 하필 나지 기만자의 가면을 벗기고 싶다'
'용기를 주세요 저놈 죽이고 나도 죽게'
'한숨도 못 자고 다시 출근… 이렇게 죽는 거 아닐까?'
그리고… 가장 최근의 사진이 바로 '괴물인형'. 아무 글도 없이, 사진만 달랑 올라온 트윗.

그리고 더이상 업데이트가 없다.
이 트윗 화면들을 배경으로 분주하게 검색하고
움직이는 조사B팀 보인다.

나제희 (링크드인 프로필 보고) IT 회사
다니다가 퇴사한 모양인데?
경수 (IT 행사사진을 페이스북에서 찾아서) 이
사람이에요

IT업체의 웃고 있는 단체사진. 한쪽에 '수용'
이 보인다. 산타가 사진 속 다른 누군가를
가리킨다.

구경이 (얼굴을 확인하고) 유명인 회사네

산타가 가리킨 사람은 '고담'. 한가운데에서
활짝 웃고 있는 고담의 얼굴.

20. IT 회사 피스랩 사무실 / 낮

경수 (목소리) 김수용 어딨어!!!

갑자기 밖에서 들려오는 목소리에 고개를 드는
회사원들.
우당탕, 소리와 함께 사무실 들어오는 경수.
평소답지 않게 스카쟌 입고 있다.
뒤이어 들어온 산타 역시 용 잠바를 걸쳤다.
얼굴에 반창고 붙이고 한껏 불량해진 모습.

경수 남의 인생 망쳐 놓고 어디 갔어 이
새끼! (부서지지 않을 물건만 골라서 던진다.)

직원 어어어! 김수용 퇴사했어요.
(육탄방어) 갑자기 이게 무슨 행패입니까?
경수 므어? 퇴사? 여기 없다고? 그럼 내
돈 어떡해! 내 돈!

행패 부리려 액션 크게 하던 경수가 중심을
잃고, 유리문에 과하게 머리를 박는다.
유리문 밖. 기절하여 나동그라진 경수 보고, 혀
차는 구경이.
구경이는 얼굴까지 가린 방제복을 입고 소독약
통을 둘러메고 있다.
유리 너머에서 쭉 사무실을 둘러보는데,
사원들의 자리 배치가 위화감을 준다.
직원들의 모니터가 모두 한 방향으로
돌려져 있다.

구경이 의심스러운데

21. 피스랩 로비 / 낮

소독약 (사실은 맹물) 뿌리면서 복도를 쭉
걸어가는 구경이.
로비에 줄줄이 걸린 사진들. 웃고 있는 사원들
프로필 사진이 쭉 걸려 있는데 -
대여섯 명 (퇴사자들)의 사진에는 사인펜으로
얼굴에 낙서가 되어있다.
영구 이빨, 고양이 수염… '잘 먹고 잘 살아라!'
'배신자 ㅋㅋㅋ'
장난스러운 낙서이긴 한데, 사람 얼굴에 해
놓은 것이 살짝 쎄한 느낌.
김수용 사진을 보는 구경이. 선글라스 그려

넣고 적힌 글귀는 '회삿돈 Flex~ 인생도 Flex~'
옆의 단체 사진들.
인터컷으로 사진 찍을 당시 상황이 보여지고
찰칵! 소리와 함께 사진이 보인다.

- 회사 입구, 고담을 위시하여 나란히 선 직원들이
단체티셔츠를 입고 파이팅 포즈 취한다.
자연스럽게 옆에 서 있던 수용에게 어깨동무
하는 고담. 찰칵!

'정의로운 사회를 위한 첫걸음! 피스랩' 회사
OT단체 사진.

- 산 정상. 너무 열심히 산을 올라서 구석에서
토하고 있는 수용.
수용의 셔츠칼라에 스마일 배지 (간심사변
배지) 가 달려있다.
'뭐해~ 빨리 와!' 소리에 예예, 하면서 입 닦고
허덕허덕 달려가는 수용. 단체 사진 찍는다.

'새 기운을 받기 위한 1월 1일 설악산 등반!'
등반한 단체 사진.

- 할로윈 파티. 제각각 차려입은 가운데 고담은
배트맨 분장을 입고 있다.
조커 분장을 한 수용은 고담에게 헤드락 걸린
채로 웃고 있다.

'해피 할로윈!' 할로윈 파티의 사진.

구경이 (사진들 들여다보며) 어우~ 화목해

직원4 저기요… 방제 나오셨나요?
구경이, 보면- 복도 끝에서 문을 빼꼼 열고
직원이 말하고 있다.

직원4 여기… 바퀴벌레 있어요…
구경이 (자연스럽게 고개 돌리며) 예- 봐
드릴게요

직원4가 있는 곳은 복도 끝 '유아방'. 구경이가
거기로 걸음을 옮긴다.

22. 피스랩 사무실 안 / 낮

- 피스랩 사무실 안. 파티션 안 작은 휴게공간.
자판기 커피 받아드는 경수, 이마에 멍들었다.
직원 두엇이 옆에서 안쓰럽게 경수를 본다.

직원2 저희도 연락 두절이에요.
인수인계도 제대로 안 하고 날라서
골치였어요
직원1 (낮게) 걔 또 문제 일으킬 줄 알았어
경수 제 돈을 한두 푼 빌려 간 게 아닌데…
그 자식이 여기서도 사고 쳤어요?
직원2 솔직히 남 욕 하는 거 같아서
그렇긴 한데.. 걔가 초반에 회사 비품
중고로 팔아서 한 몫 챙기다 걸렸거든요.
저희 대표님이 대인배서서 솔직히
잘라도 되는 걸 어떻게든 사람
만든다고 진짜 애 많이 쓰셨습니다.
경수 …아 진짜요?
직원1 그 때 사진 있지 않나?

직원2 아 있지 있지! (핸드폰 꺼내며) 보시면 대충 김수용 어떤 인간이지 각 나오실 거예요.

경수, 폰 화면을 본다.

23. 과거. 사무실 / 낮~저녁

집중하고 있는 사무실 직원들. 고담이 수용과 함께 서 있다.

고담 …제 마음이 아픈 건 하나예요. 수용 씨 행동이 정의롭지 못했다는 거. 하지만 사람은 누구나 실수를 하잖아요. 김수용 씨가 진심으로 사과하는 모습을 보여준다니까 지난날은 잊고 다시 같이 으쌰으쌰 합시다

수용 (고개 숙이며) 죄송합니다! 잘못했습니다!

박수 치는 직원들. 수용이 목에 '잘못했습니다, 정의로운 사회를 위하여!' 라고 적힌 패찰을 걸고 있다. 책상 위로 올라가는 수용.

수용 (머쓱하게 뒷머리 긁으며) 앞으로 잘 하겠습니다

다소 기이한 모양새지만 모두 해프닝 정도로 여기는 풍경.

직원1 그래 수용 씨~ 앞으로 잘해!

대표님 같은 분 또 없다!

직원2 야ㅋㅋㅋ 이거 웃기다 사진 찍어 놔야지~ (찰칵찰칵)

꾸벅 인사를 한 수용이 그만 내려오려고 하는데, 고담이 옆에 다가와 조용히 말한다.

고담 수용 씨가 미안한 만큼, 그 마음을 우리 구성원들한테 보여주는 거예요. 맞죠?

수용 예? …

수용, 엉거주춤 다시 책상 위에 올라선다.

경과.
몇 시간째 책상 위에 서 있는 수용이 식은땀을 뻘뻘 흘리며 파리해져 있다.
직원들 모두 퇴근하고, 마지막으로 퇴근하려는 직원2가 그런 수용을 본다.
여전히 책상 위에 올라가 있는 수용. 뒤를 보면, 아직 대표실에 앉아있는 고담.

24. 유아방 안 / 낮

회사에 유아방이라고 구색을 갖춰 놓은 공간… 인데 난방도 안 되고 을씨년스럽다.
구경이가 공간을 훑는다. 좁고, 창문도 없다.
방 모서리에는 작은 CCTV 달려있고.
총천연색으로 벽지를 발라 놓고 뿌로로 트램펄린을 갖다 놔도 따뜻한 느낌은 없다.
유아용 책상에 올려진 컴퓨터. 직원4는

여기서 쪼그려 앉아서 일을 한단 말인가?
- 직원4의 셔츠 주머니에도 스마일 배지
(관심사병 배지) 가 달려있다.

구경이 (눈으로 그 배지를 유심히 보며) 바퀴라는
게… 우리 눈에 한 마리 보이면 실제로는
2천마리가 넘게 있는 거거든요
직원4 어어어 저기!

바퀴벌레 한 마리가 유유히 책상 위를 걸어간다.
밖에서 알람이 울리자 직원4, 이때다 싶어
나가버린다.

구경이 (맹물을 뿌리며) 맹물이야 맹물. 안
죽어. 그래서, 이 방에서 뭐하는 거니?

바퀴벌레, 무슨 말을 알아들은 듯 우다다
달려서 책상의 아랫면으로 기어간다.
쪼그려 앉은 구경이가 책상 아랫면을 보자,
작은 낙서가 있다.

구경이 뭐라고 써 놓은 거야…

더듬어 읽어보는 구경이. 새겨진 글씨는,

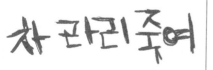

25. 사무실 / 낮

수용 사진 보고 돌려주는 경수. 알람이 울리고,
직원5가 쟁반에 종이컵 가득 담아온다.

직원2 땡큐

종이컵 안에 들어있던 영양제 8알 그대로
삼키는 직원1, 2.
직원4도 허둥지둥 나타나서 영양제 먹는다.
다른 직원들이 배지 달고 있는 직원4를 살짝
무시하는 분위기.

직원4 (약 먹으며) 감사합니다…
직원1 (놀리듯) 대표님이 주신 숙제는 다
하고 나오신 거?
직원2 (경수에게) 저희 대표님이 배합하신
영양제인데, 이렇게 직원들 생각해
주십니다.
경수 아 진짜요?

경수가 던진 물건들 정리하고 있는 산타에게,
직원3이 '김수용'이라고 적힌 박스 들고 온다.

직원3 이거 김수용 씨가 놔두고 간 건데
이거라도 가져가서 팔 거 파세요.
돈 될 게 있을진 모르겠어요

소지품 박스 소중하게 받아 드는 산타.

26. 주차장 근처 / 낮

차에 기대어 고담의 기자회견을 보고 있는
나제희. 고담 옆에는 미애가 서 있다.
'인터넷 장의업체 발족시킨 고담 대표, 성폭력
피해자 무료 변호' 자막 지나가며 -

고담 (화면속) 저희 의뢰인은 불법 촬영의
피해자임에도, 억울하게 살인자라는
누명까지 뒤집어써야 했습니다. 저는
인터넷에 업로드 되고 있는 피해
영상들을 삭제하고, 피해자들이 일상을
찾을 수 있도록 성심껏 돕겠습니다.

미애의 얼굴이 단단하고 결의에 차 있다.

구경이(O.S) 눈빛이 달라졌네. (방제복 벗어
차에 싣는다.)
나제희 아 깜짝아. 김수용은 해외 나간
거 맞더라. 이것도 알리바이 만들어 준
거겠지?
경수 (가까이 와서) 회사 분위기 보니까
직원들이 단체로 괴롭힌 거 같던데요.
나제희 케이 타겟은 그럼 직원 중에 한
사람인 건가?
구경이 고담 자리에서 직원들 모니터가
다 보이더라. 창문도 없는 방에 사람 밀어
넣은 것도, 대표 의중이 과연 없었을까…
(나제희보며) 그냥 직접 물어보자.
나제희 고담한테? ㅇㅇㅇㅇ응…

김수용의 소지품 상자 가리키는 산타.

경수 여기 뭔가 단서가 될 만한 게…

경수, 상자 안 뒤져보는데 작은 화분, 텀블러,
개인용 마우스패드 등 평범하다.

경수 당연히 없지. 스케줄러 하나 안
나오네.

산타, 어디서 났는지 화분에 물을 주는데…
물이 바닥으로 줄줄 샌다. '으어어-!'
구경이, 화분에 심어진 나무 쑥 뽑는다. 산타,
경악.

구경이 (산타에게) 너는 왜 살아있는 거랑
죽어 있는 걸 구분도 못 하니?

나무 돌려내면, 안에서 나오는 USB.

27. 변호사 사무실 입구 / 낮

입구의 사무원이 나제희와 구경이의 신분증을
확인하고, 몸수색기를 들이댄다.
나제희를 지나, 구경이에게도 몸수색기를
대는데, 삐-삐- 소리가 난다.
구경이, 손 댈 생각도 안 하는데 나제희가
구경이의 가슴 주머니에 있던 플라스크
꺼내 준다.

구경이 그건 그냥 내 몸뚱어리 같은 건데~

구경이 몸 훑다가 또 삐-삐- 하는 탐지기.
발목에도 플라스크 하나 꽂혀 있다.
나제희, 한심… 해하며 제 손으로 빼낸다.

구경이 (허리 굽힐 생각도 없이) 에잉~ 깡통
하나 갖구 뭘 이렇게까지 해~

28. 변호사 사무실 건물 주차장 / 낮

노트북에 USB 꽂는 경수. 읽어보는데, 폴더에는
아무것도 없다.

경수 뭘 이런 걸 뒀대? 빈 깡통이구먼.

산타, 뭔가 떠올랐다는 듯 컴퓨터를 끄고
USB 뽑는다.
컴퓨터 꺼진 상태에서 USB 꽂고 다시 전원
켜는 산타. (아주 빠르고 리드미컬)

경수 (아) 시동 디스크.. 나도 알지 알지.

켜진 화면, 방금과는 전혀 다른 OS. 자동으로
프로그램이 켜지고 무수하게 많은 파일이
업로드 된다. 정신없이 올라가는 파일명들.

경수 이게 뭐야?

차 안에서 노트북 들여다보는 경수와 산타를 -
멀리서 보고 있는 누군가의 시선.
산타가 시선을 느끼고 고개를 들자 -

목소리 (카메라를 획 내리면서) 아씨! 봤나?

29. 고담의 변호사 사무실 내부 / 낮

웃으며 구경이와 나제희를 맞이하는 고담.
직접 보니 더 멀끔하고 번듯하다.
나제희가 NT생명 명함을 내민다.

고담 (명함보며) 죄송합니다. 직접 나가서
인사드렸어야 되는데..
(구경이보고) 미애 양한테 이야기 많이
들었습니다
구경이 걔가 뭐라던데요?
고담 (웃으며) 고마우신 분이라고. 저도 이
기회에 감사하단 말 드리네요.

구경이, 무감한 표정.

나제희 회사 운영에, 변호에, 출마 준비도
하느라 바쁘실 텐데 갑자기 찾아왔네요.
고담 출마는요, 무슨… 말씀대로 일이
바빠서 그런 건 생각할 겨를도 없네요.
나제희 그래도 이렇게 좋은 일 하시는
분이 나서 주시기를 다들 바라던데.
구경이 (O.L, 그런 나제희 제지하듯, 음료수 내민다.)
이거 드세요. 달짝 시원해요.
고담 (화제 돌아가 반가운) 아이고, 안 사
오셔도 되는데! 제가 좋아하는 거네요!

고담, 그걸 받아서 바로 딴다. 그래 놓고는
마시지 않고 손에 들고 있다.

고담 그래서 어쩐 일로 오셨는지…

나제희 저희 피보험자 중에 오래 고통을 당했다는 분이 계신데… 보험으로는 커버할 수 없는 영역이라 어떻게 도와줘야 할지, 변호사님은 잘 아실 거 같아서요.

고담 그 피해자분이 소송이나 고발 준비 하시나요?

나제희 법적인 것보다는… 응징이나 복수를 바라고 있는 거 같아요.

고담이 입도 안 댄 음료수를 슬쩍 내려놓는다. 구경이의 시선이 그걸 체크한다.

고담 그런 쪽이라면 제가 도와 드리기 힘들겠습니다.

구경이 저희가 궁금한 건 그 전에. 이 피해자라는 사람이 진짜 피해를 입은 건지, 정말로 고통스러운 건지 의심스러워서요. 증거가 없거든요.

고담 …고통은 자기 자신만 느낄 수 있는 거잖아요. 제3자가 그게 진짠지 가짠지를 판단할 수는 없죠. 피해자의 고통에 겨워 뱉는 그 비명이, 진짜 증거 아니겠어요?

구경이 사람을 잘 믿으시나 봐요?

고담 뒤통수 많이 맞고 삽니다. 하하.

음료수를 마시는 구경이.

구경이 그럼 저도 변호사님 믿고

말씀드려 볼게요. 젊은 친군데, 회사 상사한테 지속적으로 괴롭힘을 당했대요. 다 큰 성인을 책상 위에 몇 시간씩 서 있게 하고… 분위기를 몰아서 직원들이 왕따 시키고 때리고 하는 걸 당연하게 만들고…

구경이, 수용의 사례를 이야기하면서 고담의 얼굴을 살핀다.

그러나 고담의 얼굴에는 '안타까워라' 하는 감정뿐이다. 나제희가 그거 보며 어라? 한다.

고담 저도 회사를 운영하는 입장이라 참 안타깝습니다. 다들 성인들인데도 보면 꼭 애들처럼 누구 하나 은근히 괴롭히고 따돌리는 경우가 생겨요. 다 큰 성인들한테 제가 뭐라고 할 수도 없고. 그럴수록 회사에서 해당 직원에게는 안전한 공간을 마련해주고, 다 같이 어울릴 수 있게 노력을 해야죠.

구경이 저희가 이 친구를 어떻게 도울 수 있을까요?

고담 우선, 그 당시의 기록들. 일기랄지 문자 메시지, 진단서가 있으면 더 좋습니다

구경이 그럴 정신이 없었던 거 같은데, 한 번 알아볼게요

고담이 쪽지에 번호를 하나 쓴다.

고담 업무용 아니고 개인 연락처인데요.

제가 꼭 돕고 싶으니까, 연락 달라고
해주세요. 비용 생각 안 하셔도 된다고
전해주시고요.

구경이 왜 이렇게까지 하세요?

고담 제 귀에는 들리거든요. 그 친구 비명
소리가.

30. 고담 사무실 복도 / 낮

나제희 (걸어 나오며) 봤어? 뒤축 닳은 구두에,
시계도 명품 아니고 보세.
너무 완벽한 캐릭터긴 하네. 저런 사람이
출마하면 골치 아프겠다.

구경이 …

나제희 김수용 괴롭힌 건 직원들이 한 일
같은데…

엘리베이터 문 열린다.

나제희 이제 어쩔 거야, 다른 직원들 파
볼 거야?

나제희가 엘리베이터 문을 잡고 서는데
구경이는 제자리에 우뚝 서서 따라오지 않는다.

나제희 안 타?

구경이 5, .. 4,.. 3,..

나제희 선배?

구경이 2… 1…

구경이가 휙 돌아서서 왔던 길로 빠르게

돌아간다.

Cut to.

고담 사무실 앞으로 되돌아와서, 노크도 없이
문을 벌컥! 여는 구경이.

31. 고담 사무실 / 낮

열린 문으로 구경이 얼굴. 안을 휙 둘러본다.
아까와 다름없는 평범한 사무실.
안쪽 화장실에서 물소리가 들린다. 세수를
하고 나온 듯한 고담.

고담 무슨 일이시죠?

구경이 뭘 놓고 가서…

구경이, 얼굴이 조금 상기되어 있는 고담 옆을
지나친다.
앉아 있던 소파 밑으로 허리를 숙이고 기다시피
해서 뭘 찾는 구경이.

고담 뭘.. 떨어뜨리셨는데요?

테이블 아래 구경이. 언제 흘렸는지 육포 하나가
굴러다니고 있다.
육포 주우면서, 고담의 바지춤을 보는 구경이.
바짓단에 반짝, 유리 파편들이 튀어 있다.

구경이 (육포 보여주며) 찾았어요

고담이 어색하게 웃는다.

32. 엘리베이터 ~ 주차장 / 낮

구경이와 나제희가 재빨리 걸어가며 이야기 나눈다.

구경이 평소엔 절대 드러내지 않을 거야. 아무리 열을 받아도 바로 표출하는 게 아니라…

- 구경이의 상상. INS.
조금 전. 구경이와 나제희가 사무실을 나가자, 분노에 찬 눈빛의 고담.

고담 김수용 이 개 같은 새끼가…

화장실로 들어가는 고담. 손에 타올을 둘둘 감으며 계속 중얼거린다.

고담 네가 나한테 개길라고 했어? 어?

타올을 단단히 감고 거울을 보는 고담. 욕을 내뱉으며 거울을 내려친다.
튀기는 거울 조각이 바지에 뿌려진다.

나제희, 반신반의한 표정.
주차장으로 들어서는 두 사람을 보는 누군가의 시선.

목소리 나온다 나온다.

33. 차 안 - 주차장 / 낮

경수 고담이랑 무슨 일 있으셨어요? 김수용 씨 수배 들어갔대요!

나제희 하… 대단한 사람이네.

구경이 그거는?

경수 (노트북 내밀며) 시동 디스크였고요, 자동 업로드 프로그램이 돌아가면서 파일 수백 개가 동시에 미로넷으로 올라가게 세팅되어 있어요. 전문적이던데요.

구경이 무슨 파일들인데?

경수 어우. 이걸 뭐라고 해야 돼. 저는 "절대 본 적도 없는" 이런…

구경이가 업로드 되는 파일들의 파일명을 본다.

[대박 오ㅣ z ㄴ운 ㅇㅣ혼女 Av 스트리밍]
[Super 모델 ㅇ ㅕ신 미친 믐매 레전드 U작 감상]
[HOT 캠프 ㅓs 女대생 流혈낭z ㅏ 몰ㅋㄱ 원보니]

나제희 김수용이 미로넷에서 부업이라도 했다는 거야?

구경이 쟨 저기서 뭐하니?

차창 밖으로 - 몸을 차 뒤로 숨겼다가 다시 고개를 내밀었다 하는 산타가 보인다.
맞은편에는 산타와 똑같은 짓을 하고 있는 누군가.
두 남자가 에어 시소를 타듯 미어캣처럼 고개를 내밀고 확 숨고를 반복하고 있다.

목소리 (다시 차 너머로 고개를 빼고) 뭐야. 어디 갔어?

경수 (다가와 팔짱을 확 끼며) 여기 있지!

목소리 어우씨. 뭐야! 놔요!

경수 왜 우리를 훔쳐보고 있었지? 응? 누가 보냈어!

목소리 나 민주시민이야! 경찰 불러 경찰!

구경이 (경수에게 붙잡힌 '목소리'를 보고) 어? 미스터리에 미친남 샘시 님?

목소리 구독자세요!?

목소리의 주인공은, 박규일 사건 때 케이에 대한 음모론 펼쳤던 유튜버 BJ샘시다.

34. 미미남의 봉고 안 / 낮

미미남의 봉고에 일렬로 나란히 앉아 있는 구경이 일행. 비좁다.

나제희 우리 얼굴 나온 거 지우세요 좋은 말로 할 때.

구경이 제가 대신 사과드릴게요. 샘시 님.

BJ샘시가 구경이의 플라스크에 싸인을 해준다.

BJ샘시 여러분이 고담의 수하가 아니라는 것은, 구독자니까 믿어 드리는 겁니다.

구경이 그래서, 왜 미미남 채널에서 고담 변호사 사무실로 온 건가요? 다음 아이템?

경수 (미미인형 만지작거리며) …미미남…

BJ샘시 (인형 뺏으며) 이게 엄청 민감한 사안입니다. (카메라 돌리며) 각서 해주세요.

구경이 (자연스럽게 카메라를 보고) 누설 안합니다

경수 (시선 피하며) …안 하겠습니다

산타 (말없이 입막음 제스처)

나제희 (어이없다는 듯) 이게 지금 뭐 하는…

(구경이가 나제희 머리 억지로 숙인다.)

BJ샘시 (침 꿀꺽) 정의로운 인권 변호사인 고담이 사실은… 전혀 다른 얼굴을 가지고 있었다면… 여러분은 믿으시겠습니까

구경이, 팀원들과 눈짓 주고받는다.

구경이 (반응 격하게) 어머. 대박 어떤 얼굴인데요?

BJ샘시 최초 공개! (카메라 보면서) 지난 5개월간 고담만을 집중 추적해온 결과! 저 미미남이 세계 최초로! 고담이 외계인과 통신하는 과정을 촬영해 냈습니다!

잔뜩 기대했던 팀원들, 김이 빠져서 몸이 뒤로 빠진다.

나제희 (드르륵 봉고문 열고 내리며) 전 갑니다!

경수 (따라 내리며) 팀장님! 가취가욥~

구경이 (눈 한 번 돌리지 않고, BJ샘시 어깨를 짚으며) 진실을 찾는 자는 사막의 늑대처럼 언제나 외로운 법. 그 영상 한 번 볼 수 있을까요?

- INS. 화면 속. 카메라 마구 흔들리다가 나무 사이로 전화를 걸고 있는 고담이 잡힌다.

BJ샘시(V.O) 고담이 주변을 워낙 철저히 단속해서 저희도 겨우 겨우 포착해냈습니다.
고담이 어디론가 전화를 걸고 있는데요…
그 통화내용을 들어 보시면… 충격을 금치 못할 내용입니다

고담 얼굴 더 줌인 되고, 고담이 하는 말이 지직거리며 들려온다.

고담 (화면속) 캐샘퍼서스스 여성사상 빠살리시메세이신에세 거설어서.

BJ샘시(V.O) 들으셨습니까?

고담의 외계인 소리를 듣고 돌아온 경수.

경수 모야모야 뭐예요!!!

70퍼센트 느리게 재생. 어느새 나제희도 슬금슬금 봉고차를 향해 온다.

고담 (화면속)
캐애새애앰퍼어서어스..스…

BJ샘시(V.O) 이상한 언어로 말을 하는 고담… 어쩌면 고담은, 사람의 탈을 쓴 외계인인 것은 아닐까요?

나제희 뭐 여성사상????

구경이, 입 안에서 말을 몇 번 굴려본다.

구경이 캠퍼스 영상 빨리 메인에 걸어…

놀라는 나머지들.

BJ샘시 어?! 어떻게 아신 거예요? (헉) 설마?!
구경이 도깨비말이잖아요. 중학교 때 친구들이랑 안 해봤어요?
BJ샘시 (정색) …그 땐 친구가 없어서…
산타 (AI보이스) 캠퍼스 영상 빨리 메인에 걸어… 그래서 그게 뭐죠?
BJ샘시 캠퍼스 영상이면 그거네, 윤미애 영상. 그것 때문에 사람까지 죽었다고 대박 났잖아요.
나제희 그건 고담이 피스랩에서 다 지웠다고 했는…
구경이 (BJ샘시 표정을 보고) 남아 있구나.
BJ샘시 그게 지운다고 지워도- 미로넷 같은 데 계속 올라와요.

BJ샘시, 미로넷에 올라온 [HOT 캠ㅍㅓs 女대생 流혈낭ㅈr 몰ㅋr 원보ㄴ] 보여준다.

BJ샘시 지금도 메인에 있네요
구경이 김수용이 업로드 하던 파일이랑, 같네.
경수 예? 피스랩 쪽에서 미애 동영상을

업로드 한다고요? 고담은 윤미애를 돕고
있잖아요!

구경이 그리고 뒤에서 다시 업로드를
했던 거야. 자기 회사인 피스랩 통해서.
아니, 미로넷이라고 해야 되나?

산타 (AI보이스) 돈 때문에 이런 짓을
한다고요?

나제희, 샘시가 만들어 놓은 고담의 불타는
합성 이미지 내려다본다.

나제희 외계인인지는 모르겠지만… 사람
새끼 아닌 건 맞네.

구경이 충격!

BJ샘시 쇼크!

구경이, 샘시 (동시에) 대   혼란!

구경이 (BJ샘시에게) 샘시 님 미리 죄송합니다.

BJ샘시 예 왜요?

구경이, 방금까지 자기 찍고 있던 카메라
낚아채 메모리카드 빼서 삼킨다.

구경이 다른 아이템 알아보세요

35. 국궁장 / 낮

슈욱- 날아가는 화살 소리가 살벌하게 들린다.
활을 내려놓는 나제희.
옆에 다가온 용 국장이 자신도 활을 한 번
겨눠본다.

나제희 조심하세요 잘못 다루면 손에
구멍나요

용 국장이 자신만만한 얼굴로 활시위에서 손을
놓는데, 힘없이 코앞에 떨어지는 활.

용 국장 부장님! 새 핸드크림 흡수력이
별로라! 이게 총이랑은 좀 다르네
(나제희에게) 이런 취미는 언제 배웠대

나제희 (활을 쟁이면서) 어릴 때 아버지가
가르쳐 주셨어요

용 국장 어엉- 나 팀장 어머니가 집안 다
말아먹기 전에? (눈웃음) 내가 모르는 게
없지?

나제희가 대답 않고 활을 쏘다, 명중. 남아있는
활이 없다.

나제희 케이 다음 타겟을 알아냈어요

용 국장 누군데?

나제희 같이 가실래요?

활 주우러 가는 나제희. 용 국장이 따라 걷는다.

나제희 케이 잡으면 어떻게 하실 건지
아직 대답 안 하셨어요

용 국장 응? 일단 잡고 이야기하기로 한
거 아닌가?

나제희, 용 국장이 떨어뜨린 화살 줍는다.

나제희 케이 잡는 거… 왜 이렇게까지
하세요?

용 국장 무서운 살인자가 사람들 막 죽이고
다니는데, 누군가는 잡아야지 그걸.

나제희 목숨 내놓고 있는 건 저니까, 저한테
어느 정도 솔직해 주시면 좋겠는데.

용 국장, 땅에 박힌 나제희의 화살을 뽑으며-

용 국장 나제희 씨 아직 내 사람 아니잖아.
내가 당신 입은 어떻게 믿는다 쳐도
나머지들 하나하나를 어떻게 믿어. 내가
어떻게 할 건지 알려주면, 그 팀에서 말
막 튀어나올 건데, 어구 생각만 해도
귀 아프다. 이렇게 민주주의가 피곤해.
그지?

나제희 아랫사람은 믿는 게 아니라
컨트롤하는 거죠.

용 국장 컨트롤? 어떻게에~?

어느새 과녁으로 다다른 용 국장과 나제희.
나제희, 과녁에 있는 화살을 하나 뽑으며

나제희 하나는 겁이 많아서 정작 위기
상황에서는 힘을 못 써요.
겁만 주면 쭈그러들 거고.

또 하나를 뽑으며,

나제희 다른 하나는 암기력만 좋지, 앞일
내다보는 능력은 없어서 단서가 있어도

그걸 갖고 결론을 못 내려요. 적당히
헷갈리게만 하면 되고. 구경이 선배는…

마지막 화살을 뽑는다.

나제희 방에서 끌어낸 게 저니까요,
필요하면 다시 방에 처박히게 할 수
있습니다.

용 국장 이렇게까지 이야기하는 걸 보니
우리 나 팀장님 바라는 게 있다, 그렇지?

나제희 (웃음) 허성태 의원님 청와대
들어갈 때 옆에 서 있으려고요.

용 국장, 그런 나제희 가만 보는데…
저 멀리 사대에서 이들이 있는 과녁 쪽 향해
진지한 표정으로 활시위 당기는 김 부장
보인다.

용 국장 어머 저거 뭐하는 거야!

휙 돌아보는 나제희. 김 부장이 활시위를
놓는데, 눈 질끈 감아버리는 용 국장. 반면
김 부장 쪽 보며 꼿꼿이 서 있는 나제희. 활은
나제희의 열 발자국 앞에 떨어진다.
활이 닿지 못할 것을 예상한 것.
김 부장, 멀리서 '아이구~ 제가 한 번
만져본다는 게~'

용 국장 (그런 나제희 보며 미소) 케이는 세상에
나오지 말았어야 할 사람이잖아.
경찰이든 누구든, 케이나 케이가 벌인

사건은 없던 일이 돼야지. …그래서?
나제희 고담이에요, 케이 다음 타겟.

용 국장, 미묘하게 입꼬리가 올라간다.

36. 연탄 불고기 집 / 저녁

구워지는 연탄 불고기. 묵묵하게 있는 구경이,
경수, 산타. 비슷한 종류의 열패감.

경수 (침묵 깨려고) 제가 맛있게 먹는 법
알려 드릴게요. 상추랑 깻잎을 한 장씩
올리시는데 깻잎은 뒷면으로 놓고…
마늘을…

쌈스플레인 하는 경수 무시하고 재빨리 고기만
싹 쓸어서 입으로 털어 넣는 구경이.
소맥을 기가 막히게 탄 다음에 원샷 한다.

경수 누가 쫓아와요?

다른 이들의 빠른 손놀림과 달리 묵묵히
앉아있던 산타.

산타 (AI보이스) 근데 진짜 케이가 고담을
죽이려고 혈안이 되어 있으면…
그냥 내버려두는 게 낫지 않으요?
구경이 (산타가 이런 말 하는 게 의외다, 우물우물
씹다 산타 보는)
산타 (AI보이스) 경찰에 신고해도 처벌도
제대로 안 받을 거예요.

경수 돌 빨았나! 나랑 팀장님이랑 케이
땜에 죽을 뻔했는데. 그런 말은 좀
그렇잖아!
산타 (AI보이스) 그 새끼가 너무 나쁘잖아요.
경수 그 새끼? 응… 그건 맞는데… (갑자기
흥분하여 고기 굽는 집게 들고)
에이! 그냥 내가 죽이고 싶다!
구경이 니가 죽여. 그러면.

산타, 흥미롭다는 듯 구경이를 쳐다본다.

경수 제가 그럴 용기는 없죠…
구경이 너는, 사람 죽이는 데 필요한 게
용기라고 생각하니?

구경이가 경수를 보는 눈빛이 새삼 지지하여
경수가 말을 잃는다.

구경이 사람 죽일 때 필요한 필수 요소는
따로 있어. 나라고 죽이고 싶은 놈 하나
없었을 줄 알아? 근데 그 필수 요소가
나한테는 없더라고.
경수 뭔데요. 그게.
구경이 멍청함과 오만함. 사람 죽일라면
그거 두 개가 필요한데… 나한텐 없는
거지.

식당 사장이 다가와서 잔뜩 심각한 구경이
등을 친다.

식당사장 언니야! 고기 뿔세 다 타뿡게 폼

재지 말고 어넝 뒤집어야!
구경이 (빠직) 저기요!
식당사장 왜요!
구경이 3인분 추가요.

산타가 구경이 시선 따라 입구 쪽 보면,
나제희가 들어와 서 있다.

경수 팀장님 왜 이제 오세요~
나제희 김수용 씨 귀국 날짜가 일주일 뒤야.
경수 김수용이 알리바이 확실할 때 고담을
죽일 테니까… 일주일 있는 거네요
산타 (경수 말에 동의하는 듯 고개 끄덕이며 구경이
쳐다본다.)
구경이 촉박하네, 걔도 우리도.

나제희, 테이블에 앉자, 고기들 입에 쓸어 담고
소맥으로 가글한 다음 일어서는 구경이.

구경이 (나제희에게) 그건 됐어?
나제희 (명함을 내밀며) 말 잘 해놨어.
(구경이에게 시선 주지 않고않으며)
이게 경수 씨가 그렇게 먹자고 졸랐던
거지? 일단 색깔은 합격이고-
구경이 (명함 낚아채고 떠나며) 맛있게 먹어
둬라 들. 내일부터 빡세진다.

구경이 나갈 때까지 나제희가 시선을 주지
않는다. 구경이, 문간에서
잠깐 팀원들을 돌아보고, 밤거리로 나선다.

37. 아파트 입구 공원 / 저녁

벤치로 천천히 다가오는 사람 그림자. 모로
누워있는 구경이의 모습이 보인다.

미애 왜 부르신 거예요?

구경이, 미애를 보더니 부스스 일어나서
명함을 내민다. 어느 변호사 사무실 명함이다.

미애 저 변호사 있어요
구경이 그… 바꿔 일단. 이 사람 믿을 만한
사람이래.
미애 왜요? 고담 변호사님한테 무슨 문제
있어요?
구경이 (사이) 그… 사람이…알고 보니까…
되게 나쁜… 놈이야…
미애 저도 좋은 사람은 아닌데…
구경이 아이구. 말 좀 들어! 내일 전화 올
거니까, 상담이라도 받아 보고 비용은
신경 쓰지 마.
미애 연탄 불고기 드셨어요? 냄새가…
구경이 어? 어.

미애, 숨을 크게 들이쉰다.

미애 일주일 만에 밖에 나와서 맡는 게
연탄 불고기 냄새인 것도… 나쁘지는
않네요.
구경이 거기 배달돼

미애, 힘없는 웃음을 뱉는다.

38. 보안회사 주차장 / 아침

대호의 차 안. 잠시 출근 전 텀블러에 담아 온
프로틴 쉐이크 때리고 있는 건욱과 대호.

대호 욱아―

건욱, 급 긴장.

건욱 아… (눈치 보고) 내가 잘 때 코 고나?
그거는 고칠라고 하는데… (긴장풀려) 뭔데.
대호 내가 맨날 너 아침에 데리러 오는 거
귀찮아. 집도 너무 멀고…
건욱 …혼자 기리. 네 원래 하던 대로
지하철 타고 올게
대호 출근하는 거 안 귀찮게, 같이
출근하면 어떠냐고
건욱 어?
대호 같이 살자고. 다롱이랑 너랑 나랑.
(건욱을 보더니) 싫은 표정이네?
건욱 아니, 놀래 갖고. 내한테 이런 일이
생겨도 되나 싶어서.
대호 네가 어때서. 나 모르게 나쁜 짓
많이 했냐?

건욱, 대답을 못한다. 똑똑! 유리창 두들기는
보안 직원.

보안 직원 안 올라가?

대호 예, 갑니다. (건욱에게) 천천히 생각해.
당장 대답해 달라는 거 아니야.

대호따라 차에서 내린 건욱. 참았다가 말한다.

건욱 좋다. …같이 살자, 우리.

대호가 웃으며 먼저 들어간다. 건욱이 대호의
뒷모습을 본다.

39. 보안회사 / 아침

CCTV 화면들 켜지고― 화면들 하나하나
확인해보는 건욱.
등교 중인 고등학교를 비추는 화면. 외따로이
걸어가는 한 여학생에게 눈길이 간다.
건욱이 따로 저장해 둔 CCTV를 켠다. 흐릿한
화질 속, 한강으로 빠지는 케이의 실루엣.

40. 골목 / 밤

어둑어둑한 골목. 비틀거리는 부랑자 느낌
실루엣이 보인다.
보면, 한강 빠질 때 입었던 옷 위에 낡은
거적때기 하나 걸치고, 절뚝이며 걷는 케이다.

남자1 (케이 모습 위로) 맞네 맞네, 여자 맞네.
남자2 냄새가 구린데.
남자1 미친 새끼 니 냄새는. 거기 아가씨!
우리가 술 사 줄게! 밥도 줄게 밥!

남자들의 목소리에 뒤로 신경이 곤두서는
케이. 시야에 짱돌이 보인다.
발소리가 가까워지자 재빨리 돌을 주워 뒤로
도는 케이.

건욱 에헤이, 가지 그냥? 술들 자셨지요?
가요, 가. 워이, 워이~

케이의 눈에 보이는 익숙한 건욱의 등판. 표정
구기며 돌아서는 남자 둘.

케이 나 구하러 온 줄 알았더니, 쟤들
구하러 온 거였어?
건욱 내가 뭐라꼬 니를 구하노.
케이 알긴 아네.
건욱 꼬라지 가관이네
케이 (발걸음 옮기는중)
건욱 어디 가는데! 병원부터 가자!
케이 (계속 가면서 뒤도 안돌아보고) 생각보다
너가 너무 늦었어
그렇게 빨리 안 올 줄은 알았는데,
이렇게 늦게 찾을 줄은 또 몰랐네
건욱 눈알 빠지게 보고 겨우 찾아왔디만.
케이 할 일 해야지 이제. 시간이 그렇게
여유롭지가 않아요-
건욱 그 꼴로 움직인다고?
케이 (돌아보고) 나 줄라고 사 온 거지? (빵
봉지 확 낚아채서 우적우적 씹는다.)
건욱 (켁켁 거리는 케이에게 음료수 따서 준다,
케이가 벌컥벌컥 마시는거 보고) 그래, 고맙다.
감사하다 아주.

마지막 남은 빵 한 조각 입으로 쏙 넣고,
쓰레기만 남은 봉지 건욱에게 건네는 케이.
어두워서 발밑도 안 보일 거 같은데 케이가
성큼성큼 천막으로 간다.
건욱은 뒤따르며 몇 번을 넘어질 뻔한다.
그 사이, 무언가를 들고 천막 밖으로 나오는
케이. 유리병 부딪히는 소리가 난다.
건욱 보면, 플라스틱 병 박스에 소주병, 맥주병
등이 10개가량 꽂혀 있는 게 보인다.

건욱 쌔빠지게 모아 놨네. 이거 뭐. 나
먹고 죽으라고?
케이 (헤헤) 니 말고 누구라도 죽지

케이가 옆에 있던 손전등으로 벽을 몇 번
비추면, 멀리서 차 떠나가는 소리 들린다.

건욱 산 거가?
케이 아니, 홍천 비닐하우스 때 그 사람이
갖다 줬어. 자기 오빠 죽여줘서 고맙다고,
자기가 할 일 없다고 계속 어필했거든.
이번에 한 번 써 줬다 그래서.
건욱 아…
케이 너가 죽여도 된댔잖아. 여동생 인생
망친 그런 나쁜 놈은 죽어도 싸다고.
건욱 그 새끼는 죽일 만했지
케이 역시 너는 이해한다니깐.

박스를 들고 나르려는 케이. 건욱이 케이를

한쪽으로 치우고 자기가 번쩍 든다.
어두워서 넘어질 뻔하는 건욱. 병들 부딪히는
소리 난다.
달빛이 비치면… 병 안에는 하얀 가루, 검은
액체 등 술이 아닌 것들이 들어 있다.

케이 아! 죽일 놈 너무 많은데, 내 몸이
하나네?
건욱 고담 꺼 할 생각이면, 이번에는
진짜 완벽하게 해야 된다. 그 여자가
여기도 붙었다.
케이 (눈이 커지며) 오오?
건욱 그러니까 더 완벽하게 해야 된다고.
케이 (웃으면서) 이모도 미국 보내 놨겠다.
이 쓰레기만 딱 치우고 뜰라니까, 이게
또 재밌어지네?
건욱 (따라 긴장이 풀어지며) 완벽하게 하자!

옆으로 경찰차 지나간다. 케이와 건욱, 신경
쓰지 않고 웃으며 걷는다.

42. 조사B팀 사무실 / 밤

고담에 대한 거의 모든 정보가 붙어있다.
출생부터 나온 학교들… 살았던 집들…
습관 (왼쪽 다리를 종종 떪) 지병 (가벼운
아토피) 가족력 (고지혈, 당뇨) 등 컴컴한
사무실에서 고담 사진을 노려보고 있는
구경이.
옆에 펼쳐져 있는 '잔 다르크' 제본 대본. 펼쳐진
페이지 사이에서 빠르게 보여지는 텍스트들.

'투석기' '추락' '화살' '화형'…
구경이, 제본에서 고개를 들고 산타를
바라본다. 무표정하게 산타 보던 구경이.

구경이 너를, 어떻게 죽일까?

토끼 눈 한 산타. 막 차 마시고 있던 컵을 놓쳐-
머그컵이 바닥에 떨어진다.
깨진 컵 바닥에 인쇄되어 있는
'봉백여자고등학교 33회 동문 기념' 글씨.

─────────── 〈6화 끝〉 ───────────

성초이 대봉집 세트 키경0011 INSPECTOR KOO 1

초판 1쇄 발행 2022년 9월 29일

지은이 | 성초이

제공 | JTBC스튜디오, 키이스트
펴낸곳 | 플레인아카이브
펴낸이 | 백준오
편집 | 장지선
교정 | 이보람
지원 | 임유청
디자인 | 김현진 POT
일러스트 | 김현진 POT

이미지 자료
컨셉아트 | 퍼스트라인
애니메이션 | 콥 스튜디오
방송 타이틀 타이포 | 나인컨셉 studio
미술 | 신승준 김휘연
게임영상 | SBS A&T

도움 주신 분 | 곽선영, 김지원, 김성훈,
김소미, 김해숙, 김혜준, 남선우,
바로엔터테인먼트, 박은진, 백성철,
블러썸 엔터테인먼트, 송민선, 씨네21,
이다혜, 이영애, 이정흠, 이홍내, 조현철,
준앤아이, 키이스트, ANDMARQ,
GOOD PEOPLE

출판등록 | 2017년 3월 30일 제406-2017-000039호
주소 | 경기도 파주시 회동길 336-17, 302호
홈페이지 | www.plainarchive.co.kr
이메일 | cs@plainarchive.com

27,500원
ISBN 979-11-90738-23-1 04680
       979-11-90738-22-4 (세트)